LA DISPARITION DE VICTORIA

PHYLLIS A. WHITNEY

LA DISPARITION DE VICTORIA

Traduit de l'anglais par
Marc-Antoine

Super Sellers

Données de catalogage avant publication (Canada)

Whitney, Phyllis A., 1903-

La disparition de Victoria

(Super Sellers)
Traduction de : Star flight

ISBN 2-89077-118-0

I. Titre.
PS3545.H836S7214 1995 813'.54 C95-940070-2

Titre original de l'ouvrage : Star Flight
Éditeur original : Crown Publishers, Inc.

© 1993 by Phyllis A. Whitney
© 1995 les éditions Flammarion ltée
pour la traduction française

ISBN 2-89077-118-0

Dépôt légal : 1er trimestre 1995

Photographie de couverture : Yuri Dojc/Image Bank

À Julie Fallowfield,

depuis tant d'années, mon agent, ma conseillère

et amie, merci

PRÉFACE

Lorsqu'on découvre le cadre d'un nouveau roman, son aspect le plus exaltant est toujours aussi le plus inattendu. Quand ma sœur et son mari me conduisirent à Asheville, en Caroline du Nord, je n'avais jamais entendu parler de Lake Lure. J'avais bien lu quelques lignes sur Chimney Rock, mais j'avais préféré l'écarter en raison de son altitude et de son inaccessibilité. Je me disais qu'il y aurait trop de marches à monter, mais je me suis rendu compte — à ma grande joie — qu'il existait un ascenseur.

Au moment de quitter Asheville, nous avions déterminé notre périple de manière arbitraire. Nous longeâmes le Blue Ridge, puis descendîmes vers Hickory Nut Gorge. Mais, en dépit de leur beauté grandiose, ces gorges ne m'inspiraient pas. Jusqu'au moment où nous atteignîmes les berges d'un lac étroit qui s'étirait entre les flancs rocailleux d'une montagne. Là, nous parcourûmes alors les collines qui surplombaient le lac pour jouir pleinement de ce site que je trouvais enchanteur. Je compris alors que j'avais enfin trouvé l'endroit où je camperais le décor de mon prochain roman, sans, toutefois, me douter un seul instant des trésors d'inspiration que j'y puiserais. Lake Lure et Rumbling Bald Mountain m'entouraient déjà de l'atmosphère de légende à partir de laquelle je bâtirais mon histoire.

Tout au long de mon cheminement, je reçus l'aide de bon nombre de gens. Edward J. Sheary, directeur des bibliothèques d'Asheville-Buncomb m'accueillit avec bienveillance et me livra une foule d'informations. Laura Gaskin, du Centre de services pour adultes de la bibliothèque de Pack Memorial, me fournit les noms des personnes susceptibles de m'aider dans mes recherches, ainsi que de nombreux articles et copies sur différents événements survenus dans la région.

Après que je fus rentrée chez moi, Martha Schatz, directrice de la bibliothèque du comté de Rutherfordton, devint mon principal agent de liaison en me faisant parvenir des informations de toute nature sur Hickory Nut Gorge et Lake Lure. Après lecture de mon manuscrit, son commentaire enthousiaste fut le tout premier que je reçus. Merci, Martha.

Joanne Okpych, propriétaire de l'auberge Esmeralda Inn, me fit part d'anecdotes sur d'anciennes vedettes, qui, à l'occasion de tournages, séjournèrent dans son établissement, alors que le cinéma en était à ses premiers balbutiements. Compte tenu de ma passion pour le septième art, je ne pus que saisir l'occasion et imaginer mes propres vedettes de cinéma.

Dale Miller, directeur de Lake Lure Inn, me fit faire le tour de la propriété, que de nombreuses personnalités avaient honoré de leur présence. Il me fit également visiter la grange au toit de kudzu, aujourd'hui devenu entrepôt, mais qui avait connu jadis de nombreuses soirées de « square dance ». Par quelques phrases tapées sur ma machine à écrire, je pus lui rendre son caractère festif.

Une aide toute particulière me fut apportée par Laney Harrill et sa femme Lyvonne. Nous fîmes connaissance au sommet de Chimney Rock, avant que Laney nous invitât à son domicile de Lake Lure, où je m'imprégnai véritablement de l'atmosphère d'une existence lacustre au cœur de hautes montagnes. C'est également Laney qui m'instruisit des merveilleuses et abondantes légendes de Hickory Nut Gorge.

Pour chacun des livres que j'écris, je visite, par principe, la chambre de commerce des lieux où se situe l'action. C'est dans celle du village de Chimney Rock que je découvris la perle rare en la personne d'Ann O'Leary. Ann nous conduisit dans le coin de montagne où se dressait encore le village indien qui avait servi au tournage du *Dernier des Mohicans*. De ce village huron, remarquable d'authenticité, nous fîmes de nombreux films vidéo et photos qui, par la suite, me permirent de situer mon action avec plus d'exactitude. Si la vocation de ce village s'est éteinte dans quelque salle de montage de studios de cinéma, je suis heureuse, au fil de ma narration, de lui avoir tant soit peu redonné vie.

Cher David Easton, merci de m'avoir prêté votre porcelet. Votre petit Sigmund von Hogg donna une saveur particulière à de nombreuses scènes. S'il est aujourd'hui un porc dans la force de l'âge, il n'en demeure pas moins à mes yeux le petit Siggy.

J'adresse des remerciements tout particuliers à Edith Edwards de *Kudzu Konnections* de Rutherfordton. Dans un précédent ouvrage, *The Glass Flame,* j'ai évoqué les propriétés destructrices du kudzu. J'ai cependant appris depuis à en connaître les vertus. *The Book of Kudzu* m'a fourni quantité de recettes fascinantes, non seulement sur le plan culinaire, mais aussi sur le plan thérapeutique. Ces recettes m'ont été d'une grande utilité dans la rédaction de cet ouvrage.

Les magnifiques tambours évoqués dans cette histoire sont l'œuvre d'Edward King. Edward fait de chacune de ses créations une pièce unique. L'acquisition d'un de ses tambours me permet encore aujourd'hui de retrouver quelques-uns des sons que j'ai tenté de traduire.

Deux scènes se déroulent à Asheville même. L'une dans la fameuse auberge de Grove Park Inn, sur les hauteurs de la ville, l'autre, au Captain's Bookshelf, une merveilleuse boutique de livres anciens. Tous mes remerciements à Chandler Gordon, fils du véritable « captain », ainsi qu'à sa femme, Megan Gordon qui créa la murale illustrant le dragon japonais dont il est fait mention dans ce livre.

Randy Williams nous fit visiter le complexe vacancier de Fairfield Mountains, ce qui me permit d'y situer quelques scènes d'action. Il nous conduisit également à l'inégalable bibliothèque Mountains Library, où, à mon grand plaisir, je pus retrouver l'ensemble de mon œuvre. L'aimable réception de Dorothy Dunlap, la bibliothécaire, et de son assistante, Eileen Harrison, fut aussi à l'origine d'une des scènes de ce roman.

J'ai néanmoins pris quelques libertés avec la géographie de Lake Lure, en particulier avec la topographie des berges du lac ainsi que l'implantation des maisons et j'ai tracé des sentiers là où il n'en existe pas. Pour l'écrivain, le réel et l'imaginaire se mêlent si étroitement au fil de l'écriture, qu'à la fin du roman, il est incapable de distinguer le vrai du faux. Durant plus d'une année, j'ai vécu entre les lignes de cet ouvrage, dans ce décor et parmi ces gens auxquels j'espère avoir donné vie avec autant de force dans l'esprit du lecteur que dans le mien.

PROLOGUE : LA LÉGENDE

Pendant près de six ans, la montagne avait gardé son secret. Aux premiers jours de la naissance de la Caroline du Nord, on avait baptisé cette montagne Old Bald, et pour cause : pas un arbre, pas une plante ne poussait sur son flanc rocailleux, si bien que ce surnom de « vieux chauve » s'était tout naturellement imposé. Cela, c'était avant les premières « dissipations » de 1874 que l'on devait réitérer dès 1880. C'est en l'an de grâce 1874, que la montagne devait connaître enfin la notoriété.

Le jour où des grondements sourds résonnèrent des entrailles du Old Bald et que des panaches de fumée s'élevèrent lourdement de son flanc, les fermiers de la vallée prirent peur. Une ferveur religieuse toute nouvelle s'installa dans les cœurs, et les prêcheurs se mirent à haranguer pêcheurs et pêcheresses afin qu'ils sauvassent leurs âmes en prévision du Jugement dernier. Mais, plus prosaïquement, des rumeurs d'activités volcaniques firent bientôt la manchette locale et l'on dépêcha journalistes et reporters d'aussi loin que la bonne ville de New York pour savoir de quoi il retournait exactement. Très vite, scientifiques et experts, grouillants comme des mouches sur du miel, entamèrent des palabres qui ne devaient jamais résoudre tout à fait le mystère de ce que l'on eut tôt fait de nommer « les grondements du Vieux Mont Chauve ».

La théorie la mieux reçue affirmait que des secousses sismiques datant de Mathusalem auraient été suffisamment violentes pour causer des fissures au cœur de la montagne, créant ainsi d'immenses cavernes, chambres d'écho idéales pour d'occasionnels éboulements. Quant à la fumée, elle n'aurait été que poussière, s'échappant de quelque cheminée naturelle.

À cette époque, le lac n'existait pas. Seule une longue vallée serpentait étroitement entre ubac et adret. Une vallée faisant

13

partie intégrante de Hickory Nut Gorge, et d'où jaillissait la Rocky Broad River. Cependant, dans les années vingt, la vision d'un nouveau venu, en l'occurrence le docteur Lucius W.Morse, devait, en devenant réalité, métamorphoser à tout jamais la vallée et ses environs. Originaire de St. Louis, le docteur avait quitté le Missouri pour s'installer en Caroline du Nord où le climat convenait davantage à sa santé fragile. Le rêve de Morse commença à transformer la région par le truchement d'un barrage hydroélectrique qui devait lui-même donner naissance au Lake Lure. Très vite, ce coin de l'État au cœur des Appalaches allait devenir célèbre par sa beauté sauvage et prospère par son tourisme florissant.

Des compagnies du cinématographe, industrie de l'époque à peine bourgeonnante, eurent vent de l'existence de ces superbes montagnes et en particulier du phénoménal attrait que suscitaient leurs gorges. Comédiens et cinéastes se répartirent entre l'Esmeralda Inn et le Lake Lure Inn, de telle sorte que ces auberges devinrent en un tournemain un des lieux de prédilection du gotha hollywoodien.

La montagne se tint coite pendant plus d'une centaine d'années, au bout desquelles toutes les théories sismologiques, qui avaient proliféré durant sa courte période d'activité, sombrèrent dans l'oubli, voire le ridicule, et nul habitant de la vallée n'en conçut plus la moindre inquiétude.

Plus tard, l'attention générale fut captée par un grand scandale, une terrible tragédie qui, à la fin des années trente, ébranla pour la toute première fois la station.

Victoria Frazer, actrice prestigieuse, était arrivée de Hollywood pour tourner un film avec Roger Brandt, acteur de renom en raison de ses nombreux rôles de cow-boy. L'association pelliculaire et pour le moins singulière de deux tempéraments diamétralement opposés ne manqua pas de stimuler l'imagination des cinéphiles, à tel point que les magazines spécialisés en firent leurs choux gras.

Il était quasi inévitable que deux monstres sacrés du cinéma, étroitement enlacés devant les caméras, deux tempéraments explosifs comme les leurs, tombassent tout de bon amoureux l'un de l'autre. Par quelque inexplicable alchimie, le caractère passionné de Victoria dont la personnalité « crevait l'écran », opposé à la « classe », à l'élégance naturelle de Roger, conduisit le metteur en scène à réduire les dialogues à leur plus simple expression, c'est-à-dire quelques monosyllabes, au profit du langage des yeux et du corps. Manifestement, ces deux-là s'attiraient comme les pôles opposés d'un aimant.

Quelque inévitable que fût cette passion réciproque, le beau Roger était hélas déjà marié à une jeune femme de sang espagnol, issue d'une des plus nobles et des plus vieilles familles californiennes, et dans le vocabulaire de laquelle le mot « divorce » n'existait tout simplement pas. Les studios firent de leur mieux pour éviter un scandale car, en ces jours d'intolérance, ce genre d'esclandre devait être évité à n'importe quel prix, faute de quoi il anéantirait deux appréciables sources de revenus.

On ne peut affirmer que les initiatives de ces mêmes studios connurent un franc succès. Durant son séjour en Caroline du Nord, Victoria poussa même le zèle jusqu'à donner naissance à une fillette dont de très bons amis de Californie, désespérés de n'avoir point d'enfant, la débarrassèrent aussi sec. Le temps aidant, tout eût pu être sauvé dans la mesure où Victoria avait décidé de vivre. Mais elle préféra se jeter dans le lac, sa cheville pourtant bien tournée préalablement lestée d'un morceau de la Rumbling Bald Mountain. L'on ne retrouva que son foulard, noué autour d'une pile du quai. Victoria avait également adressé à sa sœur une lettre inachevée que d'aucuns s'empressèrent d'interpréter comme une annonce de suicide. Cependant, en tout état de cause, aucune des plongées effectuées dans le lac ne permit de retrouver le corps de Victoria. Et quoi qu'en eût su la montagne, elle n'en souffla mot.

Des rapports juteux sur le scandale, çà et là émaillés de détails « croustillants », peu vérifiables cependant, firent la manchette des journaux et des magazines à travers tout le pays, causant par le fait même la ruine de Roger. À vingt-trois ans, malgré un visage connu dans toutes les Amériques, plus personne ne voulait de lui. Peu après la disparition de Victoria, à la « première », de

Blue Ridge Cowboy, les spectateurs huèrent le film et bon nombre d'entre eux quittèrent la salle. Roger Brandt avait toujours incarné le noble défenseur de la veuve et de l'orphelin, et le public ne pouvait accepter le personnage tel que la presse le décrivait.

Mais si les coulisses de ce drame restaient aussi romantiques et tragiques que n'importe quel film de même mouture, la vérité ne devait éclater que bien des décennies plus tard.

Par un étrange caprice du destin, non seulement Victoria était originaire de Caroline du Nord, mais des membres de la famille Frazer vivaient encore dans la région. Elle était née à Asheville, l'endroit même où un découvreur de talent l'avait initiée à la profession du cinématographe, alors qu'elle n'était encore qu'une enfant. Par un étrange caprice du destin, Victoria était en quelque sorte venue mourir dans son coin de pays. Pour sa part, Roger Brandt était natif de Californie. Au moment où il avait commencé le tournage de *Blue Ridge Cowboy,* il avait loué une maison sur le lac pour que sa femme vînt l'y rejoindre, et l'on avait alors prétendu que Camilla Brandt avait accepté pour avoir l'œil sur son mari. Si telles avaient vraiment été ses intentions, elles s'étaient révélées totalement vaines.

Après que le scandale eut éclaté, Roger Brandt était devenu *persona non grata* à Hollywood. Dans un geste de défi — c'est du moins ce qu'on prétendit — il se porta acquéreur de la maison de Lake Lure et en fit sa résidence permanente. Personne ne comprit les raisons qui le poussèrent à installer ses pénates sur les lieux de la tragédie qui avait anéanti sa carrière. Plus mystérieux encore furent les arguments qu'il avança pour inciter sa femme à s'arracher à sa famille et à s'exiler dans une bourgade perdue des Appalaches. Comme Roger ne répondait à aucune question des journalistes et interdisait à quiconque d'approcher sa femme, le mystère resta entier. Bientôt, Camilla donna le jour à un enfant et, très vite, les Brandt firent partie du paysage, apportant ainsi leur quote-part à la légende de Lake Lure et de la montagne.

Les années passant, la légende des amants maudits grandit. De nos jours, quand les touristes attendent sur le ponton qu'un bateau les emmènent en croisière sur le lac, on leur montre l'endroit où Victoria Frazer s'est noyée. On leur montre aussi du doigt la maison où Roger Brandt vit encore, mais dont il est cependant interdit d'approcher. Un guide à l'imagination féconde décida un jour d'apporter à l'histoire quelques enjolivures. Il prétendit qu'aux petites heures du matin, quand le brouillard se lève au-dessus des eaux, un adorable ectoplasme tout blanc se lève aussi, une pierre attachée à son pied. Un fantôme qui, sempiternellement, murmure le nom de Roger Brandt. Naturellement, quand ce dernier eut vent de ces affabulations, il y mit immédiatement un terme car, en tant que résidant de longue date dont l'intimité était non seulement acceptée, mais aussi respectée, Brandt jouissait d'une certaine influence. Étrangement, Camilla la femme trompée, la déracinée, fit plus pour la communauté que ne s'y évertuait son mari.

C'est seulement un demi-siècle plus tard, quand apparut à Lake Lure la fille de l'enfant abandonnée, la petite-fille de Victoria Frazer et de Roger Brandt, que la montagne livra son terrible secret; encore que ce ne fût pas sans une somme considérable de travail pour ceux qui furent mêlés à l'histoire.

CHAPITRE UN

Quelque chose m'éveilla avec une telle soudaineté que, le cœur en déroute, je m'assis sur mon lit et posai un œil hébété sur le reflet frémissant de l'eau, sur le plafond de ma chambre. J'étais parfaitement consciente de l'endroit où je me trouvais, et le dépaysement n'était certes pas responsable de cette sensation d'égarement. Mais comme chez moi, à Palm Desert, aucune surface aquatique n'avait la moindre chance de se refléter sur mon plafond, je me demandais si la proximité du lac n'y était pas pour quelque chose, si quelque étrange atmosphère aqueuse n'était pas parvenue jusqu'à moi afin de perturber mes rêves. À moins que je ne fusse tout simplement réfractaire aux paysages lacustres.

Tandis que se dissipaient les dernières brumes de mon sommeil, j'écartai de moi cette dernière éventualité. Je me trouvais en Caroline du Nord pour obtenir des réponses à d'importantes questions, dont certaines me taraudaient l'esprit depuis des années. Je n'ignorais pas que, pour ce faire, il me faudrait rester logique et clairvoyante. Une bonne résolution, en vérité, mais qui me faisait sourire au fur et à mesure que j'y repensais. J'étais, en effet, moins que certaine d'être à la mesure d'une telle approche. La confusion d'esprit et l'appréhension constituaient plutôt l'essentiel de mon bagage mental du moment.

J'étais arrivée à Rumbling Mountain Lodge la veille, en début de soirée, après un vol en provenance de Californie, entrecoupé de plusieurs correspondances, à la suite desquelles j'avais loué, à Asheville, la voiture qui m'avait permis de me rendre jusqu'ici. Un coup d'œil à ma montre m'informa qu'il était presque trois heures du matin, c'est-à-dire presque minuit en Californie.

Le sommeil m'ayant définitivement abandonnée, j'enfilai un peignoir et glissai mes pieds dans une paire de pantoufles pour

19

aller à la porte-fenêtre donnant sur la galerie qui longeait les chambres et se terminait par un escalier accédant au rez-de-chaussée. Nous étions fin septembre et, après une journée plutôt chaude, l'air frais des montagnes m'apporta ses merveilleux bienfaits. À la lumière du soleil couchant, j'avais pu constater comme tout était ici verdoyant, comme ce paysage pouvait être différent des couleurs ocrées auxquelles j'étais habituée. Imperceptiblement, les feuilles avaient commencé à changer de couleur, laissant soupçonner plus de beauté à venir.

Je n'avais jamais vraiment eu l'intention de venir ici. Je savais dans quelles circonstances ma mère était venue au monde, et j'avais fini par faire miens les ressentiments qu'elle éprouvait à l'égard de cet homme qui vivait à Lake Lure et qui était mon grand-père. J'étais également au courant de la décision de ma grand-mère de se donner la mort après avoir abandonné sa fille à de vieux amis californiens. Ces événements faisaient partie de l'histoire de ma famille et étaient responsables du malaise existentiel dont je tentais vainement de me libérer.

Bien que mes grands-parents n'eussent jamais été pour moi qu'une sorte d'abstraction, ma curiosité à leur égard avait grandi en même temps que moi; et mon imagination avait été enflammée par le caractère prestigieux des figures de légende qu'ils avaient été. À l'âge de seize ans, j'avais demandé à ma mère :

— N'aimerais-tu pas connaître la vérité sur la mort de ta mère?

Mais le violent sentiment de rejet, qui lui avait fait tenir la garde haute durant toute sa vie, était trop fort pour qu'elle s'y intéressât. Même le jour de sa mort, sa rancœur était restée entière pour un passé dont elle savait peu de chose. Ses aspirations s'étaient limitées à une existence sereine et confortable, et ses parents adoptifs s'y étaient employés. Je me souviens d'eux comme de personnes aimantes mais âgées, avec un penchant empreint de mélancolie pour les événements auxquels ils avaient indirectement participé.

Debout contre la balustrade surplombant les eaux dans lesquelles Victoria Frazer s'était noyée, je me sentis gagnée d'un mélange d'euphorie et d'angoisse, un peu comme si je pressentais déjà les véritables circonstances de sa mort et les incidences qu'aurait cette découverte sur mon existence future. Que savait exactement Roger Brandt sur la mort de ma grand-mère?

J'étais celle qui voulais absolument savoir. Il m'était une fois arrivé de me glisser dans une salle de cinéma où l'on projetait un vieux film de Roger Brandt. Plutôt que de m'attacher à l'aspect sentimental et pour le moins galvaudé du scénario, je préférai m'attarder sur le personnage de l'acteur et sur la fascination qu'il avait pu inspirer aux cinéphiles d'alors. Bien qu'il fût un exemple de virilité, un modèle d'homme tel qu'on l'entendait à l'époque, les femmes n'avaient pas dû être insensibles à son charme singulier.

Roger Brandt avait commencé sa carrière cinématographique très jeune et, à vingt-trois ans, il avait déjà à son actif une trentaine de films. Celui que je vis était un de ses derniers. Il m'était alors apparu comme un homme grand et mince, efflanqué serais-je tentée de dire, mais possédant néanmoins une grâce naturelle qui captait les regards. Il était extrêmement photogénique et son regard en disait plus que n'importe quel texte. Une fossette sur la joue déformait son sourire avec une fascinante étrangeté. Il possédait aussi, bien sûr, une démarche particulière, lorsqu'il s'éloignait, le dos tourné à la caméra, avant de jeter par-dessus son épaule un coup d'œil désabusé, mais teinté d'espièglerie, comme s'il existait quelque mystérieuse complicité entre lui et son public. On lui reconnaissait des dons de cavalier exceptionnel et le palomino que l'on voyait dans tous ses films lui appartenait en propre. Toutes ces vétilles, je les avais apprises dans de vieux magazines dénichés chez les bouquinistes, en prenant grand soin de les cacher à ma mère.

Quant à mon père, je n'en gardais strictement aucun souvenir. Il avait disparu dans un accident alors que j'avais deux ans, et c'est sans doute pourquoi il m'était toujours apparu moins réel que ne l'était mon grand-père.

Manque de chance, je n'ai jamais réussi à voir *Blue Ridge Cowboy*, et par là même mes grands-parents réunis sur le même écran. Ces mêmes magazines m'avaient bien montré le doux visage de ma grand-mère et ses grands yeux fascinants que je savais verts, parce que c'était écrit, car toutes les photos que j'avais pu voir d'elle étaient en noir et blanc. D'ailleurs, j'avais les yeux verts, moi aussi et je me targuais de les tenir de ma célèbre grand-mère. Elle avait dû atteindre le sommet de la gloire, pour vouloir se précipiter ainsi dans les eaux sombres de Lake Lure après le scandale. Au moins, n'aurait-elle pas connu la vieillesse. Roger Brandt, quant à lui, était presque octogénaire, probablement sénile, et son charisme ne devait plus être qu'un vieux souvenir. Cependant, je mourais d'envie de faire sa connaissance.

Le bâtiment dans lequel je me trouvais se dressait au milieu de conifères, de chênes et d'érables, qui procuraient un doux ombrage durant le jour, mais un sentiment de noire solitude pendant la nuit. Près de la galerie, le coteau descendait abruptement vers les eaux du lac. La lumière diffuse des lanternes murales me révéla la présence de marches accédant au sentier escarpé qui se jetait dans l'eau du lac.

Ma présence en ces lieux reculés me subjuguait par son étrangeté et son aspect quasi irréel. Elle était moins liée à mes grands-parents et leur passé nébuleux qu'à la disparition, deux ans plus tôt, de mon mari, Jim Castle, réalisateur de films documentaires. Mais quoi qu'il en fût, les circonstances semblaient dictées par la fatalité, pour peu que l'on y crût.

L'intérêt de Jim pour Roger Brandt avait été galvanisé par le fait qu'il fût mon grand-père, et avait fini par prendre des proportions démesurées. Jim avait vu tous ses films et lu des dizaines d'auteurs férus de biographies de « stars », et en particulier de celle de Roger Brandt. Quand il avait décidé de venir ici pour tourner quelques mètres de pellicule, j'avais refusé de l'accompagner.

En tant que scénariste, j'avais contribué à la réalisation de nombreux courts métrages de son cru. Cependant, j'avais catégoriquement refusé de participer à celui-là. En quelque sorte, je tenais tête au destin. C'est également ici que Jim perdit la vie. J'en conçus, bien sûr, une bonne dose de culpabilité, peut-être à cause de la fêlure qui s'était produite dans notre union après mon refus. Je persistais à croire que si j'avais accepté de le suivre, Jim aurait encore été de ce monde.

La lettre, pour le moins surprenante, qui m'avait finalement attirée ici était pratiquement anonyme. À force de la lire, j'avais fini par la savoir par cœur. Appuyée sur la rambarde au-dessus des eaux noires, le regard perdu vers les montagnes arc-boutées les unes aux autres, je me remémorai son contenu.

Lauren Castle,
> J'apprends à l'instant que la mort de votre mari n'est pas un accident. Si vous souhaitez connaître les véritables circonstances de ce drame, rendez-vous à Lake Lure dans les plus brefs délais. Retenez une chambre au Rumbling Mountain Lodge, je vous y contacterai.

N.

Ces quelques mots m'avaient pour ainsi dire forcé la main, puisqu'ils me permettaient de me rendre à Lake Lure sous mon identité matrimoniale, sans qu'il fût nécessaire de dévoiler mon lien de parenté avec Roger Brandt. Le secret serait ainsi bien gardé, excepté pour Gordon Heath, ancien collaborateur et ami de Jim, qui vivait à Lake Lure. Mais, à cet instant, je me préoccupais peu du fait que Gordon fût au courant de mes antécédents familiaux, et je me limitai à lui adresser une brève missive lui annonçant ma visite, sans toutefois lui en préciser les raisons. Consciente que son aide me serait d'un grand secours, je ne souhaitais cependant pas qu'il en sût plus que nécessaire.

En apprenant le décès de Jim, Gordon m'avait écrit quelques mots de condoléances, en termes courtois mais formels. Il était évident que, sans les oublier, les événements qui s'étaient passés entre nous à San Franscisco, onze ans plus tôt, devaient rester sous le manteau. En quelques mots, il m'expliqua que, lors d'un tournage sur un plateau abandonné (un village indien recréé de toutes pièces sur un massif dominant Hickory Nut Gorge), une poutre était tombée sur le crâne de Jim en le tuant sur-le-champ.

Gordon m'avait renvoyé tous les effets personnels de mon

mari. Tout, dis-je, sauf les bobines du tournage qu'il avait entrepris. Après réception, mes revendications étaient restées lettre morte. Ce silence avait eu beau être une forme de rejet, une manière de clore le débat, n'empêche qu'à l'instant présent, Gordon Heath était la première personne que je souhaitais rencontrer.

Sur la galerie, une lumière qu'on venait d'allumer me ramena à la réalité. Je m'interrogeai aussitôt sur l'identité de la personne qui habitait cette maison au bord de l'eau, et sur les raisons qui la faisaient se lever si tôt. Une crise d'insomnie, probablement.

Quoi qu'il en fût, l'heure n'était pas à ce genre de spéculations. Demain, non : aujourd'hui, je devrais trouver Gordon Heath et lui parler, que l'idée me plût ou non. J'espérais ainsi pouvoir identifier le « N. » qui m'avait écrit et connaître l'endroit précis où Jim avait trouvé la mort.

En contrebas, une porte s'ouvrit et quelqu'un alla se poster sur le chemin qui menait à la remise aux bateaux. Je distinguai une haute silhouette revêtue d'une longue robe, sans être néanmoins capable de dire s'il s'agissait d'un homme ou d'une femme. Quand la personne leva les yeux dans ma direction, je me rendis compte que les lanternes de la galerie m'éclairaient comme en plein jour.

— Vous ne pouvez pas dormir, vous non plus? me cria une voix féminine aux inflexions rauques. Descendez donc prendre une tasse de thé. Inutile de vous habiller, je suis moi-même en pyjama.

Le ton me parut si péremptoire que je fus incapable de refuser. Intriguée par cette invitation au débotté, j'enfilai des chaussures et entamai ma descente vers le lac. Quand je franchis le seuil de la maison, la femme me tendit une main qui me parut aussi assurée que ses paroles.

— Vous êtes Lauren Castle et vous êtes arrivée hier soir, n'est-ce pas? J'ai bien connu votre mari. C'est Mme Adrian, la réceptionniste, qui m'a parlé de votre arrivée. Entrez donc, que nous fassions connaissance, je suis Gretchen Frazer.

Grâce à la papeterie de l'hôtel, j'avais appris que c'était la sœur de Victoria Frazer qui possédait et dirigeait le Rumbling

Mountain Lodge. Mais j'étais loin d'être prête à cette rencontre impromptue avec une femme qui n'était rien de moins que ma grand-tante et à qui je ne souhaitais nullement révéler nos liens de parenté, ni à elle ni à quiconque, d'ailleurs. J'étais décidée à jouer ma partition « à l'oreille », du moins le temps de prendre le pouls de l'endroit et de ses habitants. Avant toute chose, je voulais savoir ce qui était vraiment arrivé à Jim, en présumant, bien sûr, qu'il y eût quelque chose à découvrir.

Ma grand-tante me conduisit dans une grande pièce qui, cuisine et salle à manger combinées, était, selon toute apparence, la pièce principale de la maison. Un geste de la main me convia à prendre place devant une table de chêne ronde. Tandis qu'elle s'affairait à remplir sa bouilloire, j'entrevis, entre les pans d'une robe de chambre en plaid au cordon effrangé, une paire de jambes dans un pyjama de soie. C'était une femme grande et osseuse, un peu efflanquée, mais dont la stature reflétait une grande énergie. Sur son visage sombre et buriné par le temps se dessinait un réseau serré de rides profondes. Dans l'ensemble, le personnage me parut plutôt rébarbatif; ce fut du moins ma première impression.

Aujourd'hui, Victoria Frazer aurait été une septuagénaire à peine plus jeune que Roger Brandt et, bien qu'il me fût impossible de lui donner un âge, je supposai que la femme que j'avais devant moi devait être la sœur cadette de Victoria qui, à la mort de sa sœur, devait à peine avoir dix-sept ou dix-huit ans. Gretchen Frazer devait en savoir long sur l'histoire de ma mère, et je me félicitai que cette rencontre se fît sous le couvert de la mort de Jim.

Après avoir déposé sur la table un plateau garni de deux tasses de porcelaine bleues et d'une assiette de biscuits bruns, Gretchen servit le thé et vint s'asseoir près de moi.

— Dites-moi tout, fit-elle, avant d'ajouter, en se déridant devant mon regard confus : je parlais du thé. Il est fait avec du kudzu. Les biscuits aussi, d'ailleurs. Ils sont à base de farine de kudzu. J'imagine que vous n'avez jamais goûté au kudzu...

« Bien sûr que non », pensais-je, connaissant toutefois

l'engouement qui s'était emparé du Sud des États-Unis pour cette plante grimpante extrêmement prolifique en provenance du Japon.

— Je doute que nous ayons du kudzu en Californie, répondis-je. Et j'ignorais qu'il fût propre à la consommation.

— Il est temps que les gens apprennent à découvrir ses vertus, au lieu de se contenter de le critiquer, fit-elle d'un ton léger.

L'arôme que dégageait l'infusion me parut somme toute invitante. J'y ajoutai néanmoins un peu de miel avant d'y goûter.

— Mais c'est très bon...

— Et sans caféine, précisa Gretchen. Cela ne vous empêchera pas de dormir.

Je pris brusquement conscience de son regard braqué sur moi. Un regard sombre et profond qui soutint un instant le mien, puis se détourna avec un bref battement de paupières.

— Vos yeux sont d'une couleur peu commune, madame Castle. De toute ma vie, je n'ai connu qu'une seule personne avec des yeux comme les vôtres.

Je me penchai alors vers l'assiette de biscuits, évitant ainsi une réplique qui eût risqué de me trahir.

— Votre mari m'a dit que vous étiez scénariste, madame Castle, poursuivit-elle. J'ose espérer que vous n'entendez pas poursuivre ses recherches sur la vie de Roger Brandt.

Sans trop chercher à comprendre pourquoi elle y était si opposée, je m'évertuai cependant à la rassurer.

— Cela ne fait pas partie de mes compétences; j'écris surtout pour la télévision et je souhaiterais découvrir de nouveaux cadres pour mes prochains scénarios. Jim m'avait paru si enthousiaste, dans ses lettres, que je n'ai pas pu résister à l'envie de visiter à mon tour Lake Lure.

— Il vous aura quand même fallu pas mal de temps avant de vous décider, argua sèchement la vieille femme dans l'espoir de me prendre de court.

Mais j'avais échafaudé ma petite histoire depuis longtemps.

— Vous comprendrez que c'eût été par trop pénible de venir ici plus tôt...

— Quand j'étais jeune, il y a bien longtemps, cet endroit a attiré de nombreux producteurs, enchaîna-t-elle, apparemment satisfaite de mon argument. Avant la Seconde Guerre mondiale, Lake Lure était très couru par toutes sortes de célébrités. Mais tout s'en est allé à vau-l'eau, depuis.

— Il est assez remarquable que Roger Brandt vive encore ici, ajoutai-je d'un ton que je souhaitai désinvolte.

Soudain perplexe, Gretchen hocha la tête.

— Je suppose que vous avez entendu parler de son idylle avec ma sœur Victoria...

— Très vaguement, lâchai-je en éludant subrepticement le sujet. Depuis que Jim a fait sa connaissance et m'a fait part de l'admiration qu'il avait pour lui, il m'arrive de souhaiter le connaître à mon tour.

— Je ne suis pas sûre que vous y parviendriez. Il ne se montre pas très familier avec les étrangers; et, comme vous devez vous en douter, ce n'est pas exactement le grand amour, entre lui et moi. Cependant, Camilla, sa femme, est quelqu'un de très bien. Il m'arrive quelquefois d'éprouver du chagrin pour elle.

Je décidai de ne pas m'étendre plus longtemps sur le sujet et je finis mon thé.

— Merci, dis-je. Je crois que je ferais mieux de retourner me coucher, à présent.

Gretchen se leva pour m'accompagner jusqu'à la porte.

— Si vous cherchez un cadre pour un nouveau scénario, vous ne pouviez mieux choisir, conclut-elle. Vous devriez vous assurer les services d'un de ces petits bateaux de croisière pour touristes...

Je la suivis le long de la véranda qui s'étirait sur toute la façade de la maison. De là, nous descendîmes quelques marches qui accédaient au toit plat de la remise à bateaux. Un garde-fou prévenait toute chute malencontreuse dans le lac, tandis que des chaises et des bancs y avaient été disposés de manière conviviale. La nuit était tranquille. Sous nos pieds, l'eau clapotait doucement contre les piles du bâtiment, et un bourdonnement incessant d'insectes semblait annoncer la fin de l'été.

Éclipsant la lune, un nuage me fit prendre conscience de l'obscurité qui m'entourait. Je tentai de distinguer la masse plus sombre encore des montagnes environnantes que Gretchen Frazer pointait du doigt.

— Vous ne pouvez le voir d'ici, mais de l'autre côté, il y a le bâtiment qui a servi de décor au film *Dirty Dancing*. On y a tourné de très nombreuses scènes, ce qui nous porte à croire qu'Hollywood ne nous a pas tout à fait oubliés. Les environs de Chimney Rock ont également servi au tournage du « Dernier des Mohicans ». Ils y ont même construit un village. Imaginez donc : des Hurons en Caroline du Nord... mais enfin, du moment que c'est bon pour nos affaires...

Je profitai de cette allusion au village indien pour demander :

— Mademoiselle Frazer, pourriez-vous me donner quelques précisions sur la mort de mon mari?

Les épaules de la vieille dame semblèrent s'affaisser un peu.

— Excusez-moi, mais je ne m'y suis jamais rendue. Je sais seulement qu'il y est décédé. Voyez-vous, cet endroit me plaisait davantage au cours des années vingt, quand tout le monde aspirait à visiter Lake Lure. Franklin Roosevelt, F. Scott Fitzgerald, Emily Post, Frances Hodgson Burnett... la liste est longue des personnes qui ont séjourné ici. Ne manquez surtout pas de visiter Lake Lure Inn; vous y découvrirez une foule de précieuses informations. Naturellement, toutes ces années de tranquillité sans curieux ni visiteurs, nous les avons appréciées; mais que voulez-vous, l'argent de ces gens-là est indispensable à la survie du village et il est bon de constater une reprise du tourisme local.

Une onde de lassitude me traversa et je me tournai vers le chemin qui conduisait à l'hôtel. Gretchen me raccompagna jusque devant son perron, où nous fûmes arrêtées par un gros animal, sorti par la porte-moustiquaire qu'il avait apparemment réussi à ouvrir. Il trotta vers moi en grognant pour renifler mes chevilles.

— Suffit, Siggy, dit Gretchen à la créature. Ne vous occupez pas de lui, madame Castle. Il s'installerait sur vos genoux, si vous le laissiez faire. Il est très familier; je crois que je le gâte un peu trop.

Le gros animal devait faire une bonne centaine de livres, et il n'était pas question un instant qu'il vînt sur mes genoux. La bête dardait sur moi de petits yeux brillants et j'aurais juré qu'il me souriait.

— Madame Castle, je vous présente Sigmund von Hogg, annonça Gretchen. C'est un porc nain, expliqua-t-elle encore. Sa croissance est finie depuis longtemps. Il est entré chez moi par effraction, bien sûr, mais il est très espiègle, et bien plus futé que certaines gens.

Gretchen s'était radoucie. Elle semblait décidée à se montrer un peu plus aimable, et son porc ne fut pas étranger au brin d'affection que je commençais à éprouver pour elle. Quand je hasardai une main sur la tête de l'animal et le gratouillai derrière les oreilles, Siggy grogna de plaisir, signe d'une grande amitié à venir.

— C'est assez, maintenant, le semonça Gretchen en l'encourageant du pied à rentrer dans la maison. Merci de votre visite, madame Castle; ce fut un plaisir de vous rencontrer. Je ferais mieux d'aller me coucher; je reçois un patient très tôt, ce matin.

— Un patient? Seriez-vous médecin?

— Avec beaucoup d'indulgence. Mais les gens viennent à moi, et je fais de mon mieux pour les aider.

Elle ne semblait pas souhaiter se répandre en détails, et c'est pourquoi je lui souhaitai la bonne nuit et regagnai ma chambre sans insister. Une fois dans mon lit, les reflets ondoyants de l'eau au plafond ne m'incommodèrent pas plus longtemps. Le fait d'avoir fait si rapidement connaissance avec ma grand-tante m'intriguait. Il y avait quelque chose à creuser, de ce côté-là. Mais Jim restait ma préoccupation première et, dès le matin, je me mettrais à la recherche de Gordon Heath.

Je sombrai brutalement dans le sommeil, et dormais encore quand une femme de chambre vint frapper à ma porte pour m'apporter du café, du pain grillé et des fruits. Je m'assis sur mon lit et remerciai la jeune personne, pendant qu'elle déposait mon plateau sur une table basse.

Ce n'est qu'après une bonne douche que je m'installai pour savourer mon petit déjeuner. J'enfilai ensuite une paire de jeans et une chemise de coton blanc, glissai mes pieds dans une solide paire de chaussures de marche, et me lançai à la recherche de Gordon.

Dans le hall, je retrouvai Mlle Adrian derrière le comptoir de réception. Quand je lui demandai si elle connaissait Gordon Heath, un sourire éclaira son visage.

— Tout le monde, ici, connaît Gordon. Mais je crois qu'il est parti en vacances et je crains que vous ne puissiez le joindre. Sa mère tient une boutique de souvenirs, en bas de la rue, en face du quai. Vous pourriez peut-être aller lui parler; elle saura certainement vous dire où le trouver. Elle s'appelle Finella Heath; vous ne pourrez pas vous tromper, sa boutique a pour enseigne « Finella's ».

Je la remerciai pour cette précieuse information, mais avant de quitter l'hôtel, je décidai de lui poser une question qui me troublait.

— J'ai eu le privilège de prendre le thé avec Mlle Frazer, la nuit dernière, et elle m'a parlé d'une consultation qu'elle donnait ce matin. Pouvez-vous me dire ce que cela signifie?

Le visage de Mlle Adrian s'éclaira.

— Si vous saviez! C'est une femme merveilleuse! À son âge, elle peut encore en remontrer à bien des gens. Il lui suffit de poser les mains sur vous pour que vous vous sentiez mieux. Elle possède un véritable don. De plus, elle s'y entend comme personne en plantes médicinales. Ça s'appelle la phytothérapie, ou quelque chose comme ça. Et elle a tout appris par elle-même. Je crois que c'est ce qu'on appelle une guérisseuse.

Je m'étais demandé quels devaient être les sentiments d'une jeune fille qui a pour sœur une reine de l'écran comme Victoria Frazer, et je fus heureuse d'apprendre que Gretchen possédait des talents bien à elle.

Je remerciai encore Mlle Adrian et me rendis au parking où

j'avais garé ma Ford de location. Quelques secondes plus tard, je me retrouvai sur une route étroite et pentue qui serpentait à travers des massifs de chênes et d'érables aux nuances mordorées. Une griserie s'empara de moi lorsque je découvris un endroit dont, la veille, je n'avais pu voir la merveilleuse exubérance, et je m'efforçai de ne pas associer cette exaltation au fait que j'allais revoir Gordon Heath. Ce qui s'était passé entre nous remontait aux calendes grecques et, le moins qu'on pût dire, c'est que notre dernière rencontre ne s'était pas déroulée sous le signe de l'amitié. Cependant, je savais son amitié pour Jim et, à ce titre, il ne pouvait refuser de me recevoir. Après ce qui s'était passé entre nous à San Francisco, je me demandai s'il éprouvait les mêmes sentiments de culpabilité que moi.

Au niveau du lac, la route traversait de grands espaces boisés, tandis que d'immenses saules pleureurs ajoutaient à la beauté du site. Accroché à un quai, j'aperçus un long bateau à fond plat dont la coque arborait le nom de « Showboat ».

Je ralentis, jusqu'à apercevoir sur ma gauche une construction d'aspect rustique. C'était probablement une ancienne grange que l'on s'était donné la peine de peindre d'un rouge flamboyant, en y ajoutant une enseigne annonçant « FINELLA'S » en grosses lettres blanches. Sur la porte moustiquaire, une petite pancarte me signala que le magasin était ouvert. Je me garai sur le côté du bâtiment et me ménageai quelques instants de réflexion.

Il était peu probable que Gordon eût parlé à sa mère de notre relation, onze ans plus tôt. Et pourtant, cet épisode de ma vie devait bouleverser tout mon avenir. Une existence auprès de Gordon m'était alors apparue plus qu'aléatoire, impliquant de nombreuses remises en questions, et je n'avais pas eu le courage de m'y risquer, tandis que Jim, lui, avait été en mesure de m'assurer une vie plus stable. Cela s'était passé quelques années avant que je me rendisse compte que j'avais fait le mauvais choix. Non pas que Gordon fût le bon, mais je m'étais aperçue que j'étais aussi inadéquate pour Jim qu'il l'était pour moi.

J'abandonnai la voiture et grimpai les marches de bois qui menaient au perron. Quand je tirai la moustiquaire, une clochette égrena quelques notes de musique.

CHAPITRE DEUX

L'intérieur du magasin était spacieux. C'était une immense grange avec suffisamment d'espace pour y installer de grandes tables et des comptoirs débordant de trésors inattendus. Les murs et le plancher de pin irradiaient une lumière dorée; et je me sentis d'emblée baignée de lumière et de couleur, tandis que mon regard se portait vers les structures sombres de la bâtisse où s'entre-croisaient un réseau complexe de poutres, de solives, de fermes et de poinçons. Des macramés aux tapisseries indiennes, des bijoux anciens aux bibelots, tout ici n'était qu'agencement de couleurs dans une atmosphère rayonnante de chaleur.

Avant même de trébucher sur elle, je savais que j'aimerais Finella. Le regard perdu vers les hauteurs de l'immense charpente, je ne remarquai pas la femme agenouillée près d'un présentoir en pin et je faillis piétiner la peinture posée devant elle. Elle m'arrêta d'un geste et leva sur moi un sourire étrangement amical pour l'étrangère que j'étais.

— Bonjour, faites le tour du magasin, si le cœur vous en dit. Je suis à vous dès que j'aurai fini de monter cette aquarelle.

Finella avait des cheveux d'un roux flamboyant coupés à la « Jeanne d'Arc ». Chaque fois qu'elle bougeait la tête, ils ondoyaient lourdement en un mouvement circulaire qui les faisait étinceler de reflets cuivrés. Une trace de rouge mettait en relief une bouche généreuse agrandie par un large sourire encadré de profondes fossettes. Je me rappelai aussitôt le sourire de son fils et en fus quelques instants distraite. Son allure et ses manières étaient si vibrantes de jeunesse qu'il était difficile de spéculer sur son âge si l'on ne savait pas qu'elle avait un fils un peu plus jeune que mes trente ans.

Je lui rendis son sourire, mais au lieu de faire le tour du magasin comme elle me l'avait suggéré, je concentrai mon attention sur l'aquarelle qu'elle était en train d'encadrer. Il me parut évident que la montagne que l'artiste avait peinte n'était autre que le Rumbling Bald, ses flancs rocailleux aisément reconnaissables en dépit de la tempête. La lumière qui s'en dégageait était cependant d'une étrange crudité, comme sous l'effet d'un violent éclair. Je pouvais presque sentir le vent qui courbait les arbres au pied de la montagne, et faisait courir de longs moutons d'écume à la surface du lac. La peinture dégageait une force sauvage qui me fit frissonner, comme si elle contenait une mystérieuse menace.

— Est-ce que la montagne ressemble vraiment à cela, dans la tourmente? demandai-je.

Finella hocha la tête.

— C'est une œuvre puissante, ne trouvez-vous pas? Voyez-vous ce qui se passe au sommet?

J'observai l'aquarelle plus attentivement et discernai une silhouette elliptique qui semblait se rapprocher dangereusement de la montagne.

— On dirait un avion qui va s'écraser.

— Hum, murmura Finella, énigmatique.

Comme elle était toujours à quatre pattes, je m'agenouillai près d'elle afin d'avoir un meilleur aperçu de l'œuvre et de tenter de déchiffrer la signature de l'artiste. « Natalie », lis-je, un peu étonnée par le fait que l'initiale de ce prénom fût la même que celle de mon correspondant anonyme. Toutefois, je m'empressai de mettre le phénomène sur le compte de la simple coïncidence, même si, dans la mesure où le hasard fait parfois bien les choses, il y eût là matière à se réjouir.

— Qui est Natalie? m'enquis-je.

— Une artiste très talentueuse. J'expose de nombreuses œuvres d'elle dans mon magasin. Malheureusement, sans doute à cause du traitement un peu troublant de leurs thèmes, ses œuvres se vendent mal. Elles semblent incommoder. Naturellement, ce qu'elle peint ici découle directement de la légende de Lake Lure. Mais regardez donc plus attentivement : vous verrez que ce n'est pas un avion qui va s'écraser.

J'étudiai plus attentivement la forme elliptique.

— Ne serait-ce pas un OVNI?

— Tout à fait.

— Voulez-vous dire que les gens d'ici auraient aperçu un tel engin?

— Du moins en sont-ils persuadés. En dépit des quolibets dont elles ont fait l'objet, certaines personnes sont catégoriques. Le père de Natalie — à l'époque adolescent — et son grand-père sont absolument affirmatifs. Ils avaient décidé d'escalader la montagne mais, à cause de la tempête, ils ne purent atteindre le sommet, cette nuit-là. C'était dans les années cinquante; à l'époque, ce genre d'apparitions faisait la manchette dans le monde entier.

— Se sont-ils rendus sur les lieux, après la tempête?

— Ils ont essayé, mais les services secrets de l'armée les avaient devancés et la montagne a été interdite au public. À cause de manœuvres, a-t-on prétendu. Bien plus tard, quand des curieux ont voulu entreprendre l'escalade, les militaires avaient quitté les lieux et toute cette histoire — dans la mesure où il y en avait une — a été enterrée. Même s'il n'y avait rien d'autre à voir qu'un grand cratère, Roger et Justyn restent convaincus que, cette nuit-là, un vaisseau spatial s'est écrasé sur la montagne.

— Roger? ne pus-je m'empêcher de m'exclamer en écho.

— Roger Brandt, le grand-père de Natalie, bien que, depuis qu'elle a décidé de se faire un nom par son seul talent, celle-ci refuse de se faire appeler Brandt. Pour ma part, je crois qu'elle a raison de refuser de porter à son tour ce fardeau. Je suppose que vous avez entendu parler de Roger Brandt et de Victoria Frazer?

— Gretchen Frazer m'en a déjà touché deux mots, à l'auberge, répondis-je évasivement.

— Gretchen est une personne remarquable, c'est une grande dame. J'aime beaucoup le titre qu'a donné Natalie à son aquarelle : « La course de l'étoile ». Parfait, ne trouvez-vous pas?

Je me levai et m'éloignai de quelques pas. Je ne m'étais pas présentée et ne souhaitais pas donner à cette femme la possibilité de scruter mon visage avant que je lui eusse dit mon nom. « Natalie Brandt », étrange initiative qu'elle avait eue, dans la mesure où elle était l'auteur de la lettre anonyme. À coup sûr, elle devait être loin de se douter que j'étais, moi aussi, la petite-fille de Roger Brandt. Jim m'avait formellement promis de n'en souffler mot à personne. Seul Gordon Heath était au courant. Quoi qu'il en fût, je décidai qu'il me fallait rencontrer Natalie Brandt dans les plus brefs délais. Mais auparavant, je devais avoir un sérieux entretien avec Gordon.

Je continuai à muser dans le magasin, l'esprit préoccupé par de sombres pensées. Un coin de la grande pièce avait été aménagé en une sorte de kiosque; je m'y dirigeai et lus sur la porte : « ENTREZ DÉCOUVRIR LE KUDZU, LA PLANTE DE L'AMITIÉ ».

Par-dessus mon épaule, je lançai en direction de Finella :
— Le kudzu, « la plante de l'amitié »?

Finella déploya sa haute taille et vint me rejoindre. Je n'avais jusqu'alors aperçu que le dos de sa veste. Aussi reçus-je en plein visage les violents effets de son chemisier rose et vert, bouffant sous une veste en denim qu'elle portait avec une rare élégance.

— Le kudzu n'est pas apprécié à sa juste valeur, m'expliqua Finella, mais nous tentons d'y remédier. Personne ne connaît véritablement ses vertus. Entrez donc jeter un coup d'œil.

Si curieuse que je fusse, le moment me parut d'autant plus mal choisi que je ne m'étais pas encore présentée, peut-être de crainte qu'elle ne me tournât le dos en apprenant qui j'étais.

— Je suis Lauren Castle, dis-je en marchant vers elle, la femme de Jim Castle.

Mais elle vint aussitôt à ma rencontre et me serra chaleureusement la main.

— Gordon m'avait annoncé votre venue probable; mais j'ignorais quand...

— J'ai pu me libérer brusquement, expliquai-je.

— Nous aimions beaucoup Jim. Vous savez sûrement que mon fils et lui étaient de vieux amis. Cet accident a été un terrible choc, pour nous. Croyez à ma sympathie, madame Castle. Votre venue me réjouit. Je ne sais trop pourquoi, mais j'étais impatiente de faire votre connaissance.

Rien dans les paroles de Finella ne laissait entendre jusqu'à quel point elle était au courant de mon ancienne relation avec son fils. Pour ma part, je savais seulement que, depuis notre rupture onze ans plus tôt, Gordon avait été marié et qu'il était aujourd'hui divorcé, puisque Jim et moi avions tacitement convenu de ne jamais parler de Gordon.

— Où pourrais-je voir votre fils? demandai-je.

Finella fit tourbillonner sur son front ses cheveux écarlates.

— Je ne saurais vous le dire précisément. Je sais qu'il travaille au parc naturel de Chimney Rock et qu'il a pris dix jours de vacances. Et quand Gordon ne travaille pas, il m'est impossible de dire où il passe ses journées. De toutes manières, nous partageons une maison, au bord du lac. S'il ne se montre pas pendant la journée, je l'y verrai sûrement ce soir.

— Dans ce cas, peut-être pourriez-vous lui demander de me contacter au Rumbling Mountain Lodge?

— Naturellement. Je sais qu'il souhaitait vous voir, lui aussi.

— Au moment où Gordon m'a écrit, il m'a fait mention d'un décor de village indien où Jim aurait trouvé la mort. J'aimerais m'y rendre, si vous me disiez comment.

— C'est assez facile. Ce n'est pas très loin d'ici, quoique la route soit en piteux état. Suivez les gorges le long de la rivière jusqu'au village de Chimney Rock. Une fois là, repérez sur votre droite la petite chambre de commerce. Contournez le bâtiment et vous accéderez à un chemin caillouteux qui grimpe vers la montagne. Les ornières que vous verrez ont été faites par les camions et l'équipement qui ont servi au tournage. Tout est encore là, d'ailleurs. C'est au bout de ce chemin que vous découvrirez le village.

Finella me raccompagna jusqu'à la porte et me toucha le bras d'un geste rassurant. Je la remerciai et lui promis de revenir dans son magasin afin d'y explorer plus longuement ses trésors.

— J'avertirai Gordon de votre présence dès que possible, promit-elle. Et ne vous gênez pas pour revenir quand vous voudrez.

Je regagnai ma voiture dans un état d'étrange hébétude. Les événements avançaient bien plus vite que je ne m'y étais attendue. J'étais toute excitée à l'idée que « N » pût être Natalie Brandt et, fait extraordinaire, mon unique cousine. Hormis une curiosité naturelle, mes sentiments envers l'homme qui avait trahi Victoria Frazer se réduisaient à leur plus simple expression. Selon ma mère, il était celui par qui le scandale arrive, et le tort qu'il lui avait fait retombait tout naturellement sur moi.

Une fois passées les berges du lac, je compris tout le sens du nom que l'on donnait à ces gorges. Une route étroite s'insinuait entre les flancs abrupts de la montagne, tandis que la Rocky Broad River se ménageait un lit parmi de gigantesques éboulis qu'aucun engin ne saurait écarter. Quel magnifique attrait ils devaient offrir durant la saison touristique! Arrivée à Chimney Rock, je repérai la chambre de commerce et tournai à droite pour entamer la dernière étape de mon parcours.

Le chemin était aussi accidenté que l'avait décrit Finella. J'entendais les raclements des cailloux contre la tôle, pendant que le véhicule se hissait avec force détours jusqu'à un faux plat large et dégagé, simultanément bordé d'un profond ravin et d'une falaise abrupte. C'est alors que j'aperçus une dizaine de structures de bois disséminées çà et là, émergeant d'un tapis de poussière blanche, et au pied desquelles — dans un souci d'authenticité, supposai-je — on avait planté quelques brassées d'herbes folles. Un large sentier conduisait à ces constructions de rondins et d'écorces que le temps avait peintes en gris.

J'abandonnai mon véhicule et parcourus une vingtaine de pas avant de me retrouver dans un autre temps. Contrairement à ce que j'attendais, ces constructions ne ressemblaient en rien aux wigwams des Indiens des plaines. C'étaient d'authentiques maisons de bois, propres aux tribus huronnes qui peuplaient jadis le nord du pays. Certaines étaient très longues et la structure de leur toit, constituée de jeunes arbres recourbés recouverts d'écorce, leur conférait un vague caractère de voûte romane. J'y distinguai des trappes de cheminée que l'on refermait durant la saison d'hiver, mais que l'on avait ouvertes, laissant les lieux à la merci des éléments. Les gens de cinéma étaient venus puis repartis, peu soucieux de préserver des détails historiques qu'ils avaient pourtant si scrupuleusement reconstitués.

Une construction, probablement inachevée pour les besoins du film, montrait le travail de vannerie des murs qui auraient normalement dû être recouverts d'écorce. Des troncs refendus s'alignaient côte à côte pour former une ébauche de plancher surélevé.

Quelques constructions, sensiblement plus petites que les « longhouses », ressemblaient davantage à des huttes, mais ce fut une grande bâtisse qui capta vraiment mon attention. Si la façade était celle de n'importe quelle « longhouse », le reste de la structure était constitué de colombages d'un anachronisme déroutant. Je vis alors que la grande pièce, recouverte d'un toit conventionnel, pouvait recevoir suffisamment de tables pour accueillir toute l'équipe de tournage. J'y aperçus même un antique réfrigérateur.

À l'extérieur, dans le champ des caméras, une peau de daim séchait depuis des lustres sur un cadre de bois. Sous une véranda, j'en repérai d'ailleurs toute une pile dont on avait, en son temps, fait un usage approprié. Çà et là à travers le village, des lits d'enfants faits de branchages tressés contenaient encore des épis de maïs qui avaient dû faire le bonheur des souris et des mulots des environs. On avait, semblait-il, porté une attention toute particulière à certains détails. Plus tard, alors que j'assistais à la projection du *Dernier des Mohicans*, je devais découvrir avec tristesse le peu d'usage qu'on avait fait de cette installation. Tandis que je parcourais du regard l'endroit déserté, la curieuse sensation d'avoir été transportée dans une autre époque m'envahit. C'était comme si je m'attendais à voir surgir de derrière un fourré une squaw qui s'apprêtait à faire du feu en attendant que son homme rentrât de la chasse. Étrangement, j'avais la sensation de tenir un rôle indéfinissable dont je n'avais pas la moindre idée mais qui, le rideau levé, devait se révéler à mes yeux dans toute sa transparence. Saurais-je réciter mon texte, à ce moment-là?

Je m'ébrouai afin de dissiper toutes ces élucubrations et poursuivis mon chemin. Disposées en cercle sur la terre battue, des pierres blanches délimitaient le centre du village. Là, se dressaient de grands mâts reliés ensemble. Une potence, pensai-je, où les ennemis étaient pendus par les mains avant d'être brûlés vifs? L'installation me parut un peu trop réaliste à mon goût. Une couverture déchirée entourait chacun des poteaux, sans doute pour épargner le dos des cascadeurs lors de séquences de tournage trop longues. Si, dans le film, je ne me souvenais pas d'une scène semblable, je croyais, cependant, avoir lu quelque chose sur le sujet dans le roman de James Fenimore Cooper. D'ailleurs, un autre cercle plus petit et concentrique au précédent mettait en évidence d'anciennes cendres. Renonçant à trouver une explication à cette apparente contradiction, je poursuivis mon chemin.

Un massif extrêmement boisé culminait au-dessus du village, créant ainsi un fond de décor idéal. De l'autre côté, là où le village s'ouvrait vers les montagnes lointaines, un ravin descendait à pic vers la vallée. Seul le cri d'un oiseau solitaire brisait de temps à autre le profond silence qui régnait sur le plateau. Un silence dont j'étais la profanatrice. D'ici, Hickory Nut Gorge était hors de vue. Au-dessus de moi, s'élevait l'imposant pilier de granit que l'on nommait Chimney Rock. Au-delà du village, une chute d'eau tombait abruptement de la montagne.

« On ne pouvait rêver meilleur endroit pour un tournage », me dis-je, bien que son réalisme m'effrayât un peu. N'était-ce pas l'endroit où mon mari avait trouvé la mort, où, si je devais en croire le mystérieux « N », un esprit mal intentionné lui avait réservé un triste sort?

Un tronc, long et mince, retenu dans les airs en une sorte de croc-en-jambe par un bouquet de jeunes arbres retint mon regard. Je me perchai sur sa rude écorce afin de m'y reposer un peu et attendre. Quoi? Je n'en savais trop rien. Peut-être que le rideau se levât afin que je prisse enfin conscience du rôle que je jouais dans cette tragédie... à moins qu'elle n'eût déjà commencé, onze ans plus tôt, à San Francisco.

Je me surpris à évoquer mes dix-neuf ans, l'époque où je décidai d'épouser Jim Castle. Il avait presque dix ans de plus que moi, et était déjà fort connu dans le domaine des films documentaires. J'aspirais alors à un poste de scénariste; Jim était devenu mon mentor et m'avait conseillé de suivre les cours qu'il donnait à Berkeley.

Jim semblait concrétiser tous les éléments sains que ma mère attendait de mon futur mari. Il me comblait d'attentions flatteuses et j'éprouvais grand plaisir en sa compagnie. Nous nous découvrions des intérêts communs et mes sentiments pour lui ne faisaient aucun doute. À telle enseigne que, lorsqu'il me demanda en mariage, j'acceptai sans hésiter. Après qu'elle eut fait sa connaissance, ma mère manifesta un enthousiasme qui m'assura qu'il ne ressemblait en rien à mon père, lequel s'était empressé de recouvrer sa liberté deux ans après ma naissance pour se tuer dans un accident de voiture.

Je me croyais confortablement installée dans mon existence, jusqu'au moment où Jim me présenta un autre professeur, un ancien élève pour qui il s'était pris d'amitié. Encore aujourd'hui, je ne saurais dire ce qui s'est passé exactement, mais, entre Gordon et moi, ce fut comme une reconnaissance immédiate, une attirance instantanée qui dépassait de loin l'attrait physique. C'était une sensation que je n'avais jamais connue auparavant. Du coup, cette situation explosive relégua mes sentiments pour Jim au rang de simple affection.

Jim devait se rendre à Los Angeles pour deux semaines afin d'y rencontrer un producteur pour discuter d'un projet qui lui tenait à cœur, laissant à Gordon le soin de veiller sur ma petite personne, sans se douter un instant du brasier qui s'était allumé entre nous et contre lequel nous luttions de toutes nos forces. La confiance de Jim fut l'aspect le plus dévastateur de cette pénible situation. Gordon finissait sur les chapeaux de roue une année d'enseignement, au terme de laquelle il devait, par surcroît, passer un examen pour obtenir son diplôme, sans avoir seulement entrevu la baie de San Francisco. Comme, six semaines plus tard, il devait regagner la maison familiale, je lui proposai de lui faire visiter la ville.

Gordon était aux antipodes de Jim à bien des égards. Plus fruste, moins avenant que Jim, il n'était même pas d'un commerce facile. Si, d'une certaine manière, Gordon était perturbé, il perturbait aussi son entourage. Il ne savait trop que faire de son existence, puisqu'il la considérait en fait comme une chose à goûter, à savourer, un objet d'expériences perpétuelles. Chez lui, rien ne semblait « sain », et cependant, tout en lui me paraissait répondre à des critères que j'établissais *in abrupto*. Son visage aux maxillaires saillants était grave, et l'agressivité de son menton reflétait sa détermination. Ses yeux pouvaient s'animer d'une flamme secrètement amusée, non point par ma personne, mais par le simple plaisir d'être ensemble. Mes premiers sentiments pour lui me mirent en alarme car, à dix neuf ans, je n'étais ni assez brave ni assez futée pour comprendre pleinement ce qui m'arrivait. C'est pourquoi je me convainquis que Gordon et moi étions destinés à n'être rien de plus que bons amis.

Je me souvins des premiers mots de Gordon, la première fois que nous nous retrouvâmes seuls.

— Nous nous sommes déjà connus, Lauren, j'en suis persuadé.

Je n'avais pas encore fait l'expérience de son côté mystique, mais même lorsque je lui affirmai que je ne partageais pas son point de vue, j'éprouvai néanmoins le sentiment de connaître Gordon comme moi-même.

Ce sentiment de reconnaissance réciproque perdura. Quelquefois, l'un devinait ce que l'autre allait dire. Nous aimions les mêmes livres, les mêmes films, les mêmes causes. Les animaux et les grands espaces nous attiraient. Gordon lut quelques-uns de mes scénarios et tout prometteurs qu'ils fussent, me rappela qu'il me restait encore beaucoup à apprendre.

Pendant presque deux semaines, nous nous promenâmes en toute innocence à travers la ville. Nous explorâmes non seulement San Franscico, mais aussi le tréfonds de nos âmes. Je ne crois pas qu'au cours de nos promenades ou de nos pique-niques dans les parcs, nous ayons oublié Jim Castle. Nos contacts physiques se limitaient à une main tendue pour franchir une flaque d'eau ou un bras nonchalamment posé sur l'épaule de l'autre. Peut-être savions-nous inconsciemment, l'un comme l'autre, qu'une fois le premier pas accompli, il ne serait plus possible de faire machine arrière.

Je suppose que, pendant un certain temps, nous évoluâmes dans un rêve, refusant d'en accepter concrètement le sens. Aussi, quand Gordon me révéla qu'il était originaire de Caroline du Nord, et plus précisément de Lake Lure, je fus fortement ébranlée. La main d'un mystérieux pouvoir semblait œuvrer si fort dans nos destinées que nous ne pouvions l'ignorer. C'est alors qu'à son grand émerveillement, je lui avouai qui étaient mes grands-parents. Sans le connaître vraiment, Gordon avait eu maintes fois l'occasion de rencontrer Roger Brandt.

Aujourd'hui encore, le souvenir de ce qui s'ensuivit m'est insupportable. Le retour de Jim nous contraignit à faire face à la réalité. Gordon, qui s'apprêtait à quitter San Francisco, m'exhorta à renoncer à Jim et à le suivre en Caroline du Nord. Il insistait pour que je lui révélasse nos sentiments, en lui demandant de me libérer de ma promesse de mariage.

Le sentiment de crainte dont je fus prise alors me ramena à la réalité, à une banalité que ma mère avait longuement instillée en moi. J'étais trop jeune et trop déconcertée pour faire preuve d'une telle brutalité. Je ne pouvais pas blesser quelqu'un que j'étais convaincue d'aimer. À mes yeux, ce que Gordon croyait discerner dans un avenir commun ne pouvait être qu'une illusion, que la réalité et un peu de bon sens dissiperaient rapidement. Et puis, que m'importaient un ou deux cœurs brisés sur mon chemin? À ce moment-là, j'ignorais jusqu'au sens même de la métaphore. Je n'avais pas encore vécu assez longtemps pour savoir qui j'étais exactement.

C'est alors que, pour la toute première fois, Gordon se montra cruel, me permettant ainsi de découvrir un aspect de sa personnalité que je ne connaissais pas et qui, a posteriori, m'effraya. J'ai encore ses paroles en mémoire :

— En réalité, Lauren, tu n'as pas le courage d'avouer la

vérité à Jim. C'est probablement plus difficile pour toi de l'entendre que pour moi de le dire, mais, néanmoins, c'est la stricte vérité. Personne n'a voulu que ce genre de situation arrive, mais c'est arrivé et, avant de poursuivre ensemble notre chemin, nous devons dire la vérité à Jim.

— Je ne peux pas, avais-je dit misérablement.

— Je m'attendais à mieux, de ta part; je m'aperçois que tu es plus faible que je ne le croyais.

— Tu ne me connais pas, pas vraiment!

Je n'oublierai jamais l'éclat glacial de ses yeux gris.

— Je commence à détester ce que je vois, avait-il conclu en tournant les talons.

Le jour suivant, il avait regagné Lake Lure, renonçant du même coup à son diplôme, laissant Jim confus mais ignorant. Bien qu'il écrivît à Jim de temps à autre, je n'entendis plus parler de lui, du moins jusqu'à sa lettre m'informant du décès de Jim.

Forte des préceptes que m'avait inculqués ma mère, j'étais assurée que Jim serait mon meilleur allié dans la vie et que l'épouser m'apporterait la sécurité pour toujours. J'avais alors dix-neuf ans, l'âge où l'on croit sottement que c'est toujours « pour toujours ».

Mais, de toute évidence, ne me connaissant pas moi-même, je ne pouvais connaître davantage l'homme que j'épousais. Il semblait être passionnément épris de moi, et ce sentiment dura plus d'un an après notre mariage. Mais il était dans sa nature d'aimer d'autres femmes avec un même enthousiasme, tout en me ménageant le rôle de l'épouse et amie. C'était sa manière d'être, disait-il, et folle était la femme qui croyait pouvoir suffire à un homme quel qu'il fût.

J'avais détesté l'intérêt grandissant de Jim pour l'histoire de mon grand-père, histoire qui le poussait irrésistiblement vers Lake Lure. La Caroline du Nord signifiait pour moi Gordon Heath et je ne souhaitais pas m'engager sur ce terrain mouvant. Jim entretenait l'idée que nous devions nous rendre ensemble à Lake Lure afin de dévoiler mon existence à mon grand-père. Mais je lui opposai un refus catégorique. Et quand, après s'être concilié l'assistance de

Gordon, il décida de réaliser son documentaire, je l'enjoignis de ne pas divulguer mon identité. Les griefs de ma mère envers mon grand-père avaient été longuement instillés en moi et, sans m'attendre à ce que mes espérances fussent comblées, j'eusse aimé en savoir plus long sur ma grand-mère, et elle seule.

Mais si Jim était venu mourir ici, c'était à cause de moi et de mes origines. Le sentiment de culpabilité que j'avais ressenti en apprenant sa mort ne devait plus jamais me quitter. Même après coup, n'eût été la mystérieuse missive de « N », rien ne m'aurait jamais attirée ici.

Le soleil avait fait son chemin dans le ciel et, assise sur mon tronc d'arbre, le corps tourné vers les montagnes lointaines, je me réchauffais à ses rayons. Je me rappelai alors que c'était à ce même endroit que venait s'asseoir le chef huron, à la fin du film.

Je me levai et tournai mon regard en direction du village indien où Jim avait mystérieusement trouvé la mort. Espérais-je qu'il me livrerait son secret? M'aiderait-il à y voir plus clair? Tout ce que je savais, c'est que j'étais heureuse d'avoir effectué cette visite en solitaire. J'aurais peut-être d'autres occasions d'y revenir en compagnie de Gordon. Il me raconterait alors ce qui s'était passé exactement, quoique, par un inexplicable détour, la perspective d'une telle révélation revêtît, dans mon esprit, un caractère menaçant.

Autour de moi, subsistaient quelques traces d'un tournage. Une foule de figurants avaient dû grouiller ici, prêts à répondre au premier « En place! On tourne! ». Quelques mégots de cigarettes, soigneusement enterrés durant le tournage, refaisaient lentement surface, ainsi qu'un tissu vert et rouge qui avait dû servir de bandeau. Un rayon de soleil accrocha un morceau de papier d'aluminium, rappel indéniable que j'étais bien au vingtième siècle.

Un bruit me fit sursauter, me tirant brutalement de ma rêverie. Je me raidis, prêtant l'oreille sans y croire, à un martellement de tambours. Non, mon imagination ne me jouait pas de tour, le son était bien réel et, au fur et à mesure que j'écoutais, ces résonnances lancinantes prenaient de l'ampleur. J'eus alors le sentiment qu'elles provenaient de la construction la plus lointaine.

Un bruit de tambour au beau milieu d'un village indien! Le rideau se levait; la pièce allait pouvoir commencer.

CHAPITRE TROIS

L'oreille tendue, je pivotai, l'esprit brusquement perdu dans les méandres de mon imagination. Durant un court instant, le village qui m'entourait appartint réellement au passé et le son des tambours qui parvenait jusqu'à moi surgissait vraiment d'un autre âge.

Mais un peu de bon sens suffit à me rappeler que ce n'étaient pas des fantômes qui battaient tambour. J'écoutai plus attentivement et me rendis compte que les sons se décomposaient en une note longue et grave suivie de deux autres plus brèves et plus aiguës, indéfiniment répétées. Je descendis alors de mon perchoir et empruntai le chemin blanc de poussière qui passait devant le poteau de torture et se perdait parmi les huttes.

Au fur et à mesure de ma progression, le son se changea en un battement plus régulier; d'abord une note grave, puis une montée graduelle d'une octave. Je n'avais jamais entendu d'instrument de percussion capable d'une telle polyvalence et je souhaitai ardemment savoir qui en jouait (qui sait? peut-être un guerrier huron) avant qu'il ne me vît. Pour une raison inconnue, je savais qu'il s'agissait d'un homme, même si une femme eût aussi bien pu faire l'affaire.

Le son semblait provenir d'une petite hutte située à l'extrémité du village. En y regardant de plus près, je remarquai que l'écorce qui la recouvrait avait été en partie arrachée, à moins que le temps ne se fût chargé de la réduire en poussière. La structure de branchages entrelacés me permit ainsi d'apercevoir l'intérieur de la construction. Un homme y était assis en tailleur, face à un tambour qui s'avéra être une grosse caisse de bois de forme oblongue. Ses cheveux gris, longs et épais, lui tombaient sur le front, et l'effet de serpillière était accentué par une barbe en broussaille sous une bouche lippue. Il gardait les yeux fermés pendant que, le

47

poignet cassé, ses mains brunes et noueuses semblaient manier les baguettes de tambour de leur propre gré.

Comme il ne m'avait apparemment pas encore vue, j'en profitai pour contempler plus attentivement cet étrange spectacle. L'homme portait un pantalon de velours côtelé que de nombreux lavages avaient rendu incolore, ainsi qu'une chemise brune qui portait les cicatrices de nombreuses reprises. Bien que débraillée, sa tenue reflétait une certaine propreté et je soupçonnai fortement qu'il prenait son bain dans l'eau des torrents.

De plus en plus intriguée, je me déplaçai de manière à me poster sous l'auvent de la porte d'entrée, d'où je pouvais le voir, sans être gênée par le treillis de la hutte.

Le battement se fit progressivement monocorde. Bien qu'il ne me vît ni ne m'entendît, l'homme avait senti ma présence. Brusquement, il leva ses baguettes et rejeta la tête en arrière. La masse de ses cheveux, d'un gris semblable à l'écorce qui recouvrait en partie la hutte, suivit le mouvement et je me pris à fixer des yeux bleu acier qui, à ma vue, s'emplirent d'hostilité.

Le silence qui s'ensuivit sembla alourdi d'un malaise que je m'empressai de dissiper.

— Bonjour. Vous jouez merveilleusement.

Ses baguettes, terminées par deux boules de plastique orange, semblèrent se glisser naturellement dans l'alvéole réservé à cet effet. Puis l'homme se mit debout et se précipita vers la porte avec une telle vivacité, que je dus faire un saut de côté pour ne pas être renversée. Abasourdie, je le regardai se faufiler entre les huttes, tel un épouvantail aux membres démesurés, et courir en direction des bois. D'où j'étais, la forêt ressemblait à un rempart inexpugnable. L'homme s'y jeta néanmoins à corps perdu, connaissant sûrement un sentier que je ne pouvais voir. Le temps de me rendre compte de ce qui m'arrivait, l'homme avait disparu, abandonnant son instrument sur place.

— Tu l'as effrayé, dit posément dans mon dos une voix que je n'oublierais jamais.

Je me retournai pour faire face à mon interlocuteur, en même temps que s'effondraient tous les systèmes de défense que j'avais échafaudés. C'était comme si quelqu'un venait de souffler sur la poussière du temps pour mettre au jour la jeune fille de dix-neuf ans que j'avais été, avec son innocence et ses blessures de naguère.

— Salut, Lauren, fit Gordon. Je ne savais pas que tu étais arrivée.

— Je... j'ai pu brusquement me libérer. J'ai sauté dans le premier avion et me voilà. Je suis passée au magasin de ta mère mais elle n'a pu me dire où te trouver.

Je profitai de cet échange de banalités pour tenter de me reprendre en main. Je n'avais pas soupçonné un instant que ces retrouvailles pussent me bouleverser à ce point. J'avais devant moi un Gordon mûri, dont je percevais une quiétude intérieure que je ne lui connaissais pas. Une quiétude faite d'écoute et d'attente...

Je me surpris à caqueter, afin de cacher mon trouble.

— Il y a à peine dix minutes, je croyais être seule sur ce plateau de tournage, et voilà qu'il m'apparaît presque surpeuplé. Qui est le vieil homme qui jouait du tambour?

— C'est grand'pa Ty, fit Gordon, apparemment disposé à me suivre dans cette voie. C'est ce que les gens d'ici appellent un « homme des montagnes », bien qu'il ne l'ait pas toujours été. Personne ne sait où il vit exactement. Peut-être dans une des innombrables cavernes des environs. Il est inoffensif dans la mesure où on ne le dérange pas; ce que tu sembles avoir fait...

— Il a failli me rentrer dedans...

— « Failli » est le mot juste, parce qu'en réalité, il ne t'a même pas effleurée. Avec le temps, il a acquis une sorte d'instinct animal.

Cette conversation me parut soudain totalement absconse. Le vieil homme? je n'y pensais déjà plus. Nous nous arrêtâmes brusquement de parler pour nous regarder dans les yeux. J'ignorais ce que chacun d'entre nous cherchait dans l'autre, mais je fus cependant la première à baisser les paupières. Ni lui ni moi n'étions la personne que nous avions été à San Francisco. Nous étions redevenus étrangers, des gens qui ne savaient rien l'un de l'autre. Cependant, pourrions nous jamais être VRAIMENT étrangers?

Il souriait, sans que je n'en connusse la raison jusqu'à ce qu'il me dît :

— Ty est le jeune frère de Victoria Frazer. Ce qui fait de lui... quoi? ton grand-oncle?

Je tentai de cacher ma surprise.

— Ainsi donc, Gretchen Frazer, la propriétaire de l'auberge, serait sa sœur?

Gordon se limita à opiner du chef, reléguant du coup les Frazer au rang de simples « gens du pays ».

— Pourquoi as-tu mis tant de temps à venir, après la mort de Jim?

C'était lui la raison de mes réticences, mais comme je ne pouvais décemment pas lui jeter une telle vexation au visage, je préférai éluder le sujet.

— Le vieil homme a oublié son tambour...

— Ce n'est pas son tambour, mais le mien. Je le laisse ici pour qu'il puisse en jouer. Sa musique semble faire partie des montagnes...

Sans crier gare, Gordon entra dans la hutte et, s'emparant d'une grande bâche, se mit à en recouvrir l'instrument. Une pulsion me saisit.

— Je n'ai jamais vu un tambour comme celui-là. Me laisserais-tu en jouer?

Sans lui laisser le temps de réfléchir, je le rejoignis aussitôt dans la hutte pour m'emparer des baguettes. Quand je les laissai tomber sur l'instrument, le son me parut dissonant. Je m'interrompis pour examiner plus attentivement la surface de bois.

— Ce tambour est entièrement creux, se mit à m'expliquer Gordon. Le dessus, tous ces petits éléments que tu peux voir, ont été taillés dans la même pièce de bois pour être ensuite soigneusement assemblés à la caisse de résonnance. Chacun de ces éléments est censé produire un son différent. Laisse-moi te montrer, poursuivit-il en me prenant les baguettes des mains.

Il se mit à marteler le bois avec plus de légèreté que ne l'avait fait le vieil homme. Le son me parut envoûtant, presque hypnotique dans sa répétition. Je profitai de sa soudaine fascination pour son instrument, afin d'observer Gordon ouvertement.

Son pantalon de treillis délavé et son allure dépoitraillée trahissaient l'homme de plein air, et son visage carré au menton agressif ne répondait pas aux critères du beau mâle. À mes yeux, il était toujours apparu singulier, différent, l'antithèse de Jim Castle. Il avait le cheveu raide et épais, vaguement auburn, indubitablement hérité de sa mère.

Tandis que je le scrutais, je sentis graduellement s'opérer en moi un profond bouleversement. Cette rencontre s'avérait bien plus déroutante que je ne l'avais craint. Un besoin impérieux de m'éloigner de lui m'incita à quitter la hutte et diriger mon regard sur la campagne environnante.

— C'est un coin merveilleusement reposant, dis-je dès qu'il eut cessé de jouer.

— Ce n'était sûrement pas le cas quand les gens du tournage étaient ici.

Ses baguettes rangées, Gordon prit son tambour sous le bras et vint se placer près de moi.

— Pourquoi viens-tu, MAINTENANT? demanda-t-il à nouveau.

Je restai un instant sans lui répondre.

— Tu m'as écrit que Jim était mort dans un accident. Je voudrais savoir ce qu'il s'est passé exactement.

Il ne se départit pas de son calme et c'est d'un pas indolent qu'il me tourna le dos et s'éloigna de moi, avant de me répondre, par-dessus son épaule.

— Faut que j'aille ranger cet instrument. Il est très sensible aux changements de température.

Il n'avait pas répondu à ma question et je le suivis jusqu'à la « longhouse » où se préparaient les séquences de tournage. Une fois à l'intérieur, il alla tout droit vers le réfrigérateur hors d'usage pour y ranger son instrument. « Astucieux », pensais-je.

— Je vais te montrer l'endroit où Jim est mort, fit-il en me rejoignant.

— Pourquoi es-tu venue spécialement aujourd'hui, réitérat-il sans lever le ton.

— Je n'avais pas l'intention de venir du tout. Après la mort de Jim, je trouvais cela trop pénible. Peut-être ne serais-je pas venue si quelqu'un ne m'avait pas écrit une lettre m'annonçant que Jim avait été assassiné. En bavardant avec ta mère, j'ai appris l'existence de Natalie Brandt et je la soupçonne d'en être l'auteur, car la lettre était signée « N ». La question est de savoir pourquoi elle ne s'est pas manifestée plus tôt.

Alors que nous marchions côte à côte en direction d'une grande construction de rondins inachevée, je me sentais oppressée par la proximité de Gordon, malgré mon désir de le regarder, sans toutefois l'oser.

— Il se peut que tu aies raison au sujet de Natalie, dit-il. Jusque tout récemment, elle ignorait tout de mes soupçons. Depuis le commencement, j'éprouve un sentiment bizarre à propos de ce qui est arrivé, mais je n'ai pas la moindre preuve, naturellement.

— Pourquoi ne pas m'en avoir fait part, dans ta lettre?

— Advenant le cas, qu'en aurais-tu retiré de plus? J'ignore ce que Natalie a en tête. Il y a quelque temps, elle m'a accompagné ici et j'ai voulu, en quelque sorte, sonder les soupçons qui me tourmentent depuis déjà pas mal de temps. Avec l'émotivité qu'on lui connaît, Natalie s'est empressée d'exagérer les choses et son imagination a fait le reste.

— Si la mort de Jim n'est pas un accident, je tiens à savoir ce qui s'est passé.

En repassant devant le poteau de torture, j'oubliai que ce n'était qu'un décor et frissonnai longuement. Nos pas soulevaient la poussière blanche, et je me demandai combien de temps se passerait encore, avant que la nature ne reprît ses droits.

Gordon s'arrêta et se tint à mes côtés.

— Voilà, c'est ici que Jim a reçu la poutre sur la tête, fit-il d'un ton grave et posé.

De minces arbres penchaient leur feuillage au-dessus de la toiture inachevée de la « longhouse ». Je bafouillai à haute voix :

— Je ne vois rien qui puisse causer un tel accident…

— Regarde bien autour de toi et tu verras que ce type de

construction est étayée par d'énormes troncs d'arbres. Il en manque un, ici. C'est celui-là qui a tué ton mari.

— Mais, si ce n'était pas un accident, par quels moyens aurait-on pu comploter son assassinat?

Rien ne me semblait réel, dans toute cette histoire, en particulier le lieu où mon mari avait trouvé la mort. À moins que ce ne fût à cause de la présence à mes côtés de l'homme que j'avais aimé... et repoussé.

— Il se peut très bien que son assassinat n'ait pas été préparé et que son meurtrier ait simplement attendu le moment favorable. Il suffisait pour cela que cet étai ait été descellé et que Jim s'en soit approché, la suite est facile à imaginer. Cependant, reste à savoir qui est cette personne qui l'accompagnait et dont il ne se méfiait pas. C'est là que je bloque : je ne vois personne capable d'un tel acte sur la personne de Jim Castle.

— A priori, je ne vois pas pourquoi il serait venu ici. Ce village indien n'a rien à voir avec Roger Brandt, que je sache...

— Je pense que Jim cherchait un moyen pour attirer Roger Brandt ici. De plus, ce village le fascinait et il est possible qu'il ait cherché un moyen de l'intégrer à son documentaire.

— Cela lui ressemble bien, en effet. Quand as-tu commencé à soupçonner que ce n'était pas un accident?

— C'est Ty, le premier, qui a commencé à émettre cette hypothèse. Il a une intuition formidable et la mort de Jim le hantait. Jim avait su accepter le vieil homme tel qu'il est, avec ses lubies et le reste, et ils s'étaient liés d'amitié. C'est lui qui m'a convaincu que ce drame avait été provoqué délibérément.

Incrédule, réticente, je poursuivis mon interrogatoire.

— Ne se peut-il pas que cette poutre ait été pourrie et que Jim se soit trouvé au mauvais endroit au mauvais moment?

— Ty prétend qu'elle aurait tenu encore des années, il affirme que, pour qu'elle tombe, il fallait que quelqu'un y mette la main. Mais ses convictions et mes sentiments ne constituent pas des preuves pour autant. La police semble s'être satisfaite de la version de l'accident, mais moi, je ne partage toujours pas ce point de vue. Finalement, j'ai cru que me confier à quelqu'un me ferait du bien. Comme cette disparition avait profondément perturbé Natalie, je l'ai invitée à venir ici et je lui ai fait part de mes impressions. Je voulais lui montrer ce qui avait pu se passer et savoir ce qu'elle en pensait. Manifestement, elle s'est empressée de monter en épingle les confidences que je lui ai faites. Je trouve stupide de sa part d'avoir voulu te mêler à cette histoire.

« Natalie et Jim », songeai-je. Quoi de plus naturel, en somme. N'était-ce pas là la manière d'être de Jim avec les jolies femmes? Le village indien semblait se refermer autour de moi en me projetant dans une époque sauvage et primitive. Mais était-ce vraiment cela? De nos jours, la violence faisait, un peu partout, partie du quotidien; alors, pourquoi pas ici?

— Natalie a fait quelques croquis du village, assez hallucinants, du reste, enchaîna Gordon, le regard rivé sur moi. Elle essaie de les vendre mais elle n'a pas beaucoup de chance, de ce côté-là. Je crois que ses œuvres font peur.

Je me remémorai l'aquarelle de l'OVNI traversant l'espace dans un éclair. Natalie avait sûrement bien des choses à me dire.

Gordon mit quelque distance entre lui et moi et chemina le long d'une grande bâtisse. Je l'observai, avec l'espoir qu'il me débarrasserait de mes vieux souvenirs et des sentiments qui s'y rattachaient. Nous avions tous deux cherché ailleurs l'âme sœur, et cette décision m'avait appartenu au premier chef. Si j'étais aujourd'hui veuve et lui divorcé, je ne devais pas oublier qu'il ne devait plus éprouver l'ombre d'un sentiment pour moi, et cela, depuis sans doute fort longtemps.

Brusquement, Gordon se tourna vers moi.

— Natalie a l'impression que Jim souhaitait ta présence ici. Elle prétend que, depuis sa mort, il chercherait à rentrer en contact avec elle et que tu serais le catalyseur.

J'étais sidérée.

— Et tu crois à ce truc?

— Je ne le rejette pas.

Son regard se porta vers la crête des montagnes et je me rappelai l'avoir quelquefois entendu manifester quelques velléités mystiques, par le passé. Abruptement, il revint vers moi.

— Quoi qu'il en soit, tu es venue et c'est, apparemment, grâce à Natalie.

Une pesante tristesse s'abattit sur moi. De la tristesse parce qu'une femme, dont j'ignorais tout, ressentait plus profondément que moi la disparition de mon mari, de la tristesse aussi pour les dons de Jim perdus à jamais, de la tristesse encore pour l'amour que Gordon et moi avions laissé glisser entre nos doigts, et que nous ne connaîtrions plus jamais. Si j'avais choisi l'autre voie, que se serait-il passé? Je n'osai y penser.

Je marchai vers un énorme tronc d'arbre élagué couché sur le sol. Ce pouvait être un de ceux qui avaient servi d'étai à la « longhouse » qui commençait à s'affaisser.

— C'est ça qui a tué Jim?

Il hocha la tête, refusant de me donner plus de détails.

— Lauren, je suis navré...

— Que faut-il que je fasse? m'exclamai-je pour moi-même plus que pour lui.

Je ne m'attendais pas à une réponse, mais il décréta tout à trac :

— Partons d'ici. Ce n'est pas un endroit pour discuter — il regarda autour de lui comme si les arbres l'écoutaient, et je me demandai si Ty Frazer ne traînait pas encore dans le coin. Il est presque midi, descendons vers le village de Chimney Rock, nous pourrons y déjeuner et essayer de voir un peu plus clair dans cette terrible histoire. Natalie n'aurait jamais dû t'inciter à venir ici et peut-être ne devrais-tu pas t'y attarder. Je ne vois pas ce que tu pourrais faire de plus. En tant que femme de Jim, il n'est pas dit que tu es totalement en sécurité, ici.

Je n'étais pas prête à accepter cette idée, pas plus que je ne l'étais à quitter Lake Lure. Au pis-aller, mon lien de parenté avec Victoria Frazer me retenait encore ici. Il n'était pas question de me laisser intimider, quelles que fussent mes aptitudes à résoudre le mystère de la mort de Jim, sans parler de ce grand-père dont la présence titillait ma curiosité.

— J'apprécierais, dis-je.

— Bien. Tu n'auras qu'à me suivre avec ta voiture.

Je le suivis, le dos tourné au village fantôme, pensant ne plus jamais y remettre les pieds; ce qui tend à prouver à quel point peut être étroite notre vision du futur...

Gordon attendit que je fusse installée au volant pour regagner du long pas que je lui connaissais son véhicule tout-terrain. Au moment où je rattrapai la Jeep, il était prêt à ouvrir le chemin.

La route cahoteuse me parut plus courte, en descente. Quand nous atteignîmes l'aire ouverte qui entourait le minuscule bâtiment de la chambre de commerce, il gara son véhicule et je rangeai le mien à ses côtés. Un peu plus bas, la grand-route se rétrécissait, formant, parmi les éboulis, un étroit goulot.

Nous suivîmes à pied, sur une courte distance, l'accotement étroit de la route, que nous traversâmes en face d'un petit restaurant où Gordon fut reçu en ami. Nous prîmes place dans l'unique box disponible, tandis qu'une serveuse disposait devant nous deux couverts enveloppés d'une serviette en papier. Une fois les commandes passées, je me décidai à poser la question qui me taraudait depuis l'instant où j'avais vu l'endroit où Jim avait trouvé la mort.

— Es-tu sûr que Jim ne s'était pas fait d'ennemis, depuis son arrivée? Je sais qu'il pouvait se montrer assez peu scrupuleux, quand il cherchait à obtenir quelque chose; c'est pourquoi je me demandais...

— Pas l'ombre d'un. Comme je te l'ai dit, tout le monde semblait l'apprécier. Naturellement, il y avait un tas de gens qui voulaient savoir ce qu'il comptait faire de l'histoire de la vie de Roger Brandt, en particulier en ce qui a trait à sa relation amoureuse avec Victoria Frazer. Mais je ne pense pas qu'il ait suscité des ressentiments de la part de quiconque. Natalie m'a même raconté que Roger était parfaitement détendu, quand il avait accepté de recevoir Jim. J'ajouterai que même sa femme, Camilla, avait fini par l'accepter, même si, au départ, elle avait manifesté une certaine réticence...

Je perçus un malaise dans les propos de Gordon, quelque chose dont il refusait de parler. Néanmoins, je profitai du fait que la serveuse servait le « hamburger » grésillant de Gordon, ma salade « du chef » et deux verres de thé glacé pour changer de sujet.

— Et toi, comment vas-tu, Gordon? Jim m'avait dit que tu travaillais au parc naturel de Chimney Rock sans m'apprendre grand chose sur la nature de ton emploi.

— J'ai effectivement la charge du parc, avec beaucoup d'assistants, bien sûr. C'est un endroit très spectaculaire qui m'oblige à passer de longues heures en plein air. Depuis mon divorce, j'habite avec ma mère, à Lake Lure, et je m'en accommode très bien. Mais tout cela n'est sans doute que temporaire. J'aime bien ce que je fais; mais qui sait ce que l'avenir nous réserve?

Ainsi, il vivait encore dans l'incertitude du lendemain; trait de caractère que ma mère eût abhorré. Mais, d'une certaine façon, cela m'indifférait : ne vivais-je pas moi-même dans l'incertitude? Je souhaitais l'interroger sur son ex-femme, sans l'oser, cependant, quand il me produisit son sourire féroce, comme pour m'inciter à quelque commentaire sur la réponse à la question que je n'avais pas eu le courage de lui poser.

— Betty méritait mieux que ce que je pouvais lui offrir. Elle est remariée et heureuse, aujourd'hui.

Nous nous concentrâmes un court instant sur notre déjeuner, peut-être parce que nous n'étions pas sûrs de ce que nous voulions dire. C'est Gordon qui remit Jim Castle sur le tapis.

— N'aurais-tu pas remarqué quelque chose d'anormal dans les dernières lettres de Jim? J'ai le sentiment qu'il avait mis le doigt sur quelque chose d'important, un gros pétard qui aurait pu lui éclater sous le nez d'une seconde à l'autre...

— Rien de particulier; mais la dernière fois que nous nous sommes entretenus au téléphone, il a fait allusion à un détail important, quelque chose qui pourrait même faire la « une » des journaux. Crois-tu qu'il existe un moyen de savoir de quoi il retourne? Il se peut que Roger Brandt soit au courant...

— Roger Brandt n'est pas homme à se laisser approcher facilement. De plus, toutes les conversations qu'il a eues avec Jim se sont déroulées dans sa maison, vraisemblablement en présence de Camilla. C'est pourquoi, je doute que Roger soit au courant de l'intérêt qu'éprouvait Jim pour le village indien et des relations d'amitié qu'il entretenait avec Ty Frazer.

— Crois-tu qu'il me soit possible de voir Roger Brandt?

Gordon m'adressa un fin sourire.

— Aurais-tu l'intention de lui révéler qu'il est ton grand-père?

— Je ne le pense pas; cela pourrait le mettre sur ses gardes. J'imagine que Camilla Brandt n'apprécierait pas de voir réapparaître la petite-fille de Victoria Frazer. À quoi ressemble-t-elle?

Ils se sont mariés en Californie, deux ans avant le film où jouait ta grand-mère. Il n'avait alors que vingt et un an, mais c'était déjà une grande vedette de l'écran depuis plusieurs années. D'une certaine manière, Camilla a mieux accepté que lui son déracinement. C'est une grande et belle femme avec des allures de grande dame et qui paraît infiniment plus jeune que son âge. Il est possible qu'à l'heure où je te parle, elle ait oublié jusqu'à l'existence de Victoria Frazer. Je n'en dirais pas autant de Roger. Certains font courir le bruit qu'il possède en secret tous les films de Victoria.

Tout cela attisait mon imagination. Il eût été intéressant de rencontrer Camilla, sans que Roger fût au courant de notre lien de parenté.

Notre repas achevé, nous regagnâmes nos voitures respectives. Gordon ouvrit galamment ma portière et me tendit la main. Je ne vis dans son geste aucune moquerie, et je renonçai quelque peu à ma froideur à son égard, avec le sentiment qu'il commençait à m'accepter en faisant abstraction du passé. Serais-je en mesure d'en faire autant avec la même désinvolture?

— Où vas-tu, maintenant, Lauren? s'enquit-il.

— Au magasin de ta mère. J'ai promis de retourner la voir et visiter cet endroit fascinant.

— Bien. De mon côté, je vais tenter de contacter Natalie. Dans la mesure où tu es disponible, serais-tu d'accord pour que nous dînions tous les trois ensemble?

— Bien sûr. Je ne veux surtout pas manquer l'occasion de faire sa connaissance.

Je voulais exprimer mon enthousiasme, mais le caractère peut-être excessif de mes paroles l'incitèrent à amorcer un léger repli.

— Parfait. Dans la mesure où je la vois, bien sûr. Je t'appellerai chez ma mère. Si tu n'y es pas, je laisserai un message à la réception de l'auberge.

Je le regardai se glisser dans la circulation, sans faire le moindre geste pour mettre mon moteur en marche. Quels étaient mes sentiments pour Gordon, aujourd'hui? Il n'était certes plus le jeune homme de mes amours sanfranciscaines. Pas plus que je n'étais la jeune femme qui, en son temps, avait fait son choix. Le mauvais, sans doute, mais ce qui était fait était fait. Mais alors, à quoi rimaient tous ces tremblements?

Exaspérée par mes propres réactions, je fis démarrer à mon tour mon moteur et empruntai la route qu'avait prise Gordon, en direction de Lake Lure.

CHAPITRE QUATRE

En arrivant au magasin, je découvris que Finella était occupée avec un client. J'errai donc jusqu'au stand kudzu, afin d'y découvrir l'ampleur des bienfaits de cette plante grimpante aux vertus infinies, disait-on.

La pièce était petite, équipée de deux calorifères électriques à une extrémité, d'étagères, sur lesquelles des livres étaient en équilibre précaire (des livres de cuisine, surtout). J'y vis aussi des bocaux soigneusement alignés, et repérai une planche à découper posée sur une table en chêne. Il me parut évident que c'est dans cette pièce que devait se faire la « cuisine kudzu ».

Une grande affiche m'interrogea sur certains points. Savais-je, par exemple, que :

Le kudzu fait un merveilleux fourrage sans fermentation pour le bétail?

Le kudzu est un aliment très sain et très goûteux pour les êtres humains?

La poudre de kudzu peut être utilisée dans des milliers de recettes?

Les pousses de kudzu, fraîchement cueillies donnent de délicieuses salades?

Les fleurs de kudzu se conservent très bien dans le vinaigre?

Les racines de kudzu se consomment bouillies?

Le kudzu peut servir au traitement de nombreuses affections?

On fabrique de l'étoffe à partir de la fibre de kudzu?

Je commençais à comprendre pourquoi le kudzu semblait si apprécié. Sur une table s'empilaient des brochures et des livres, parmi lesquels : *Le livre du kudzu : un guide thérapeutique et culinaire.*

Son client parti, Finella me surprit en train de feuilleter ses brochures et son regard s'éclaira aussitôt.

— Si vous aimez cuisiner, vous devriez essayer quelques-unes de ces recettes.

Je souris à tant de prosélytisme.

— À en juger par votre enthousiasme, elles doivent être délicieuses.

— Vous pourrez vous procurer de la farine de kudzu dans n'importe quel magasin de produits naturels. C'est une façon si peu coûteuse de nourrir à la fois les gens et les animaux. C'est aussi la meilleure manière d'en freiner l'expansion, là où il y en a trop. Quelques personnes ont décidé de faire connaître cette plante. Dans le Sud, il serait très facile de le moissonner; rendez-vous compte : le kudzu pousse à l'état sauvage!

Finella fit tourbillonner ses cheveux avec sa grâce particulière. Je sentis croître son exaltation et cela me fit à nouveau chaud au cœur.

— J'emporterai un sac de farine en rentrant chez moi, promis-je.

— Avez-vous trouvé le village indien?

— Non seulement cela, mais j'y ai aussi rencontré votre fils. À vous voir, on ne croirait jamais que vous êtes sa mère.

Je fus récompensée d'un large sourire.

— Ce n'est pas pour me déplaire! Il faut dire que je l'ai eu à dix-sept ans, et qu'à cet âge-là, je n'avais pas beaucoup de plomb dans la cervelle. Pas plus que son père, d'ailleurs, avec qui je ne suis pas restée bien longtemps. Je suis heureuse que Gordon en soit arrivé où il est. D'une certaine manière, nous avons grandi ensemble, et c'est pour cela que nous sommes bons amis. Et vous, que pensez-vous de lui?

Ainsi, Finella ne savait vraiment rien de ce qui s'était passé, onze ans plus tôt, entre Gordon et moi. Les sentiments que j'éprouvais pour son fils ne faisant pas partie des sujets que je souhaitais aborder, je poussai en silence un soupir de soulagement lorsque la clochette de la porte se mit à tinter.

— C'est Ty qui m'apporte une nouvelle brassée de kudzu; c'est mon principal fournisseur. Venez, il faut que vous fassiez la connaissance de cet admirable homme des montagnes.

Il me parut aussi évident que Finella ignorait également mon lien de parenté avec les Frazer, et j'en éprouvai une muette reconnaissance envers Gordon.

— Nous nous sommes — d'une certaine façon — déjà rencontrés, répliquai-je. Il jouait du tambour dans le village, mais il s'est enfui sans me laisser le temps de lui parler. Gordon m'en a dit quelques mots.

Tout en allant accueillir Ty, Finella me désigna une table d'un geste vague.

— Ce sont quelques tambours que Gordon a fabriqués.

Je me dirigeai vers l'endroit. Les tambours étaient si volumineux et si lourds qu'on les avait posés à même le sol. Gordon ne m'avait jamais parlé de ses talents de créateur d'instruments de percussions. J'avais, à présent, tout le loisir d'examiner son travail méticuleux. Chaque tambour était différent, chacun avait sa beauté propre. J'en tapotai du bout des doigts la surface pour capter le faible écho de la caisse de résonnance.

Ty était entré dans la boutique, étreignant son sac de moisson de kudzu. En m'entendant, il tourna la tête dans ma direction.

— Qu'est-ce qu'elle fiche ici?

— Mme Castle est une amie; c'est la femme de Jim Castle. Tu te rappelles bien Jim, n'est-ce pas?

Sous les cheveux en broussailles, je vis ses yeux s'écarquiller.

— Elle aurait jamais dû venir ici.

Je marchai prudemment dans sa direction, soucieuse de ne pas l'effaroucher à nouveau.

— Et pourquoi cela? demandai-je posément.

Le vieil homme fit mine de m'ignorer et choisit de s'adresser directement à Finella.

— Je pense pouvoir t'en apporter une autre brassée avant qu'il aille se coucher pour l'hiver.

— Merci, Ty. Serais-tu assez gentil d'aller le mettre dans le bac du réfrigérateur? Ça l'empêchera de se faner trop vite. Tu sais que la farine commence à très bien se vendre?

À présent convaincue qu'il ferait partie de mes connaissances, je procédai à l'examen de cet étrange personnage avec un peu plus d'intérêt. Il me paraissait difficilement croyable qu'il pût être le frère de la légendaire Victoria Frazer. Ma mère n'était venue à Lake Lure qu'une seule fois. J'avais alors dix ans et, à son retour, je me rappelai l'avoir entendue proférer les pires choses sur l'endroit. Elle n'avait rien dit sur Ty, et peu de chose sur Gretchen, le seul membre de sa famille avec qui elle était entrée en contact durant son bref séjour.

Je me demandais quelle serait la réaction du vieil homme, s'il apprenait que j'étais non seulement la femme de Jim, mais aussi sa petite-nièce.

Alors qu'il se dirigeait vers le stand kudzu, Ty laissa brusquement tomber son sac pour concentrer son regard sur l'aquarelle de Natalie Brandt qui m'avait tant intriguée le matin même.

— Hummf! émit-il en guise de commentaire. C'est elle qui a peint ça?

— Tu fais allusion à Natalie? répondit Finella. Oui, c'est elle. C'est assez bon, ne trouves-tu pas?

Le regard fixe, Ty examina les bleus et les pourpres nocturnes, et la forme elliptique et lumineuse qui se précipitait sur le Rumbling Bald Mountain.

— Sûr, lâcha-t-il. C'est exactement comme ça qu'ça s'est passé, quand les gens de l'espace sont venus. Dommage qu'y aient plus été là, j'aurais aimé aller y voir d'un peu plus près.

— J'ignorais que tu avais vu le vaisseau spatial, Ty, souffla Finella.

— Sûr que j'l'ai vu, j'étais sur la montagne. J'avais un œil sur Justyn et Roger, et c'est comme ça que j'l'ai vu arriver.

— Finella m'a dit qu'on n'a jamais retrouvé le moindre débris du vaisseau spatial, dis-je, tentant précautionneusement de m'immiscer dans la conversation.

— Qui sait ce que ces gens de l'armée ont trouvé... ou p'têt pas trouvé. Y s'peut bien qu'y aient oublié un truc ou deux...

Les inflexions de voix du vieil homme parurent soudain susciter un regain d'intérêt de la part de Finella.

— Sais-tu quelque chose, Ty? Aurais-tu découvert quelque chose, là-haut?

Quand Ty agita ses bras démesurés, Finella et moi sursautâmes en même temps.

— Va pas fourrer ton nez dans ce genre d'histoire. C'est ce qu'a essayé de faire ce p'tit gars de Californie, et regarde ce qui lui est arrivé!

Je m'efforçai de m'exprimer calmement, afin de ne pas l'exciter davantage.

— Gordon m'a parlé de vos soupçons. J'aimerais en savoir plus long sur la mort de mon mari, et c'est la raison de ma présence ici.

Mais l'homme continua de m'ignorer et se replongea dans la contemplation de l'aquarelle.

— Comment est-ce qu'elle est arrivée à faire ça? Elle était même pas née, quand c'est arrivé...

— Grâce à son imagination, expliqua Finella, et peut-être aussi à cause de sa sensibilité extra-sensorielle. Les artistes peuvent voir, uniquement par la pensée. Mais je crois aussi que Roger et Justyn ont dû lui en parler souvent. Je devrais peut-être demander à Justyn ce qu'il en pense, à présent que j'ai vu la peinture de sa fille.

Sans crier gare, l'homme des montagnes m'approcha et posa sur ma personne un regard scrutateur, si bien que je pus sentir le nuage d'odeurs sylvestres dont il était entouré; odeurs d'aiguilles de pins, de fougères, avec peut-être, au travers, un soupçon de clair de lune...

— Je t'ai vue, là-haut, pendant que je jouais du tambour. Tu lui ressembles.

Voilà qui me surprenait. À qui faisait-il allusion, à Victoria?

— À qui croyez-vous donc que je ressemble?

Mais Ty avait l'art de ne jamais répondre aux questions, du moins directement.

— Tu f'rais mieux de rentrer chez toi, avant qu'y t'arrive ce qu'est arrivé au p'tit Jim.

— Racontez-moi, s'il vous plaît.

À travers sa barbe épaisse, j'entendis presque ses mâchoires se refermer. Ramassant son sac, il se dirigea vers le coin « kudzu ».

Finella haussa les épaules et leva longuement les yeux. Au moment où Ty réapparut, manifestement impatient de vider les lieux, un homme entra dans le magasin. Les deux hommes se regardèrent un court instant et je pus sentir la tension, l'animosité presque palpable qui régnait entre eux.

Le nouveau venu esquissa une grimace et chassa quelques mouches invisibles comme pour dissiper la puanteur des lieux. Il était coiffé d'une casquette de marin et son visage portait les stigmates d'une vie passée au grand air. Si Ty était apparemment la raison de sa grimace, cela ne l'empêcha pas de sourire amicalement à Finella. Ty gagna la porte en bougonnant. Finella secoua sa jolie tête d'un air navré.

— Alors Justyn, toujours ce vieux contentieux entre Ty et toi?

Justyn? Décidément, encore quelqu'un de la famille, mais du côté des Brandt, cette fois, puisqu'il s'agissait du fils de Roger et père de Natalie.

— Et il n'est pas près de se régler, répondit-il à Finella. Aussi longtemps qu'il restera un Brandt ou un Frazer vivant.

Et que se passerait-il, me demandai-je aussitôt, s'il existait quelqu'un qui fût à la fois un Brandt ET un Frazer? Finella fit les présentations.

— Justyn, je te présente Lauren, la femme de Jim Castle. Lauren, permettez-moi de vous présenter Justyn Brandt.

Tout en me serrant la main, Justyn m'adressa un regard que je ne pus décrypter. Soupçons? Méfiance?

— Qu'est-ce qui vous amène ici? s'enquit-il sans préambule.

Je me gardai bien de lui dire que c'était une lettre de sa fille.

— Je suppose qu'il fallait que je le fasse...

De toute évidence, la réponse ne le satisfit pas. Il continuait de m'étudier, le regard abrité sous sa visière de la casquette qu'il n'avait pas pris la peine d'ôter. Le temps que mon malaise d'être ainsi scrutée devînt intolérable, l'homme parut savoir à quoi s'en tenir à mon sujet.

— Tant qu'à faire, vous devriez aller jeter un coup d'œil au lac, lâcha-t-il avec la même grossièreté. Il y a un bateau qui part dans vingt minutes, ça vous dit?

Je trouvai cette invitation à l'emporte-pièce plutôt troublante. Je louchai vers Finella, mais celle-ci affichait un air des plus détachés.

— Allez-y Lauren. Justyn organise des excursions sur le lac; vous êtes en de bonnes mains.

Peut-être était-ce là un moyen d'entrer en contact avec les Brandt, me dis-je.

— Dans ce cas, rien ne me ferait plus plaisir.

— Bien, fit-il d'une voix traînante trahissant un enthousiasme mitigé. Je vous attends à mon bateau. Finella, ma mère aimerait que tu te charges de la décoration de la vieille grange. Lake Lure Inn s'en sert depuis des années comme réserve, mais à présent qu'on l'a vidée, elle aimerait y donner une grande fête.

— Naturellement, acquiesça Finella. Je lui téléphonerai pour voir ce que je peux faire. Laissez-moi vous prêter un gilet et une écharpe, Lauren. C'est toujours plus frais et venteux sur le lac.

La mère de Gordon se dirigea vers un placard et me rapporta un gilet blanc et une écharpe fleurie, et je m'empressai de la remercier.

Laissez votre voiture ici, nous irons à pied jusqu'au quai, décida abruptement Justyn, une fois que nous fûmes sortis.

J'eus le sentiment qu'il était sur le point de me détester, mais qu'il voulait néanmoins établir le contact.

— À quelle fête faisiez-vous allusion? demandai-je, tandis

que nous traversions la route.

— Pour une levée de fonds au profit de la région de Lake Lure, commença-t-il. Un bal costumé que ma mère nous mitonne depuis quelque temps. Il y a des lustres, les gens du pays dansaient le « square dance », mais ce bal-ci sera bien plus spectaculaire. Il a lieu dans moins d'une semaine et toutes les invitations sont déjà parties. Serez-vous des nôtres, madame Castle?

Justyn accompagna sa question d'un long regard biaisé, et je m'interrogeai sur cet étrange intérêt pour ma modeste personne, dont l'aspect avenant m'échappait toujours un peu. Je répondis que ce n'était pas sûr, mais pensai néanmoins que ce serait amusant, dans la mesure où Gordon et moi étions encore amis.

Près de l'alignement d'embarcations où le *Showboat* avait son mouillage, une brochette de vieilles dames aux cheveux bleutés étaient assises sur un banc et regardaient les canards barboter d'un bateau à l'autre.

— À compter de cet instant, je suis le capitaine Matt, me prévint Justyn. Sinon, le nom de Brandt m'attirerait des tas de questions embarrassantes.

— Les touristes s'intéressent-ils encore à Victoria Frazer? hasardai-je.

— Oui, je considère que oui. Naturellement, on raconte des tas d'histoires sur elle, dans la région. Mais ne croyez pas tout ce qu'on vous dit. Je montre toujours l'endroit où elle se serait noyée; ça fait plaisir à mes passagers, fit-il, désabusé, comme si cela le rebutait.

— Je suis descendue au Rumbling Mountain Lodge, lui annonçai-je, et j'ai eu l'occasion de m'entretenir avec Gretchen Frazer. Étrange chose que de penser qu'elle et le vieil homme un peu bizarre qui a apporté le kudzu à Finella ne sont rien de moins que la sœur et le frère de la grande Victoria Frazer.

Justyn s'évita un commentaire en allant accueillir les personnes qui attendaient de monter à bord. Un grand tapis vert contrastait de façon singulière avec la bande rouge qui ornait au niveau de l'eau la coque du bateau. Le bastingage et les sièges étaient peints d'un blanc lumineux, tandis qu'un auvent jaune abritait du soleil les rangées centrales.

En entendant mon nom, je me retournai vers la route pour me rendre compte que Finella venait en courant dans ma direction.

— C'est Gordon qui m'a demandé de vous rattraper. Il vous fait savoir que tout est arrangé pour le dîner de ce soir. Natalie et lui vous attendent au Lake Lure Inn pour huit heures. Cela vous convient-il?

— Oh, oui! Merci de vous être donné la peine de venir me prévenir. Je suis impatiente de faire la connaissance de Natalie.

— Eh bien, passez une bonne soirée, conclut-elle en s'éloignant avec un geste gracieux de la main.

Justyn me tendit la main pour me faire monter à bord, et j'allai m'installer à la poupe, sur une large banquette rembourrée, près des moteurs hors-bord. Deux femmes vinrent m'y rejoindre, l'une expliquant à l'autre le programme de la promenade, que j'écoutai d'une oreille distraite.

— Là-bas, c'est le Lake Lure Inn, dit-elle, le doigt pointé. Vous pouvez voir son toit rouge, juste au-dessus des saules pleureurs. À l'époque, toutes sortes de célébrités y ont séjourné. Depuis que la direction de l'établissement a changé, les affaires semblent repartir.

Je contemplai avec un intérêt non feint la grande bâtisse blanche avec son toit de tuiles rouges, d'inspiration vaguement hispanique. Sa construction imposante aspirait à évoquer les grands hôtels du passé. J'y dînerais le soir même en compagnie de Gordon et de Natalie et un frisson d'excitation me traversa le corps. De grandes décisions pouvaient découler de cette soirée, dont j'étais cependant incapable de concevoir un instant le déroulement.

Après avoir adressé quelques mots de bienvenue à tous, Justyn continua de jouer son rôle de « Captain » Matt, amical et volubile. À la manière dont il s'était départi de ses manières frustes, je conclus qu'il aimait son travail.

Une fois les moteurs en marche, nous prévint-il, personne ne pourrait entendre ce qu'il dirait. C'est pourquoi, il désigna d'emblée les endroits remarquables. Au cours de la promenade, expliqua-t-il encore, il couperait les moteurs afin de donner quelques explications supplémentaires.

Grands habitués des singeries humaines, les canards s'éloignèrent tranquillement, dès que les moteurs se mirent à gronder. En quelques instants, nous fûmes au milieu du lac. Je me glissai avec plaisir dans le gilet de Finella et nouai son foulard sous mon menton. Hormis le bouillonnement de l'écume blanche derrière moi, les eaux du lac étaient calmes au point de refléter comme un miroir les grands arbres qui le bordaient. Au loin, en direction des gorges où je m'étais rendue le matin même, de grands pics déchiraient le ciel en beauté.

Maintenant, le Old Rumbling Bald était tout près. Son reflet dans les eaux d'une sorte de chenal décuplait le sentiment de puissante menace qu'y s'en dégageait. Je levai les yeux vers sa face rocailleuse et ressentit à nouveau son étrange sortilège. Il était possible que l'œuvre de Natalie ajoutât à ma fascination, me laissant pressentir l'imminence de la délivrance de quelque urgent et effarant message. J'imaginai sans peine ce même ciel zébré d'éclairs duquel jaillissait cette forme elliptique piquant vers une terre inconnue, NOTRE planète Terre. « La course de l'étoile », c'est ainsi qu'elle avait nommé son œuvre.

Tandis que l'embarcation se mouvait en douceur vers un quai, je remarquai, le long de la rive, d'intéressantes irrégularités. Comme l'avait si bien fait remarquer Justyn, l'ancienne vallée était très profonde, érodée depuis des millénaires par la Rocky Broad River en une sorte de croix grossière, dont les deux bras se termineraient par deux anses. Le long des rives du lac, il existait bon nombre de découpures formant de parfaits mouillages pour les bateaux, des plages privées idéales, au bord desquelles se dressaient de petites résidences d'été.

Le lac frémissait sous le bleu du ciel. Près du rivage, la masse profonde des résineux teintait de vert les eaux noirâtres. D'où j'étais, aucune route n'était visible, aucun véhicule. Seules quelques toitures émergeaient au petit bonheur de la cime des arbres et quand, face à une succession d'anses et de remises à bateaux, Justyn arrêta ses moteurs, un intense sentiment de beauté et de paix prit possession de moi.

Le léger roulis de l'embarcation contribua à me détendre. La vision obsédante de l'aquarelle de Natalie s'évapora, et je m'abandonnai au bercement du lac. Je n'avais pas besoin de penser à la mort; je n'éprouvai pas le besoin de penser à Jim ou à Victoria Frazer. Il me suffisait de laisser aller les choses pour m'intégrer au paysage. Le reflet de plomb de la montagne sur le miroir du lac me signala que l'automne était aux portes de Lake Lure.

Au moment où Justyn se retourna pour s'adresser à ses passagers, j'errais avec langueur dans mes rêveries.

— Les vieux du village prétendent qu'au plus profond du lac, une petite église baptiste est encore intacte, annonça Justyn, sibyllin. Quand la vallée fut inondée, on ouvrit les portes et les fenêtres, afin que les eaux puissent y entrer sans retenue. On raconte que, tous les dimanches matin, si l'on se place à la verticale de cette église, on peut entendre ses cloches carillonner. Même si elle n'a pour seuls fidèles que les poissons qui abondent dans ce lac.

L'histoire me séduisit si bien que je plongeai instinctivement mon regard dans les eaux de Lake Lure, espérant sans doute apercevoir dans ses noires profondeurs la silhouette de la petite église. Les propos de Justyn qui suivirent gâchèrent mon contentement.

— C'est là-bas, sur la rive au pied de la montagne, que s'est noyée Victoria Frazer, la célèbre actrice des années trente.

Cette fois, Justyn paraissait réciter un texte, sans le moindre sentiment, par cœur mais à contrecœur. Même sans savoir ce qu'il s'était exactement passé, je fus profondément ébranlée. Dans le bourdonnement des voix qui m'entouraient, je ne trouvais rien de romantique dans la manière dont Victoria Frazer avait trouvé la mort, et encore moins dans le rôle qu'avait pu jouer Roger Brandt dans cette nébuleuse histoire. De son unique visite à Lake Lure, ma mère était revenue persuadée que sa mère ne s'était pas suicidée, et que mon grand-père portait, dans cette mort, une responsabilité infiniment plus grande qu'on ne le laissait

71

croire. Cette idée lui serait venue après une conversation qu'elle aurait eue, au cours de son bref séjour, avec une mystérieuse personne qui ne saurait être Gretchen Frazer, puisque celle-ci aurait refusé de parler de la disparition de sa sœur. Ma mère ne m'avait rien révélé de plus. En fait, je ne sus jamais sur quoi reposaient ses affirmations. C'est pourquoi je détestai la manière du fils de Roger d'attiser futilement la curiosité de ses passagers. Quand une femme demanda si l'on verrait la demeure de Roger Brandt, je ne pus m'empêcher de sursauter.

Habitué aux questions, Justyn fit alors un large mouvement du bras en direction de l'épaisse forêt de Rumbling Bald. Je suivis son geste et aperçus parmi les arbres l'immense maison blanche de trois étages et ses deux énormes cheminées. On eût dit qu'au fil des ans, elle s'était étendue à l'aveuglette, sans se soucier de l'harmonie entre l'architecture de ses annexes et le corps du bâtiment. Je n'éprouvai a priori aucune attirance pour la maison de mon grand-père. À mes yeux, elle était infiniment moins évocatrice que l'endroit, aussi vague fut-il, où avait disparu Victoria Frazer.

Caméras et appareils photos étaient à présent pointés vers la grande demeure. Une femme demanda qu'on s'en rapprochât un peu, à quoi Justyn répondit par un signe de dénégation.

— M. Brandt tient à ce que toutes les embarcations se tiennent loin de son quai. Il tient à son intimité et ne supporte pas les intrus; nous devons respecter cela.

Décidée à ne pas s'en tenir là, une femme aux cheveux lavande se tourna vers son mari.

— Peut-être pourrions-nous nous rapprocher par la route?

Mais Justyn avait déjà la réponse toute prête.

— La route ne conduit pas de ce côté-ci du lac. M. Brandt dispose d'un chemin privé fermé par un portail.

« Captain » Matt mit un terme à toutes tergiversations en allumant ses moteurs. Alors que nous défilions lentement devant la grande demeure, je gardai les yeux fixés sur la rive et repérai deux remises à bateaux. Je remarquai aussi, sur un coin du bâtiment une grande tour de verre qui devait offrir une magnifique vue panoramique sur le lac. Bientôt, l'impressionnante face rocheuse du Rumbling Bald réduisit ma vision à celle d'une maison miniature perdue au milieu des grands arbres.

Justyn gesticula en direction de la proue. Nous approchions du grand barrage sans lequel Lake Lure n'eût jamais existé. Une route le traversait à son sommet et, au-dessus de la chute, je pus apercevoir une voiture en mouvement.

Je n'avais pas l'ombre d'une chance de pouvoir mettre les pieds dans ce domaine sans dévoiler mon identité, et comme cela n'était pas dans mes intentions, je posai un dernier regard sur la maison des Brandt. Je fus ainsi la seule à voir la femme qui courait au bout du quai en agitant désespérément un chandail blanc dans notre direction.

Par-dessus le grondement des moteurs, j'appelai Justyn en lui faisant signe de la main afin d'attirer son attention.

— Quelqu'un vous fait signe, de la maison des Brandt! lui criai-je.

Il eut un regard surpris en direction du quai, puis, moteurs au ralenti, adressa un sourire à ses passagers.

— Vous avez de la chance; on dirait qu'on me réclame, là-bas. Probablement une affaire urgente...

Justyn remit les gaz dans un bourdonnement d'impatience. Au fur et à mesure que nous approchions du rivage, les déclics des appareils photos se firent de plus en plus frénétiques, et l'excitation fut à son comble, quand arrivé à quai, Justyn y lança un filin. La femme s'en saisit aussitôt et l'attacha d'une main experte à une bite d'amarrage, pendant que, au moyen d'une gaffe, Justyn plaçait l'embarcation parallèlement au quai.

— Que se passe-t-il, Natalie? cria-t-il.

— Lauren Castle est-elle à bord?

Après que Justyn m'eut désignée du menton, Natalie s'adressa directement à moi.

— Auriez-vous l'amabilité de débarquer, madame Castle?

Quelle intéressante surprise, me dis-je. Je considérais cette rencontre impromptue avec Natalie Brandt sur son territoire infiniment plus exaltante que les présentations formelles prévues pour la soirée. Qui plus est, j'aurais peut-être la possibilité d'entr'apercevoir mon grand-père. Je me découvris un état d'excitation que je ne me connaissais pas.

— Naturellement, répondis-je, tandis que, parmi les passagers, les spéculations allaient bon train.

— Inutile de repasser la prendre, je la ramènerai, annonça Natalie à son père.

Je fus surprise de constater que ces dispositions semblaient contrarier ce dernier au plus haut point. Natalie me tendit une main que je ne refusai pas et, un peu chancelante, je me retrouvai sur le quai. Justyn posa deux doigts sur la visière de sa casquette pour m'adresser un salut moqueur, puis remit le cap sur le lac, sans adresser le moindre mot à sa fille.

Debout sur le ponton de bois, je pris immédiatement conscience de la grande demeure blanche accrochée à flanc de coteau, avec le sentiment que ses nombreuses fenêtres me dardaient de regards comme autant d'yeux curieux et malveillants. Je ne perçus aucun signe de vie. Toutefois, je me demandai qui pouvait bien me regarder. Naturellement, ma présence n'avait rien d'exceptionnel en cet endroit, sinon que j'étais la femme de Jim Castle.

Le regard scrutateur que Natalie posait sur moi me mit sur mes gardes. Il était fort possible qu'elle eût favorablement répondu au charme facile de Jim et que, de son côté, il l'eût trouvée captivante car, je devais bien reconnaître que cette autre petite-fille de Roger Brandt avait un attrait bien à elle. De ses ancêtres espagnols, elle avait hérité son visage ovale et ses longs cheveux noirs tombant sur ses épaules, et son sourcil hautain mettait en relief un regard ténébreux. Son maquillage se limitait à une touche de rouge à lèvres sur une bouche qui ne souriait pas. Elle portait des jeans très délavés et une chemise assortie trop grande pour elle, et dont elle avait retroussé les manches.

Dans un climat de froideur extrême, je l'observai avec la même ostentation qu'elle me scrutait.

— Finella m'a téléphoné pour me confirmer que nous dînions ensemble. Quand elle m'a annoncé que vous étiez sur le bateau de père, j'ai pensé qu'il serait plus pratique que nous fassions tout de suite connaissance.

— Votre père ne m'a pas paru partager ce point de vue, hasardai-je.

Après un haussement d'épaules, Natalie me convia d'un geste à la suivre sur le chemin qui montait vers la maison.

— Allons dans mon studio, nous y serons mieux pour parler. Mes grands-parents habitent à l'autre extrémité de la maison; de cette manière, nous ne serons pas dérangées.

Je la suivis, non sans méfiance, en pensant que, depuis le début, c'était ELLE qui avait décidé cette rencontre. Mais à présent qu'elle avait réussi à m'attirer à Lake Lure, j'étais décidée à en savoir plus long.

Elle me précéda dans un escalier rudimentaire conduisant à une véranda située au niveau inférieur de la maison.

— Entrons, dit-elle en ouvrant la porte de la grande pièce lumineuse qui était son studio. J'y promenai aussitôt un regard intéressé. Il y avait des toiles partout. Certaines étaient encadrées, d'autres pas. J'en remarquai une, posée sur un chevalet et sur laquelle je ne devais me pencher que plus tard. Je me rappelai les paroles de Finella disant combien les œuvres de Natalie étaient difficiles à vendre et je compris pourquoi.

Si de nombreuses toiles représentaient le lac, aucune ne le montrait au grand soleil, mais toujours par des clairs de lune inquiétants, ou à travers des lambeaux de brume, à l'aube ou au crépuscule. Une œuvre retint plus particulièrement mon attention. Sous un ciel bas, des nappes de brouillard s'étiraient au niveau des eaux, sous la masse terne et grise du Rumbling Bald, des nappes de brouillard qui, au fur et à mesure de mon observation, m'apparurent comme étant la silhouette éthérée d'une femme.

— La légende du cru, énonça froidement Natalie. C'est une bonne chose que mes grands-parents ne viennent jamais ici, je crois qu'ils détesteraient cette toile. Je vous en prie, asseyez-vous donc, Lauren.

L'aisance avec laquelle elle prononçait mon prénom me laissa entendre que Jim lui avait parlé de moi. Je me frayai une place parmi l'amoncellement de coussins du sofa qui faisait face à la fenêtre et m'y calai, le regard lointain. La manière précipitée avec laquelle se succédaient les événements me procurait un sentiment d'irréalité, à la fois sur l'endroit où je me trouvais et sur la personne en compagnie de laquelle je me trouvais. Cette demeure était celle de mon grand-père et cette femme n'était rien de moins que ma cousine. Je recherchai ce fameux lien du sang et constatai au tréfonds de moi que je me sentais bien plus la petite-fille de Victoria Frazer, que celle de Roger Brandt.

— Du café? proposa Natalie.

— Non merci, fis-je avec un mouvement de tête.

Cette proposition me parut inappropriée pour mon humeur détachée. Il était grand temps d'entrer dans le vif du sujet, et je posai sans détour la question qui me brûlait les lèvres.

— Pourquoi m'avoir envoyé cette lettre?

— J'ai pensé que cela nous permettrait peut-être de dénouer la situation, répondit-elle avec une petite lueur au fond des yeux. Gordon Heath m'a fait part des soupçons qu'il partage avec Ty Frazer. Jusque récemment, je n'en avais pas la moindre idée. Quand Gordon m'a dit que Jim avait peut-être été assassiné, j'ai eu le sentiment de devoir faire quelque chose qui vous inciterait à venir. Votre présence pourrait peut-être faire éclater la vérité.

— Je ne vois pas ce qui vous permet de l'espérer...

Derrière moi, une fenêtre s'ouvrait sur l'intérieur des terres. Natalie laissa un instant errer ses yeux sur le calme des jardins, avant de poser sur moi un regard aigu, plein de défiance.

— Serait-ce que ce qui est arrivé à Jim vous laisse indifférente?

Ses sentiments pour mon mari me parurent alors évidents. Ces quelques mots dissipaient les quelques doutes que j'avais entretenus quant à la nature de leur relation. Nul doute qu'ils avaient été amants et je m'en trouvai navrée, surtout pour elle.

Comme je ne répondais rien, elle poursuivit, sur la défensive.

— Jim m'a dit que vous étiez en passe de vous séparer, que rien n'allait plus entre vous depuis pas mal de temps déjà, et qu'il ne chercherait pas à vous retenir.

— Si tel est le cas, pourquoi m'avoir attirée ici? Si Jim n'est pas mort par accident, vous devez bien vous imaginer que, depuis deux ans, la piste ne doit pas être facile à remonter.

— C'est vrai a priori. Je crois ce meurtre habilement manigancé et, depuis le temps, toutes les pistes ont dû être soigneusement brouillées. Mais lorsque Gordon m'a fait part de ses conclusions, j'ai commencé à entrevoir certaines possibilités, à condition que vous fussiez ici.

— Quelles conclusions? Mais à quel jeu voulez-vous jouer?

Natalie se leva brusquement en rejetant ses cheveux en arrière. Je notai alors sa silhouette agile, ses longues mains nerveuses rarement inactives, et je commençai à me dire qu'elle en savait plus qu'elle ne voulait en dire, ou plutôt qu'elle n'était prête à m'en dire. Bien que je ne lui fisse aucunement confiance, j'étais sensible à son charme captivant et j'attendis patiemment la suite des événements.

Plantée devant une fenêtre, elle se mit à fixer le Rumbling Bald, le front appuyé sur le carreau comme pour en apprécier la fraîcheur. Comme elle restait silencieuse, je décidai de prendre l'initiative en l'aiguillonnant un peu.

— Il y a autre chose que vous voulez me dire, n'est-ce pas? Quelque chose qui n'a rien à voir avec la mort de Jim, du moins directement...

Elle fit volte-face, l'expression sereine, presque souriante.

— Je constate que vous êtes aussi perspicace que le prétendait Jim. Il y a autre chose, en effet; une chose que vous serez tentée de réfuter de prime abord. C'est la raison pour laquelle j'ai pris l'initiative un peu spectaculaire de vous écrire une lettre presque anonyme; c'est aussi la raison pour laquelle je vous ai interceptée, sur le bateau de père. Père ne portait pas Jim dans son cœur et le fait que j'allasse à l'encontre de ses sentiments lui déplaisait plus encore. Avant de récuser ce que je vais vous dire, je vous demanderai d'y songer un peu, de vous donner le temps de vous faire à cette idée...

Elle hésitait, apparemment peu convaincue de me gagner à

sa cause, avant même de m'en faire part.

— Je vous écoute, fis-je posément.

— Très bien. Ce que j'attends de vous, c'est que vous finissiez ce que Jim Castle a commencé, en l'occurrence, le documentaire sur Roger Brandt. J'ai appris que vous étiez une bonne scénariste et, par le fait même, un bon écrivain. Jim m'a dit que vous aviez à votre actif d'excellents scénarios de télévision. C'est pourquoi je pense que vous êtes la personne tout indiquée pour achever sa tâche.

Avant même qu'elle eût fini d'exposer son idée, je secouai énergiquement la tête.

— C'est impossible! Je ne sais même pas tenir une caméra. Et puis, ce genre d'entreprise requiert un réalisateur expérimenté.

— Vous devez certainement très bien vous connaître en montage et, quant à moi, je me défends assez bien avec une caméra. J'ai fait deux expositions de mes photos et même de nombreux films vidéo, que Jim a trouvés très bons. Pour ce genre de travail, il faut un script ou tout au moins un synopsis qui définirait la marche à suivre. Une sorte de plan préalable pour chacune des entrevues nous permettrait de définir avec précision les questions que nous devrons poser. Jim voulait que ce soit moi qui interroge mon grand-père, mais je ne suis pas certaine que c'était une bonne idée. Votre neutralité vous permettrait de faire preuve de plus d'objectivité. Quant à moi, je me cantonnerais derrière la caméra.

Le moins que je puisse dire, c'est que l'idée me prenait de court, quoique, plus j'y pensais, et plus cette proposition me plaisait. D'une certaine façon, je la trouvais même exaltante... Si je parvenais à avoir une entrevue filmée avec Roger Brandt, tout un éventail de possibilités de connaître cette (ma) famille s'ouvrirait à moi. C'était une manière de mettre un pied dans la maison. Peut-être pourrais-je même interroger Roger sur Victoria Frazer et découvrir par ce biais des informations fort utiles sur ma famille. Cependant, je n'éprouvais qu'une sympathie toute relative pour les Brandt, et la requête de Natalie me déconcertait.

— Tout cela, dans quel but? demandai-je.

L'émotion lui creusait la voix, et j'y perçus des accents de sincérité.

— Je tiens beaucoup à mon grand-père. Il est plus important que tout autre personne, pour moi. Je trouve affreux que sa carrière ait ainsi été brisée par des commérages. Je trouve iniques toutes les histoires qu'on raconte sur lui...

« Inique » me parut très exagéré. Que dire du sort de Victoria, alors? Qui, de Roger ou de Victoria, pourrait prétendre être victime d'iniquité? Un peu calmée, Natalie poursuivit :

— Après toutes ces années, Jim Castle a donné à mon grand-père l'espoir de se voir réhabilité auprès de son public, ou du moins ce qu'il en reste. C'est pourquoi, depuis la disparition de Jim, mon grand-père a sombré dans un état de dépression profonde. Depuis quelques jours, il a le sentiment que tout ce qu'il entreprend est systématiquement voué à l'échec.

Je n'éprouvais, au demeurant, pas davantage de sympathie pour Roger Brandt.

— Comment croyez-vous que l'épisode avec Victoria Frazer puisse être interprété, selon vous?

— Dans cette histoire, je suis persuadée que personne ne sait toute la vérité, soupira Natalie. Naturellement, cette fameuse liaison a existé, pour autant que cela pût concerner la presse. Mais je ne suis pas certaine qu'aux yeux de mon grand-père, elle ait revêtu l'importance qu'on a voulu lui prêter. Je suppose que ce n'est pas la seule incartade dont ma grand-mère ait eu à s'accommoder. C'est une femme dotée d'un tempérament fort. Contrairement à Victoria qui devait être une personne très faible pour s'ôter ainsi la vie. Elle aurait pourtant dû se douter que Roger Brandt ne renoncerait jamais à sa femme légitime.

En vertu de quoi, je considérai hautement nécessaire de devoir étaler au grand jour bien davantage que la vie romancée de Roger Brandt. Documentaire ou pas, je le devais, ne fût-ce qu'à la mémoire de ma grand-mère. Si, par extraordinaire, j'en apprenais, un jour, un peu plus long sur sa disparition, j'écrirais son histoire à ELLE. Au moins, le public saurait la vérité, en ce qui la concernait. J'avançai une nouvelle question.

— Quels sont les sentiments de votre grand-père, à l'égard de Victoria Frazer, aujourd'hui?

— Il refuse d'en parler. Jim commençait à peine à l'en persuader, quand il est décédé. Vous n'aurez pas la tâche facile — Natalie profita d'une pause pour m'observer d'un air songeur — cependant, grand-père raffole des jolies femmes et il se peut qu'il ait envie de faire la connaissance de la femme de Jim. Grand-mère va pousser les hauts cris, bien sûr, et elle se méfiera de vous comme elle se méfiait de Jim. Selon les jours, elle se montre très avant-gardiste ou très vieux jeu, une vraie lady, ajouta-t-elle avec une étincelle dans les yeux. Il est également possible que son hostilité incite grand-père à la contrarier plus encore. Leur amour ressemble souvent à la haine. Mais avant toute chose, vous devez lui être présentée. Il aimait bien Jim, c'est déjà cela; et si vous parvenez à plaire à grand-mère, la tâche sera facilitée d'autant.

Je jugeai bon de prendre un peu de recul. Ce côté théâtral ne m'inspirait guère...

— Je ne veux pas rallumer de vieilles querelles. Si votre grand-mère n'est pas d'accord...

Natalie éclata d'un rire dur, rocailleux comme le Rumbling Bald.

— Ce n'est pas une querelle qui sévit entre mes grands-parents, mais une guerre de gentilshommes. Je me suis souvent interrogée sur ce qui les unissait encore, après toutes ces années, et aussi sur les raisons qui les ont poussés à venir s'installer ici. Mais ils refusent d'en parler. Je crois que grand-mère a dû beaucoup souffrir de l'aventure de grand-père avec Victoria. Mais ils n'ont jamais envisagé de se séparer, même s'il s'est agi, comme on le prétend, d'un peu plus qu'une tocade.

— Et votre père? Croyez-vous qu'il approuvera ce projet?

— Probablement pas. Il est souvent à couteaux tirés avec grand-père, mais je ne crois pas qu'il cherchera à l'en dissuader.

— Il y a d'autres aspects de cette histoire que je tiens à élucider, prévins-je.

— Par exemple?

— Je veux avoir une conversation avec Gretchen, la sœur

de Victoria. Nous nous sommes rencontrées, la nuit dernière. Qu'en penserait votre grand-père?

— Jim m'a posé la même question. Il connaissait Gretchen et l'aimait bien. Grâce à Gordon, il avait réussi à parler à Ty Frazer, et même à enregistrer leur conversation. Finella m'a appris au téléphone que vous aviez déjà fait la connaissance de notre vedette locale. Si vous décidez de l'interroger, il vous faudra d'abord le persuader de ne pas s'enfuir en courant. Mais en ce qui me concerne, vous pouvez explorer toutes les directions qu'il vous plaira. Nous ferons le tri après.

Se posait-elle en censeur? Cela n'avait pas grande importance, puisque cette histoire pouvait aussi bien conduire à un cul de sac. Mais je me rendais compte que notre propos ne reposait pas sur les mêmes bases.

— Réfléchirez-vous à ma proposition, Lauren?

— J'y pense déjà. Si vous pouvez me ménager une entrevue avec Roger Brandt, je serai heureuse de l'interroger.

— Naturellement. C'est même par là que nous devrons commencer. Si nous n'obtenons pas gain de cause, l'affaire est à l'eau. Laissez-moi lui parler; peut-être aurai-je quelques suggestions à vous faire, ce soir, au dîner. Gordon pourra éventuellement nous apporter son aide; l'idée de Jim l'avait séduit. Et puis grand-père aime beaucoup Gordon.

Je décidai de soulever un point qui me troublait.

— Dans les affaires que l'on m'a envoyées, il n'y avait rien qui fût en relation avec ce qu'il avait entrepris. Pas de notes, pas de films, rien. Il devait pourtant bien y avoir quelque chose...

— J'ai tout récupéré, avoua spontanément Natalie. Je ne voulais pas que ce soit jeté aux oubliettes. Jim avait des tas de projets, mais il n'avait filmé qu'une seule entrevue. Je vous la montrerai, si vous le souhaitez; et je vous remettrai ses notes...

Je n'étais, en fait, pas sûre de le vouloir. Je trouvais terriblement gênant de regarder un film que Jim avait tourné à peine quelques jours avant sa mort.

Natalie dut sentir mon malaise, car elle annonça abruptement :

— Vous me semblez lasse, Lauren. Je vais vous reconduire à l'hôtel afin que vous puissiez prendre un peu de repos.

J'acceptai d'autant plus volontiers que je souhaitais être seule pour mieux réfléchir.

En quittant le studio, je marquai le pas devant la toile posée sur le chevalet, l'attention brusquement attirée par une scène située dans le village indien et à laquelle Gordon avait fait allusion.

Le sujet me parut d'emblée rébarbatif, puisqu'il mettait en scène le poteau de torture. L'imagination morbide de Natalie avait fait le reste. Parmi les volutes de fumée d'un bûcher qu'on venait d'allumer, j'entrevis une silhouette pendue par les bras. Une lune verdâtre éclairait la scène avec, pour fond de décor, une sombre forêt, dont les arbres semblaient fléchir sous l'effet d'un vent léger. Autour du pilori, des personnages exécutaient une danse macabre. Puis je me concentrai sur le supplicié. Sans parvenir à savoir s'il s'agissait d'un homme ou d'une femme, je pus néanmoins distinguer son visage, déformé par la douleur, mais surtout ses yeux exorbités de terreur, tournés vers le ciel. Une fraction de seconde, je pris la place du supplicié, pour me ressaisir avec un frisson. Quelles étranges idées avais-je là?

— Un peu bizarre ne trouvez-vous pas? lança Natalie près de moi. Il arrive que ma peinture s'écarte tout à fait de mon sujet. Un peu comme si ce n'était plus moi qui peignais. J'ai exécuté « La course de l'étoile » dans le même état d'esprit. J'ai l'impression de peindre malgré moi une scène du passé à laquelle je n'ai pas assisté ou une situation imminente. Dans ce cas-ci, j'ai probablement peint une scène du film qui a été tourné dans le village indien.

J'ignorais dans quelles conditions s'était déroulée cette scène, mais il était peu probable qu'elle eût été rendue avec le même réalisme. Bouleversée, je me détournai avec soulagement de ce visage d'agonie.

Natalie me précéda et, au moment où nous sortîmes, une femme apparut sur un sentier descendant d'un niveau supérieur de la demeure. Je devinai immédiatement qui elle était. Elle marchait d'un pas raide et, même en la sachant âgée de plus de soixante-dix ans, je reconnus en elle une beauté exceptionnelle. La ressemblance entre les deux femmes était surprenante, quoique la jeune femme fût d'une beauté agressive, moins accomplie, un rien anguleuse. La vieille dame avait de toute évidence vieilli dans la sérénité et le parfait contrôle de soi. De sa personne émanait une dignité dont elle devait rarement se départir, pensai-je. Plus grande que sa petite-fille, elle affichait un teint bronzé et une grande forme apparente.

Pour garder la pureté de ligne du menton et du cou, elle avait, à coup sûr, eu maintes fois recours à la chirurgie esthétique. Seul, un défaut gâchait cette parfaite beauté : une profonde cicatrice sur la joue. Un habile maquillage tentait de la dissimuler, sans néanmoins pouvoir entièrement camoufler le profond plissement de la peau coupée en diagonale par un instrument tranchant. Elle baissa les yeux sur nous.

— Désolée, Natalie, j'ignorais que tu avais de la visite.

— Aucune importance, grand-mère, nous partions. Je te présente Lauren Castle, la femme de Jim. Lauren, voici ma grand-mère, Camilla Brandt.

Le regard glacial qu'elle m'adressa réussit à m'intimider. Elle avait un port naturel quasi royal. Sa robe de soie lavande flottait doucement autour d'elle, révélant une silhouette que bien des femmes de la moitié de son âge lui eussent enviée, et je me demandai si ce n'était pas surtout un orgueil démesuré qui empêchait Camilla de tomber en décrépitude. Natalie voulut expliquer ma présence.

— J'ai enlevé Lauren à père. Elle était sur son bateau, et comme je tenais à faire sa connaissance... À présent, je vais la reconduire à sa voiture.

Avec une courtoisie naturelle que je soupçonnais inébranlable, Camilla Brandt me tendit la main.

— Nous avons tous été extrêmement navrés de la disparition de Jim, madame Castle, articula-t-elle d'une voix cultivée, sans le moindre trémolo inhérent aux personnes de son âge.

Je la remerciai pour sa marque de sympathie, et elle m'adressa une légère révérence avant de poursuivre son chemin avec une grâce intemporelle. Un peu abasourdie, je suivis Natalie au niveau supérieur, où se trouvaient les garages.

— Vous ressemblez beaucoup à votre grand-mère, remarquai-je.

— J'aimerais bien! Vous devriez voir des photos d'elle quand elle était jeune : une beauté exceptionnelle. Si seulement je l'avais connue avant... Je crois qu'elle a toujours un peu intimidé grand-père. On a raconté des tas de choses sur elle, du temps de sa jeunesse. Je crois que grand-père et elle ont été follement amoureux l'un de l'autre.

Perdue dans de ténébreuses pensées, je rejoignis machinalement Natalie dans la Mercedes. Follement amoureux? Oui, pour un temps, du moins. Puis Victoria Frazer était apparue. Qu'avait-elle exactement représenté pour Roger Brandt? Sa venue avait ruiné la carrière de celui qui était mon grand-père, mais pas le ménage. Pour la première fois, je me demandai si la disparition de Victoria ne lui avait pas procuré un certain soulagement. S'il s'était détourné d'elle pendant qu'elle était enceinte, il était possible qu'elle se fût suicidée par désespoir. J'étais plus que jamais décidée à en savoir plus long sur cette affaire, et ce film, même s'il n'aboutissait à rien de concret, me permettrait, dans une certaine mesure, de trouver une réponse aux questions que je me posais.

— Votre grand-mère devrait prendre part à ce film, proposai-je. Il serait intéressant de recueillir ses confidences.

— On ne vous le permettra pas, répliqua Natalie en secouant la tête.

— Et qui s'y opposerait?

— Si grand-père n'a pas permis à Jim de s'entretenir avec elle, je doute qu'il en décide autrement pour vous.

Dans ce cas, me dis-je, il faudrait que je trouve un moyen de parler à Camilla en privé.

Natalie amorça une marche arrière en m'adressant un regard furtif.

— Vous songez déjà à votre scénario, n'est-ce pas? À votre regard, je sens que vous êtes déjà à pied d'œuvre.

Impressionnée par son acuité, je me limitai à esquisser un sourire.

Nous suivîmes à travers bois le chemin de la propriété des Brandt, pour aboutir à une clairière qui s'ouvrait sur le lac. Rumbling Bald était derrière nous, à présent. Une fois descendues au niveau du lac, je remarquai l'étranglement des gorges, au niveau de Chimney Rock. Le village indien que j'avais visité dans la matinée et que Natalie avait peint de façon si étrange, se trouvait quelque part, dans les hauteurs.

— Avez-vous vécu ici toute votre vie? demandai-je.

Natalie conduisait avec aisance, tout à fait détendue derrière son volant.

— Oui, si l'on excepte mes quatre années à l'université de Virginie.

La vie de Natalie Brandt. Encore une histoire à raconter, me dis-je. Je fus, un court instant, tentée de lui divulguer notre lien de parenté, mais je ne la connaissais pas suffisamment pour présumer de la réaction qu'engendrerait une telle révélation. Mieux valait attendre et procéder par étapes. Mon état d'épouse légitime de Jim Castle m'avait déjà permis d'avoir une vision de la famille Brandt au-delà de mes espérances, et j'en conclus que, pour le moment, il me fallait m'en tenir à ce rôle.

Comme nous approchions du magasin de Finella, Natalie me dit d'un ton posé :

— Vous êtes une personne secrète, Lauren. Peut-être me direz-vous un jour ce que vous tentez de cacher.

Comme je ne trouvais rien à répondre, je sortis de la voiture avec un laconique « À ce soir ». La main sur la poignée de la portière de ma voiture, je ne pus résister à la tentation de me retourner. Je vis alors que Natalie, les deux mains posées sur le volant, me regardait fixement. Et l'expression de ce regard n'avait rien d'amical.

CHAPITRE CINQ

À peine avais-je mis le pied dans le hall que, debout derrière son comptoir de réception, Mlle Adrian m'apostrophait :

— Si vous avez le temps, madame Castle, Mlle Frazer aimerait que vous alliez la voir. Elle a dit que vous connaissiez le chemin.

Si lasse que je fusse, une telle invitation ne se refusait pas. Je m'acheminai dans l'allée pavée qui menait au lac et, à nouveau sous le charme du panorama, je m'immobilisai un instant. Dans la lumière crépusculaire, le Rumbling Bald me parut plus serein, moins menaçant. Regardant vers le barrage, je reconnus la toiture de la demeure des Brandt. Quelle chance exceptionnelle aurais-je, si je parvenais à être invitée dans la maison de Roger Brandt, dans la mesure, il va sans dire, où il accepterait de recevoir la femme de Jim Castle!

Comme j'arrivais à la hauteur de la modeste résidence de Gretchen, des voix proches me mirent en arrêt. Elles ne provenaient pas de la grande pièce où j'avais été reçue la nuit précédente, mais de plus près. Je vis une porte ouverte et m'en approchai pour découvrir un spectacle surprenant.

C'était une petite pièce carrée à peine meublée, avec des murs tout blancs. Sur le grand lit blanc, qui occupait l'essentiel de l'espace, était étendue une petite fille d'une dizaine d'années, en pyjama. De l'autre côté du lit, je reconnus Gretchen, assise sur une chaise. Les yeux fermés, elle affichait l'expression béate que confère une profonde extase. Son visage rayonnait d'une douce sérénité, à tel point que les rides de son visage semblaient avoir disparu. Cette femme ne ressemblait plus en rien au personnage fruste et mal dégrossi que j'avais rencontré la veille. Je regardai, fascinée.

Les mains étendues au-dessus de la poitrine de l'enfant, elle semblait psalmodier une prière, tandis que, assis sur son derrière à quelques pas de là, Sigmund von Hogg observait le rituel avec une parfaite concentration.

Dans un coin de la pièce, quelqu'un bougea. Je pris alors conscience de la présence d'une autre femme, assise sur une chaise à haut dossier, et dont le teint était aussi pâle que celui de l'enfant. Au moment où je captai son regard, elle m'intima le silence, un index posé sur les lèvres. La mère de la gamine, probablement.

À l'instar de Gretchen, l'enfant gardait les yeux fermés. À peine avais-je remarqué la lourdeur de sa respiration, que son souffle parut s'apaiser, tandis que son visage retrouvait peu à peu des couleurs. Gretchen posa une main légère sur le front de la gamine.

— La fièvre est passée. Il est inutile que je continue, sa toux va très vite se dissiper, annonça-t-elle à la femme, tout en repoussant les mèches du visage de l'enfant. Je vais vous donner quelques infusions, ainsi que des feuilles, dont vous lui ferez un cataplasme sur la poitrine, ce soir.

Gretchen se leva et, un court moment étonnée, m'aperçut. Puis, sans dire un mot, elle s'affaira devant un meuble et alla remettre un petit paquet à la femme. Celle-ci commença à fouiller dans son sac, mais Gretchen l'arrêta d'un geste.

— J'ai déjà eu ma récompense, lâcha-t-elle en posant une main sur la tête de l'enfant qui souriait.

Une fois la patiente partie, Siggy vint affectueusement renifler mes chevilles, et je l'en remerciai par un grattement entre les oreilles. Ce n'est qu'après avoir ordonné à l'animal de prendre le large que Gretchen s'adressa à moi.

— Je suis heureuse de vous revoir, Lauren. Passons dans l'autre pièce, j'ai quelque chose à vous montrer.

J'étais encore sous le charme du spectacle auquel j'avais inopinément assisté. Je pressentais chez cette femme une grande bonté qu'elle s'efforçait de dissimuler sous des allures d'ours mal léché.

— C'est merveilleux que vous ayez de tels dons de guérisseuse! lançai-je avec chaleur.

Elle me conduisit dans la cuisine que je connaissais déjà et me désigna un siège.

— Ce n'est pas toujours aussi merveilleux que vous le croyez, répondit-elle, soucieuse de réfréner mon enthousiasme. Quelquefois, il ne se passe strictement rien, et je me sens coupable.

— Avez-vous toujours eu ce don?

— Quel que soit le nom qu'on lui donne, je le tiens depuis la mort de ma sœur Victoria. Ce fut, mentalement parlant, une période très difficile pour moi, et je cherchai par tous les moyens quelque chose qui pût m'aider. Lorsque ce don me fut dévolu, j'en ai d'abord été effrayée. Il me paraissait arriver à point nommé, puis je compris que c'était là ma véritable vocation. Je n'avais pu aider ma sœur, mais je pouvais utiliser mes dons pour guérir — elle s'interrompit pour décréter tout de go : J'ai à vous parler, Lauren.

Ce genre de préambule m'était toujours apparu de mauvais augure. À mes yeux, il signifiait qu'on allait m'annoncer quelque chose que je ne souhaitais pas entendre. Je tentai de différer cette révélation par une question.

— Quelles sont les feuilles que vous avez données pour soigner la petite fille?

— Des feuilles de kudzu. Les Japonais s'en servent comme moyen thérapeutique depuis des siècles. Mais je vous avoue être une néophyte, en matière de kudzu.

— J'ai eu l'occasion de visiter le kiosque de Finella, cet après-midi.

— C'est moi qui l'ai initiée aux vertus de cette plante miraculeuse, expliqua Gretchen d'un air ravi. À la suite de quoi, elle a décidé d'entreprendre une véritable croisade, afin de la faire connaître par le plus de gens possible. Comment s'est passée cette journée, Lauren?

Apparemment, elle non plus, ne semblait pas hostile à différer ce qu'elle avait à me dire.

— J'ai exploré le coin, fis-je, avant de lui faire un bref résumé de mes aventures. Ce fut cependant ma visite à la demeure de Roger Brandt qui capta le plus son attention.

— L'avez-vous vu en personne?

— Pas même son ombre. Mais j'ai été présentée à Mme Brandt.

— La formidable Camilla! Quelle impression vous a-t-elle faite?

— Nous nous sommes à peine parlé. C'est une dame d'allure impressionnante, et j'ai ressenti de sa part une certaine froideur à mon égard.

Je décidai de lui parler du projet de Natalie.

— Je pourrais reprendre le travail de Jim là où il l'a laissé, mais sur le plan de l'écriture uniquement. Natalie m'a affirmé pouvoir se servir d'une caméra vidéo, pendant que je procéderais aux entrevues. En tant qu'épouse de Jim Castle, j'ai quelques chances d'être reçue par Roger Brandt. Mais je dois, au préalable, élaborer un plan de travail et préparer mes questions.

Gretchen me considéra d'un air ténébreux.

— Je ne crois pas que ce soit une bonne idée. Allez donc savoir ce que les Brandt ont encore derrière la tête; et puis, qui s'intéresse à la vie de Roger Brandt, de nos jours?

— Depuis peu, ses films connaissent un regain d'intérêt. Qu'est-ce qui vous chagrine, dans cette idée?

Je devinais sa réponse, mais je voulais l'entendre de sa propre bouche.

— Le fait que toutes ces manigances n'ont pour seul but que de glorifier SA carrière. Comprenez qu'après ce qui est arrivé à ma sœur, il m'est difficile de me montrer enthousiaste...

Je pris acte de ses sentiments, mais cela ne m'incita pas pour autant à lui apprendre que j'étais, et pour cause, résolument partie prenante pour Victoria Frazer. Je lui laissai néanmoins entendre vers qui allaient mes sympathies.

— Victoria Frazer me fascine depuis toujours, et j'entends qu'elle tienne une grande place dans ce documentaire. À cet effet, votre aide me serait d'un grand secours.

Gretchen ferma les yeux et parut s'immerger dans de profondes pensées. Quand elle les rouvrit, je sus immédiatement que cette possibilité avait été rejetée sans appel.

— Mieux vaut oublier le passé, Lauren, et poursuivre votre chemin. J'ai le sentiment que vous avez passablement marqué le pas, depuis la mort de votre mari.

Cette brusque perception de mon état me déconcerta. Elle voyait trop de choses et trop vite. Mais peut-être étais-je en mesure de me montrer perspicace, moi aussi...

— Existerait-il, à propos de votre sœur, un détail que vous ne souhaiteriez pas voir étalé au grand jour?

— Il y en a de nombreux, en effet. C'est à son travail qu'on juge une artiste, et non à sa vie privée.

Réfrénant ma curiosité, je renonçai à poursuivre sur ce terrain.

— J'ai rencontré votre frère Ty, ce matin, lui annonçai-je.

— Tyronne? A-t-il livré un sac de kudzu à Finella, au moins? C'est chez elle que je m'approvisionne.

Tyronne? Difficile d'associer un nom si romantique au vieillard bourru et inquiet que j'avais aperçu.

— Il est arrivé alors que je me trouvais dans le magasin, dis-je. Mais je l'avais déjà entr'aperçu là-haut, au village indien. Il y jouait du tambour... merveilleusement bien, soit dit en passant.

— Pauvre Ty. C'est sans doute celui de nous qui aura le plus souffert de la mort de Victoria.

— Ah?

— La passion de Victoria pour Roger Brandt l'avait beaucoup changée. Elle ne s'intéressait plus à rien ni à personne. Peut-être ne s'était-elle pas totalement désintéressée de Ty, mais ce n'est pas ainsi qu'il l'avait perçu. À cette époque-là, nous vivions tous dans cette même maison. Cela se passait bien avant que l'auberge fût construite. Je le revois encore, assis à cette place, furieux comme il ne l'avait jamais été. Il disait que Roger Brandt n'était qu'un personnage cauteleux et un tartufe. Il ne réussit à pardonner à sa sœur qu'après sa disparition. Mais, entre-temps, il avait sombré dans l'état d'aliénation que vous avez sans doute pu constater. Au début, j'ai craint qu'il ne tue Roger. Mais la maison des Brandt était une véritable forteresse, à ce moment-là; Camilla y veillait. Ty n'a jamais réussi à déjouer la vigilance des gardiens.

— Je n'en ai pas vu, ce matin...

— Personne ne se soucie plus de Roger. Les « papparazzi » préfèrent des proies plus jeunes, et la plupart de ses anciens admirateurs ignorent qu'il vit encore ici. Quoique, si vous persistez dans vos intentions documentaires, les choses pourraient changer. Comment vous êtes-vous débrouillée pour entrer chez les Brandt?

— Je me trouvais sur le bateau de Justyn Brandt, quand sa fille m'a invitée chez elle. Mais parlez-moi encore de Tyronne.

— Il vit dans les montagnes, et je suis persuadée qu'il a exploré chaque caverne du Rumbling Bald. Il préfère la compagnie des animaux sauvages à celle des humains. Tout cela a commencé quand il s'est découvert des dons de guérisseur, poursuivit-elle avec une tristesse infinie. Tout aurait été si différent, si Victoria et Roger n'étaient pas tombés amoureux l'un de l'autre.

— Je trouve Ty plutôt sympathique, malgré son hostilité...

— Je suppose qu'il est heureux comme il est. Il suffit de le laisser tranquille. Ce que nous appelons civilisation ne lui manque pas. À part Finella, Gordon Heath est un de ses rares amis. Voyez-vous, sans lui en avoir jamais parlé, je soupçonne qu'il est persuadé que l'esprit de Victoria hante encore le lac. Je sais pertinemment qu'il se croit investi d'une mission que lui aurait confiée Victoria, une mission qui rachèterait tout ce qui s'est passé.

— Et que s'est-il passé?

— Elle est morte, fit simplement Gretchen.

Pour la seconde fois de la journée, j'avais le sentiment qu'on en savait plus que ce qu'on voulait bien m'en dire; pourtant je m'abstins de la presser de questions.

— Cela fait si longtemps, Lauren. Mais sa mort a été une terrible tragédie pour Tyronne et pour moi. Les années passant, nous avons appris à accepter le fait que notre sœur était morte; aussi, vous comprendrez que les efforts de Jim pour déterrer le passé n'étaient pas pour nous plaire. Ce qui est fait est fait, me direz-vous, mais il serait bon que vous mettiez un terme à tout cela et que vous laissiez les morts dormir en paix.

Je n'étais pas certaine d'en être capable, a fortiori si la mort de Jim n'était pas accidentelle, mais aussi à cause de Gordon et de San Francisco, à cause de l'amitié que je portais à Jim, malgré de trop nombreuses années de mariage raté. Je lui devais trop pour baisser les bras.

La voix un peu tremblante, Gretchen interrompit sa narration, soudain consciente de la grande lassitude émotionnelle et mentale qui s'emparait de moi.

— Vous êtes exténuée, Lauren...

Elle prit alors mes mains dans les siennes, et je sentis aussitôt une douce chaleur envahir mes membres, puis gagner le reste de mon corps. J'eus la très nette sensation de l'énergie nouvelle que m'insufflait Gretchen.

— Vous en aviez besoin, dit-elle en manière de satisfecit. Allez vous reposer, à présent. À l'heure du dîner, vous vous sentirez fraîche et dispose.

Je ne lui avais pas parlé de mon dîner avec Gordon et Natalie, et je me demandai si ses dons ne s'étendaient pas à celui de double vue. Quoi qu'il en fût, je me sentais déjà mieux, et c'est parfaitement détendue que je gagnai la porte. Je m'éloignai et, tandis que je sentais son regard posé sur moi, une curieuse pensée me réconforta. Gretchen faisait partie de ma famille. C'était ma grand-tante et je pressentais qu'elle avait voulu me faire savoir qu'elle était de mon côté, même en ignorant notre lien de parenté. Je pris également conscience qu'elle ne m'avait rien révélé, à moins qu'elle ne l'eût fait de manière détournée.

Je me refusai à penser à mes retrouvailles avec Gordon, peut-être de crainte de m'en trouver à nouveau tourneboulée. En fait, je réfutai toute pensée qui pouvait contrecarrer le sentiment de sérénité que m'avait procuré Gretchen.

Une fois dans ma chambre, j'enfilai une chemise de nuit, tirai les rideaux, et m'affalai sur mon lit. Les pouvoirs magiques de ma grand-tante me firent immédiatement sombrer dans un sommeil abyssal.

Je vécus alors des rêves d'un réalisme inhabituel. Une femme revêtue d'une robe blanche entrait dans ma chambre par la galerie, et s'approchait de mon lit, ses cheveux blonds flottant sur les épaules. Mes yeux étaient fermés, mais je pouvais percevoir chacun des détails qui m'entouraient, y compris le léger tremblement de sa silhouette éthérée. Elle tendait les mains vers moi en un geste de supplique.

— Laisse-moi partir, murmurait-elle, chaque syllabe résonnant dans mon esprit d'un son cristallin. Je t'en prie, laisse-moi partir...

Et je lui répondais :

— Mais comment vous laisserais-je partir? Je ne vous retiens pas...

— Trouve-moi et libère-moi, me suppliait la femme.

Tandis que je lui répondais, quelque chose en moi réagit contre ce qui m'arrivait.

— Comment vous trouverai-je? Vous êtes au fond du lac...

Le hurlement à la mort d'un chien me réveilla en sursaut, et je me redressai brusquement. Aucune silhouette ne frémissait au pied de mon lit, et aucune voix ne parlait dans ma tête. Néanmoins, mon rêve avait été d'un réalisme rare, provoqué sans aucun doute par mes tribulations de la journée, mais sans rapport direct avec la réalité. Si je n'avais à satisfaire aucune requête de quelque fantôme que ce fût, pourquoi, alors, à présent que j'étais éveillée, ce puissant sentiment de communion avec Victoria Frazer persistait-il?

Je tentai de faire la paix avec mes rêves. Si, par extraordinaire, il m'était donné de libérer Victoria Frazer des liens qui la rattachaient à un monde auquel elle n'appartenait plus, je m'y emploierais avec toute la force de mon âme. L'aspect le plus rationnel et le plus clairvoyant de ma personne en faisait le serment.

J'éprouvais pour Victoria Frazer un attachement dont ma propre mère avait toujours ignoré l'existence. Cela s'était passé aux premiers jours de mon adolescence, alors que je me trouvais chez un bouquiniste. J'y avais découvert une revue parue un mois après sa mort, et qui lui était entièrement consacrée. D'abondantes photographies me firent alors découvrir une femme d'une beauté inouïe. Je me souviens d'avoir longuement dévoré des yeux les détails de ce visage d'une délicatesse peu commune. Un visage auquel aucun homme ne pouvait résister; non point tant à cause de son aspect enchanteur, qu'en raison de la vulnérabilité qui se dégageait du contour de son menton et de sa bouche voluptueuse. Un visage fait pour être embrassé, protégé... ce que Roger n'avait pas fait.

Sans lésiner sur les détails romantiques, les chroniqueurs y rapportaient que Roger et Victoria s'étaient épris l'un de l'autre pendant le tournage de *Blue Ridge Cowboy*. Pour les besoins publicitaires du film, on y présentait même une photographie du couple : un bel homme, très grand, avec une lueur amusée dans les yeux. Ce fameux regard qui devait séduire une nation tout entière et ma grand-mère de surcroît.

Sur cette même photographie, une superbe jeune femme n'avait d'yeux que pour son héros bien-aimé. Le pays tout entier avait gobé cette chimère, alors que la réalité avait dû être tout autre. Si ces deux-là avaient vécu une violente passion, ils avaient aussi connu la souffrance, le scandale, la mort. Et moi, j'étais l'enfant du fruit de leurs amours illicites. Étais-je plus proche de ma grand-mère que je ne l'avais été de ma mère?

Je me demandai ce que Camilla avait pu penser de cette photographie; car il ne faisait aucun doute qu'en son temps, elle en avait eu connaissance. Ce regard avait dû amplement suffire pour qu'elle se sentît bafouée. Mais là encore, peut-être était-elle déjà convaincue que Roger Brandt ne renoncerait jamais à elle...

Mon rêve continuait de me hanter. Aussi tentai-je de l'oublier en me promettant de ne pas souscrire à cette légende. Je m'indignai contre moi-même en me rendant compte que ma rencontre avec Roger Brandt n'avait d'autre but que de lui dire tout le mal que je pensais de lui.

Brusquement consciente de l'heure tardive, je pris une douche, froide et revigorante, et enfilai un chemisier de coton imprimé à l'encolure modeste. Une jupe de toile bleu nuit et un ceinturon assorti complétèrent l'effet recherché. Sur la défensive comme je l'étais, je me voulais sans fantaisie, une allure dans laquelle je puiserais confiance et courage. Loin de rechercher la moindre ressemblance avec ma grand-mère, je tenais également à faire oublier à Gordon la jeune écervelée que j'avais été. Le grand miroir de la salle de bains sembla me donner raison; aussi lui adressai-je mon plus beau sourire.

Je descendis dans le hall pour découvrir que Gordon m'y attendait déjà. Je me débrouillai pour me montrer d'un commerce agréable mais non familier, et m'efforçai de faire abstraction du pétillement que je décelai dans son regard au moment où il me vit.

— J'ai pensé que nous pourrions aller retrouver Natalie ensemble, me dit-il en me conduisant vers la petite voiture sport bleu nuit aux lignes fluides qu'il avait troquée contre sa Jeep.

En chemin, il m'annonça que sa venue avait été précédée d'une conversation téléphonique qu'il avait eue avec Natalie.

— Elle m'a appris qu'elle t'avait emmenée chez elle et que tu avais fait la connaissance de sa grand-mère. Que penses-tu de Camilla?

Mon opinion de la femme de Roger Brandt restait mitigée.

— Elle est très belle et porte merveilleusement bien son âge, mais je trouve sa froideur un peu rébarbative.

— En effet. Tout convaincu qu'il fût qu'elle devait faire partie de son projet, même Jim n'a pas réussi à en tirer grand-chose.

— Natalie voudrait que je prenne la relève, que j'écrive quelque chose sur les Brandt, et peut-être même que je les interroge, pendant qu'elle se chargerait de la partie cinématographique.

— C'est ce que j'appelle un revirement complet! s'exclama-t-il, surpris. Quand Jim est mort, elle affirmait qu'elle s'opposerait à quiconque tenterait de poursuivre son œuvre. Je me demande pourquoi elle a changé d'avis. Comptes-tu donner suite à sa demande?

— Je ne sais pas encore. Il faut d'abord convaincre Roger

Brandt, et ce n'est pas chose faite.

— Tu n'as encore parlé à personne de ton lien de parenté avec Roger Brandt et Victoria Frazer, n'est-ce pas?

— Non, je préfère ne rien dire pour le moment. C'est en quelque sorte une carte que je garde dans ma manche, bien que j'ignore comment la jouer...

Gordon parut intrigué, mais n'émit cependant aucun commentaire.

Le Lake Lure Inn était si proche que nous y fûmes en quelques minutes. Je n'avais plus le temps de lui parler des autres sujets qui me tracassaient.

Nous nous arrêtâmes devant la façade crépie blanc du bâtiment que j'avais eu l'occasion d'apercevoir du bateau. Au début du siècle, son architecture vaguement espagnole avait connu de beaux jours, même si son style était plus approprié aux latitudes californiennes qu'à celles de Caroline du Nord. Sa popularité s'était éteinte vers les années quarante, mais aujourd'hui, le nouvel engouement que suscitaient Lake Lure, Hickory Nut Gorge et Chimney Rock semblait lui apporter un second souffle.

Un grand auvent vert s'étirait au-dessus de larges marches qui avaient vu défiler de somptueux attelages et les premières automobiles. Dans le hall d'entrée, l'éclat d'une grande table ronde en noyer vernis reflétait les couleurs pastel d'un arrangement de fleurs fraîches. Au-delà, une double volée de marches de marbre rose conduisait aux étages supérieurs. De tous côtés, le hall était meublé de profonds sofas et de somptueuses bergères à oreilles.

Silhouette étonnamment colorée, Natalie Brandt vint à notre rencontre. Elle avait délaissé ses vêtements de travail au profit d'un pantalon indigo aux revers argent et d'un chemisier également argent, orné de perles blanches et de petits coquillages. Ainsi vêtue, je lui trouvai une allure époustouflante et me dis que l'impact sur Jim avait dû être immédiat. Jim aimait les femmes et je fus heureuse de penser qu'à l'époque où ces deux-là s'étaient connus, je n'étais plus amoureuse de lui.

Natalie semblait vouloir se montrer plus circonspecte à mon égard qu'au cours de l'après-midi, et je me demandai si l'hostilité dont sa grand-mère avait fait preuve envers moi n'y était pas pour quelque chose.

Nous nous dirigeâmes ensemble vers une véranda fermée, que des tables disposées de façon très aérée et une grande baie vitrée transformaient en une agréable salle à manger. De lourdes nappes blanches étaient recouvertes de napperons pêche, assortis au tissu de recouvrement des sièges.

Après nous avoir installés près d'une fenêtre, une hôtesse nous tendit le menu. Déconcertée par l'attitude distante de Natalie, je m'astreignis à écouter les explications de l'hôtesse. Nous passâmes commande très rapidement et, aussitôt l'hôtesse partie, la manière dont Natalie s'adressa à moi confirma mon impression.

— Je tiens à vous dire que ma grand-mère est absolument opposée à notre projet de poursuivre l'œuvre de Jim. Je n'aurais jamais dû vous en parler sans la consulter préalablement.

— Peut-être auriez-vous dû consulter votre grand-père. Quoi qu'il en soit, vous m'en voyez d'autant plus soulagée que j'étais convaincue que cela ne marcherait jamais, rétorquai-je, sans le moindre accent de regret.

Gordon ne dit rien, apparemment soucieux de ne pas s'immiscer entre Natalie et moi. Je contre-attaquai par une question directe.

— Avez-vous le film qu'il a tourné avec Victoria Frazer?

— Personne n'a le droit de le voir. Mon grand-père a fait l'acquisition de l'unique copie, et il la garde dans son coffre-fort. Il ne me l'a jamais projeté, mais j'en ai vu de nombreux autres.

— Pourquoi refuse-t-il de le montrer? insistai-je froidement.

Un éclair passa dans le regard de Natalie.

— Peut-être craint-il que ma grand-mère ne mette la main dessus et ne le détruise. Elle en est encore fort capable, malgré son âge.

— Éprouverait-elle encore des ressentiments envers Victoria Frazer, après toutes ces années?

— Tout porte à croire qu'elle a beaucoup souffert de cette histoire, et elle a le droit de ressentir ce qu'il lui plaît. Mon admiration pour elle est sans réserve.

Je notai au passage l'emploi du mot « admiration » plutôt qu'« amour ».

— J'ai entendu dire que c'est Camilla qui a pris les choses en main, quand ça allait très mal, intervint Gordon.

Délaissant sa morosité, Natalie s'exprima plus posément.

— C'est en effet de cette manière que cela a dû se passer. Mon père est né l'année suivante, et il m'a rapporté des anecdotes qu'il tient de mon arrière-grand-mère Brandt. Elle lui aurait dit que, lorsque le scandale a éclaté, les journalistes et les curieux ont véritablement assiégé la maison de grand-père. Les gens se sont, paraît-il, montré impitoyables envers lui. C'est là que grand-mère aurait organisé un voyage en Suisse et que toute la famille aurait quitté le pays. Ils sont revenus secrètement, quand tout s'est calmé. C'est également grand-mère qui a transformé la maison en forteresse.

— Cela, c'était en Californie, n'est-ce pas? demanda Gordon.

Je me concentrais sur Natalie, mais j'étais éminemment consciente de la présence de Gordon, de l'autre côté de la table. Tout et pourtant rien en lui n'avait changé. Alors que moi, j'avais l'impression de me dédoubler : j'étais à la fois l'indifférente et l'écorchée vive.

— Après ce qui lui était arrivé, mon grand-père ne pouvait plus supporter Hollywood. Après toutes ces années de gloire, le rôle d'étoile déchue a dû lui être insupportable. Il n'avait plus ni amis ni contrats. Je suppose qu'avec sa fortune et celle de grand-mère, il pouvait se permettre de se retirer là où bon lui semblerait. Pendant le tournage, la beauté de cette région les avait déjà fascinés, et c'est sans doute pourquoi ils ont décidé de s'y installer. Voilà, c'est tout ce que je sais de cette histoire.

Il était en effet probable que Natalie ignorât la véritable raison de cette retraite forcée, et je me demandais s'il n'existait pas à cela un motif infiniment plus sordide qu'elle ne le croyait. Le propos suivant de Natalie me rendit plus perplexe encore.

— À mes yeux, grand-mère représente un mystère bien plus grand que grand-père. Elle devait beaucoup l'aimer pour, non seulement lui pardonner ses frasques, mais aussi accepter d'habiter les lieux mêmes où le scandale avait éclaté. Et je comprends qu'elle ait mal accepté que Jim mette son nez dans de vieilles histoires de famille. Je dois ajouter qu'elle sait renoncer, lorsque grand-père hausse le ton. C'est pourquoi je suis persuadée qu'en réalité, c'est grand-père qui s'oppose à ce que nous terminions l'œuvre de Jim.

— Dans ce cas, pourquoi avoir accepté de le recevoir? intervint encore Gordon.

— Sans doute parce que, pour la première fois, cela lui aurait permis d'exposer son point de vue. Personne, à part Jim, n'a jamais voulu l'écouter. La presse et les studios ont immédiatement sauté aux conclusions. Et je pense que, dans son esprit, la disparition de Jim a définitivement mis un terme à ce projet.

— Si Jim avait pu mener son projet à terme, aurait-il dévoilé le mystère de la disparition de Victoria Frazer? insistai-je.

Natalie hésita quelques instants, avant de relever le nouveau défi que je lui lançais.

— Comment voulez-vous qu'il le fît? Qui le pourrait, d'ailleurs? Qui sait dans quel état d'esprit se trouvait Victoria Frazer au moment de son suicide? Et le fait que l'on n'ait jamais retrouvé son corps ne fait qu'ajouter à la confusion. Il est vrai qu'à certains endroits, le lac a plus de cents pieds de profondeur. On a recherché vainement son corps pendant des jours. La seule chose qu'on a retrouvée d'elle, c'est un foulard, noué à un poteau, et une lettre laconique, adressée à son bébé, qu'on s'est empressé d'interpréter comme une annonce de suicide.

Tout cela, je le savais déjà.

— Roger Brandt aurait difficilement pu parler de sa carrière, sans évoquer l'existence de Victoria.

— Bien sûr que non. Et il n'aurait pas cherché à se dérober non plus. D'ailleurs, Jim avait, lui aussi, l'intention d'interroger la famille de Victoria ou du moins ce qu'il en reste : Gretchen et Tyronne. Grand-mère y était opposée, mais Jim ne désespérait pas de la gagner à sa cause. Certains mystères auraient peut-être pu être élucidés, si Jim n'était pas mort; si on lui en avait laissé le temps...

Natalie me regarda d'un air de défi, avant de poursuivre avec, dans la voix, une trace de mépris qui n'avait d'autre but que de cacher son chagrin.

— Cette bluette entre Roger et Victoria, dont la presse a fait ses choux gras pendant plus d'un an, a commencé en Californie, bien des mois avant qu'on les ait choisis pour le tournage de *Blue Ridge Cowboy*; et lorsque le film fut terminé, cette prétendue idylle n'était plus qu'un souvenir, pour grand-père, du moins. À tel point qu'aujourd'hui, je le soupçonne de se comporter comme si rien n'était arrivé.

— Ce n'était sûrement pas le cas de Victoria Frazer, qui s'est retrouvée avec un enfant sur les bras, corrigeai-je sèchement.

— Victoria n'était qu'une sotte, s'insurgea Natalie. Elle n'a probablement eu que ce qu'elle méritait. Cette femme n'était qu'une Messaline! Pour s'en rendre compte, il suffit de voir certaines scènes de ses films! C'est d'ailleurs là que se situe le drame! Cette femme n'éprouvait aucun scrupule à séduire un homme marié et le voler à sa famille. C'est ce qu'elle a tenté de faire avec grand-père, mais contre grand-mère, elle n'avait pas l'ombre d'une chance.

Je la regardai et me réjouis de la voir rougir jusqu'aux oreilles. Je supposai qu'elle considérait ses valeurs morales d'une toute autre sorte que celles de Victoria Frazer, puisque son aventure avec MON mari ne semblait guère la troubler. Dès cet instant, je fus plus que jamais résolue d'élucider le mystère de la mort de MA grand-mère et de savoir QUI avait séduit l'autre. On nous servit, et bien que la nourriture fût excellente, j'eus à peine conscience de ce que j'avalais.

— J'ai quelque chose à vous remettre, annonça brusquement Natalie. Quelque chose qui a appartenu à Jim.

Le geste en suspens, je la regardai sortir de son sac une enveloppe cachetée qu'elle me tendit. J'y lus mon nom, écrit de la main de Jim.

— Je ne comprends pas; pourquoi ne m'avez-vous pas envoyé cette lettre, puisqu'elle m'est adressée?

— Quand Jim et moi nous sommes vus pour la dernière fois, je l'ai trouvé passablement surexcité, comme s'il avait fait une découverte qui risquait de lui éclater au visage. J'ignore ce qu'il y a à l'intérieur de cette enveloppe. Votre mari et moi étions devenus d'excellents amis, et j'étais la seule personne, en dehors de Gordon, en qui il avait confiance. Mais Gordon était absent, cette semaine-là, et Jim m'avait bien recommandé de vous la remettre SEULEMENT si vous veniez à Lake Lure. Cela m'a paru induire le fait qu'il serait alors incapable de vous la remettre lui-même — Natalie s'interrompit pour laisser son regard errer quelques instants par la fenêtre. Après son prétendu accident, je ne savais plus que penser. Comme vous ne veniez pas à Lake Lure, j'ai décidé d'attendre.

Elle me remit hâtivement l'enveloppe, comme si elle craignait qu'elle ne lui brûlât les doigts. Quelque chose de légèrement plus épais qu'une feuille de papier s'y trouvait, et je sentis que, une fois l'enveloppe décachetée, j'aurais atteint le point de non-retour, quel que fût le sort que l'avenir me réservait.

— Pensez-vous que Jim avait le pressentiment qu'un événement grave allait lui arriver? m'enquis-je.

— Je ne sais pas, fit Natalie, les larmes aux yeux. J'aurais bien aimé le deviner, en tout cas.

Je décachetai l'enveloppe et en sortis une feuille de papier pliée en deux, au milieu de laquelle se trouvait un morceau de tissu vert, grossièrement découpé à l'aide d'un couteau, dans une pièce d'étoffe plus grande, me sembla-t-il. C'était une matière synthétique que je ne connaissais pas. J'éprouvai sa résistance et le trouvai anormalement solide et étrangement lumineux, presque... surnaturel. Était-il radioactif?

L'écriture de Jim remplissait toute la page. Chaque fois qu'il m'écrivait, j'avais toujours le sentiment qu'il le faisait par devoir, presque à contrecœur. Cependant, je trouvais cette lettre-là particulièrement laconique.

Chère Lauren,
Il serait préférable que ceci ne tombe jamais entre tes mains; et je ne pense pas que cela arrivera, attendu que je touche

au but, et que tout s'éclaircira dès que le dernier élément du puzzle sera en place.

Gordon est absent, sinon, c'est à lui que j'aurais confié cette enveloppe. Mais je sais que Natalie suivra mes instructions. Tâche de parler à Ty, il connaît l'origine de cette étoffe. S'il accepte de te conduire à la source, alors tout deviendra clair pour toi.

Sois prudente, Victoria Frazer ne s'est pas noyée; elle a été assassinée.

J'espère que tu n'auras jamais l'occasion d'ouvrir cette lettre.

Baisers,
Jim

Oubliant la lettre et le morceau de tissu que j'avais entre les mains, je sombrai un court instant dans une profonde prostration. Cependant, si mes craintes étaient confirmées, à la fois sur la mort de Jim et sur celle de Victoria, cette lettre en disait trop et pas assez. Je la tendis sans un mot à Gordon pour qu'il en prît à son tour connaissance.

— Que se passe-t-il? larmoya Natalie. Que dit-il?

Alors que Gordon lisait ces lignes, qui confirmaient les soupçons de Ty et les siens, j'observai le bouleversement qui s'opérait sur son visage. Puis, sans dire un mot, il tendit la lettre à Natalie. Lorsqu'il posa sa main sur la mienne, je tentai d'y puiser un semblant de réconfort.

— Ainsi, ni la mort de Jim ni celle de Victoria ne sont des accidents, dit-il posément en examinant le morceau de tissu.

Les yeux pleins de larmes, Natalie fixa à son tour l'étoffe presque phosphorescente.

— C'est aussi mince que du papier, remarqua Gordon. Mais ça a l'air très solide et ça ne s'effiloche pas. Je n'ai pas la moindre idée de ce que cela peut être. Peut-être une nouvelle sorte de tissu synthétique?

Il tendit l'échantillon à Natalie qui le contempla quelques instants sans mot dire, puis le lui rendit, accompagné de la lettre.

— Je devrais peut-être faire analyser ce morceau de tissu, avança Gordon.

« Je n'aurai jamais la patience d'attendre les résultats »,

103

pensai-je.

— Je préfère suivre le conseil de Jim et le montrer à Ty. Pourrais-tu m'arranger une rencontre avec lui, Gordon? Chaque fois qu'il me voit, il a la fâcheuse manie de prendre ses jambes à son cou.

— Je vais voir ce que je peux faire, promit Gordon.

Natalie se plongea dans la lecture de la carte des desserts, mais le tremblement de ses mains trahissait son état d'émotion intense. Je vis soudain une lueur de surprise s'allumer dans les yeux de Gordon. Puis, repoussant sa chaise, il se leva pour accueillir sa mère, qui, apparemment, avait perdu sa jovialité coutumière.

— Excusez-moi de vous déranger, bredouilla-t-elle fébrilement. Il m'est arrivé une chose que vous devez connaître, tous les trois.

Elle prit place sur la chaise que venait de lui avancer Gordon, refusa d'un geste le menu, et commanda un café.

— Ton grand-père m'a fait la surprise d'une visite, Natalie. Je ne l'avais pas vu depuis des années, mais il est toujours aussi beau et distingué.

— Mais que diable... bégaya Natalie tandis que Gordon lui intimait l'ordre de se taire.

— Il est entré dans le magasin en coup de vent, poursuivit Finella. Je me rappelle ses manières un peu frustes, et de ce côté-là, il n'a pas changé. Il m'a demandé si je n'avais pas vu la femme de Jim Castle, et quand je lui ai répondu qu'elle dînait avec vous, il a eu l'air encore plus contrarié. Puis il s'est mis à faire les cent pas dans le magasin... faut le voir trotter, à son âge! et c'est là qu'il a aperçu « La course de l'étoile ». Apparemment, c'était la première fois qu'il la voyait de sa vie, car il a eu l'air terriblement fâché.

— Je ne vois pas pourquoi, intervint Natalie, j'ai fait cette aquarelle à partir de sa narration et de celle de mon père.

— Quoi qu'il en soit, il n'a pas aimé. Du tout. Il s'en est détourné comme si la vue de cette image lui était insupportable. Il veut absolument vous parler, Lauren. Le plus tôt possible.

En ce qui concernait mon hypothétique entrevue avec mon grand-père, tout cela ne présageait rien de bon, et je m'en alarmai un peu.

— Vous a-t-il dit ce qu'il me voulait?

— Pas du tout. Il est reparti comme il est venu, en fulminant. C'est pourquoi, j'ai jugé bon de venir vous prévenir. Il m'a fait peur. Vraiment.

— Avant de vous retrouver, j'ai entendu grand-mère lui parler de votre projet de finir le film que Jim avait commencé, dit Natalie. Mais il est tout à fait contre. Il a répondu que vous seriez incapable de prendre la relève, et que personne ne le pourrait. À l'heure qu'il est, je pense qu'il a dû renoncer à vous chercher. Sinon, il serait venu ici...

Finella avoua, l'air dépité :

— Je crains de lui avoir dit où vous êtes descendue, Lauren.

— Je ferais mieux d'aller lui parler, décida Natalie en repoussant son siège. Je vais tenter de le calmer; il lui arrive de m'écouter...

— Vous n'aurez qu'à lui dire de ne pas s'inquiéter; je n'ai pas l'intention de poursuivre le travail de Jim, la rassurai-je. Cependant, je suis toujours disposée à le rencontrer; peut-être apprendrai-je quelque chose sur ce qu'avait découvert Jim.

— Je persiste à penser qu'il faudrait terminer ce film, avec son accord ou pas, répliqua Natalie. Je me demande si je ne devrais pas tenter de l'en convaincre.

Puis, dans un bruissement de soieries et de coquillages, Natalie quitta précipitamment la table.

Je déclinai le dessert, et me contentai d'un café que je sirotai lentement, animée d'un sentiment de crainte et de lassitude confondues. J'annonçai à Finella mon intention de quitter Lake Lure très bientôt, et lui promis d'aller la saluer avant mon départ, consciente de l'attention muette que me portait Gordon. Nous accompagnâmes Finella jusqu'à sa voiture, puis Gordon me ramena à mon hôtel. Durant le trajet, nous n'échangeâmes que quelques mots. Arrivés au parking, il me retint quelques instants pour me dire, à ma grande surprise :

— Je me demande si tu fais bien de t'en aller si vite, Lauren. Aurais-tu peur, par hasard?

— Peut-être bien, oui, répliquai-je, sans toutefois préciser que mes craintes étaient surtout dues à sa présence et à la confusion qu'elle suscitait en moi.

— Si tu t'en vas, continua-t-il, tout va s'arrêter. Et tu n'auras jamais de réponses aux questions que tu te poses. C'est ce que j'appelle une solution sage et facile. Mais je crois me souvenir que tu t'y entends pour choisir les solutions de facilité...

Peut-être que la violente colère que je réprimai provenait de ce qu'il disait la vérité. Mais la jeune fille qui l'avait aimé et qui craignait de prendre des décisions n'existait plus. Bien des choses pouvaient éveiller mes craintes; mais pour peu qu'il existât une seule raison pour m'inciter à rester, je ne chercherais pas à la fuir.

— Tu ne sais strictement rien de moi, fis-je péremptoirement avant d'ouvrir ma portière et de m'éloigner rapidement.

Dans le hall, la fatigue m'assaillit à nouveau. Je ne souhaitais qu'une chose : regagner ma chambre et me reposer pour le restant de la soirée. Que ce fût au passé, au présent, ou au futur, je souhaitais ardemment ne plus penser à Gordon, même si je n'étais pas sûre de pouvoir y parvenir.

Aussi, quand Mlle Adrian m'apostropha de son comptoir, je lui opposai une mine peu engageante.

— Madame Castle, il y a ici quelqu'un qui veut vous parler, annonça-t-elle imperturbablement, en pointant le petit salon du menton. C'est M. Brandt, poursuivit-elle d'une voix vibrante. M. Roger Brandt. Il vous attend.

Comme je ne pouvais me dérober, j'exhalai un profond soupir et allai faire la connaissance de mon grand-père.

CHAPITRE SIX

À mon approche, Roger Brandt se leva, mais je l'avais déjà reconnu. Il avait les cheveux très blancs et très fournis, et ses traits, creusés par le temps, avaient gardé un air de jeunesse. Son maintien un peu raide trahissait les efforts qu'il devait déployer pour se garder en forme.

Jusqu'à ce soir, je n'avais eu de lui qu'une vision en noir et blanc. En chair et en os, il me parut plus impressionnant encore, et je compris qu'une telle prestance pouvait suffire à créer le personnage mythique qu'il avait été. Il avait un teint mat, rehaussé par un foulard écarlate noué à la va-vite autour du cou. Le costume en velours était de bonne coupe et les bottes du cuir le plus souple. À son charisme naturel se greffait une assurance que je trouvai intimidante. Il paraissait furieux, mais, pour une raison que j'ignore, eut l'air surpris en me voyant. Je me cramponnai à ma fierté et, le menton haut, (un menton à fossette semblable au sien), je me tins droite devant lui et lui retournai le regard aigu qu'il m'adressait. Je décidai même de l'attaquer bille en tête.

— Monsieur Brandt? dis-je avant qu'il eût le temps d'ouvrir la bouche. Je suis Lauren Castle, la femme de Jim Castle.

Cela ne parut pas le troubler outre mesure.

— Asseyons-nous, ordonna-t-il avec un geste en direction du canapé.

— Je ne dispose que de quelques instants, et je préfère rester debout, décrétai-je. Votre petite-fille m'a suggéré d'achever le documentaire commencé par mon mari, mais c'est hors de question. Je n'ai ni les mêmes aptitudes ni les mêmes centres d'intérêt. C'est pourquoi, si vous êtes ici pour quelque manœuvre de dissuasion, je tiens à vous dire que vous vous êtes déplacé pour rien.

Il cilla, et, sans doute à cause de l'indifférence qu'il était censé m'inspirer, je subodorai que sa vanité « en avait pris un coup ». Mais j'enchaînai, sans lui laisser le temps de contre-attaquer ni même de battre en retraite :

— Peut-être aimeriez-vous savoir pourquoi je refuse de me commettre dans ce projet? Mais parce que j'ai le sentiment profond que le vrai centre d'intérêt de cette histoire, ce n'est pas vous, mais Victoria Frazer. Et comme il semble plus difficile d'en apprendre sur sa vie que sur la vôtre, je ne prendrai même pas la peine d'essayer.

Je m'attendais à le voir exploser de colère; mais au lieu de cela, il leva ses sourcils blancs et hérissés en m'adressant un regard éberlué. Puis je vis se creuser sur sa joue l'ombre d'une fossette; non pas un sourire, mais un pli amusé du visage. Comment quelqu'un d'aussi insignifiant que moi osait-il faire allusion à Victoria Frazer en sa présence?

— Je vous en prie, asseyez-vous, dit-il. Je crois que nous pourrions nous entretenir plus civilement, si vous cessez de vous conduire comme un chat sauvage.

Je renonçai donc à mon air de défiance, gagnai l'extrémité du sofa et m'y installai, les pieds joints, les mains sagement posées sur les genoux comme une écolière effarouchée. Mais, tout bien pensé, je préférai croiser les bras, attitude plus adaptée à l'air querelleur que je voulais me donner. Dans mon esprit, il n'était pas question de me laisser intimider et encore moins ridiculiser.

À l'autre bout du sofa, la pose détendue de Roger Brandt me signala qu'il avait opté pour la désinvolture. N'était-il pas comédien...

— Excusez-moi, madame Castle, mais je crains que la communication ne soit pas bien passée entre ma femme et moi. J'avais de l'estime pour votre mari et sa disparition fut pour moi un choc et une terrible perte. Mais à présent que vous avez attisé ma curiosité, je souhaiterais savoir pourquoi vous pensez que l'histoire de Victoria Frazer est si importante; sa carrière dura à peine plus que le passage d'une comète.

— Encore faudrait-il ajouter qu'elle n'en est pas responsable, rétorquai-je. À Los Angeles, vos films ont connu un regain de popularité. Je suis bien placée pour le savoir, je les ai pratiquement tous vus. En revanche, je n'ai pas vu le film que vous avez tourné avec elle. Il y a longtemps, j'ai déniché un vieux magazine avec sa photo sur la page couverture. Quand j'ai lu l'article qui parlait d'elle, j'ai compris pourquoi les hommes étaient éperdument amoureux d'elle.

Mon grand-père ne semblait pas disposé à partager mes conclusions.

— Vous êtes jeune et romantique. Avec une bonne maquilleuse, un bon cadreur et un bon éclairagiste, à peu près n'importe quelle femme peut devenir une beauté fatale. Dans la rue, vous seriez passée à côté d'elle sans la remarquer.

Je refusai de mordre à l'hameçon.

— Je ne le pense pas, et je ne pense pas que vous pensez VRAIMENT ce que vous dites.

La manière dont il détourna les yeux me porta à croire que j'avais fait mouche.

— C'est une bien étrange expérience que vous m'imposez là, madame Castle. Voilà de nombreuses années que je n'avais parlé de Victoria Frazer à personne. Qu'est-ce qui vous attire donc chez cette actrice pratiquement oubliée, sauf à Lake Lure, dont elle fait en quelque sorte partie de la légende?

Devant de pareils propos, j'eus du mal à cacher mon indignation.

— Je suppose que le mystère de sa mort y est pour quelque chose. Comment se fait-il que son corps n'ait jamais été retrouvé? Que s'est-il réellement passé?

Roger Brandt ne chercha pas à cacher son impatience.

— Croyez-vous qu'à l'époque, tout n'a pas été fait pour la retrouver?

— Non, pas tout. Avez-vous seulement cherché à savoir ce qu'il lui était vraiment arrivé?

Je sentis que j'avais percé sa cuirasse. Roger s'agita sur son siège d'un air gêné.

— Je crois que vous feriez mieux de rentrer en Californie,

jeune dame. Votre décision de ne pas accéder à la requête de Natalie est une sage décision.

Voilà qu'il se montrait arrogant, à présent. Et moi, je déteste l'arrogance.

— Vous me semblez sombrer quelque peu dans la décrépitude, monsieur Brandt; « jeune dame » est une appellation paternaliste plutôt surannée, du genre de celles que l'on retrouve dans les vieux films de garçon-vacher que vous avez tournés.

S'il voulait être arrogant, peu m'importait de me montrer grossière. Une fois de plus, je crus qu'il allait se lever et quitter les lieux. Mais il préféra me surprendre par un bref éclat de rire.

— *Touché!* Vous me rappelez ma petite fille; elle ne me laisse jamais avoir le dernier mot. Mais inutile de reparler de cette vieille tragédie, cela ne ferait que rouvrir d'anciennes blessures. L'unique raison pour laquelle j'ai accepté de recevoir Jim Castle, c'est parce qu'il s'était engagé à ne pas faire allusion à Victoria Frazer, sauf pour parler du film que j'ai tourné avec elle.

Il me parut évident qu'ayant gagné la confiance de Brandt, Jim aurait, tôt ou tard, évoqué la courte vie de ma grand-mère. Mais je préférai ignorer le sujet.

— Vous êtes-vous seulement jamais inquiété de son sort? demandai-je abruptement en retenant mon souffle.

Il me fixa quelques instants, puis détourna de moi un regard plus triste que furibond. C'était à son tour de passer à la moulinette.

— Jim m'a écrit que l'affaire était close... du moins jusqu'à ce jour.

— Et elle aurait dû le rester. À présent, si vous voulez bien m'excuser...

Comme il se levait pour prendre congé, j'en fis autant et remarquai à nouveau sa haute taille et son maintien, peu communs pour un homme de son âge. Néanmoins, je décidai d'ouvrir une nouvelle brèche dans sa carapace.

— Natalie m'a affirmé que vous possédiez l'unique exemplaire de *Blue Ridge Cowboy*. Je compte bientôt rentrer chez moi et je n'ai nullement l'intention d'entreprendre quoi que ce soit à votre sujet ou celui de Victoria Frazer. Cependant, je donnerais n'importe quoi pour voir ce film. Je suis curieuse de savoir à quoi elle ressemblait, à l'écran.

Il réitéra sa question, mais en la formulant différemment.

— Pourquoi êtes-vous si attirée par une actrice qui était morte bien avant votre naissance?

Pendant une seconde, une toute petite seconde, je fus tentée de lui répondre : « Parce que c'était ma grand-mère ». Mais je ravalai mes paroles, me disant qu'une fois mis au courant, il se fermerait à tout jamais. En tant qu'épouse de Jim, je devais lui paraître inoffensive, désarmée. Pour un court instant, je le considérai, non pas comme l'acteur célèbre, mais comme mon grand-père, quelqu'un qui m'aurait été familier, à cause de cette petite part de lui-même dont j'avais hérité. Je lui souris pour la première fois, et il abaissa son regard sur moi, avec un clignement de paupières propre aux personnes myopes.

— Vous me rappelez quelqu'un... Comment dites-vous vous appeler déjà? Lauren? C'est un très joli prénom — Il fit une pause, puis parut se souvenir de quelque chose — Tâchez de joindre Natalie, demain matin, elle vous fera traverser le lac jusque chez moi. Décidez du moment avec elle, et je vous projetterai le film.

Désarçonnée, je bégayai quelques mots de remerciements, consciente de la satisfaction qu'il éprouvait de m'avoir rabaissée à l'état de groupie chevrotante. Probablement devait-il se targuer d'avoir encore la manière, avec les femmes...

— Au revoir, Lauren, articula-t-il, la main tendue. À bientôt...

Il avait presque atteint la porte, quand il se retourna pour me regarder par-dessus son épaule. Cette mimique délibérée était la réplique exacte de celle qu'il se plaisait à adopter dans ses films, sans oublier d'y ajouter son coup d'œil vaguement amusé, enjôleur et facétieux à la fois... Je n'en restai pas moins de glace, et compris alors qu'entre nous, la bataille ne faisait que commencer, même si j'étais abasourdie à l'idée de voir le fameux film qu'il avait censuré. J'avais, comme on dit, l'impression qu'un fantôme surgi du passé me faisait un clin d'œil. Je redescendis précipitamment de mon donjon hanté et m'apprêtai à me hisser jusqu'à ma chambre. Un grand-père qui me compterait fleurette ne faisait pas partie de mes fantasmes, mais au moins, me dis-je, sa venue avait dissipé ma lassitude, car, à ma grande surprise, je me sentais étonnamment dispose et alerte. Je repérai Mlle Adrian, qui m'épiait derrière son comptoir, et me dis que, demain matin, toute la ville saurait que Roger Brandt avait rendu visite à la veuve de Jim Castle au Rumbling Mountain Inn. Restait à savoir ce que Gretchen Frazer penserait de tout cela.

En haut des escaliers, mon humeur exubérante descendit d'un cran. Cette rencontre avec Roger Brandt avait été trop soudaine, trop inattendue. Je repensai alors à ce que je lui avais dit et à ce que je ne lui avais pas dit, et je me consolai en pensant que j'allais enfin savoir à quoi ressemblait ma grand-mère sur le grand écran. J'allais la voir telle qu'elle était à l'époque où le monde entier l'adulait, c'est-à-dire éternellement jeune.

Au moment où je déverrouillai la porte de ma chambre, je sentis que quelqu'un y était entré. Comme la porte-fenêtre coulissante accédant à la galerie était entrouverte, et que le rideau plein-jour se gonflait sous l'effet de la brise venue du lac, je me dis qu'une femme de chambre était peut-être passée par là. Je m'apprêtais à refermer le châssis, quand je distinguai une silhouette qui me tournait le dos, appuyée contre le garde-fou. Mon frisson de crainte passé, je me détendis : mon visiteur n'était qu'un enfant.

— Salut, dis-je. Comment as-tu fait pour venir jusqu'ici?

L'enfant, d'une dizaine d'années, en denim et chemise à carreaux, tourna vers moi un visage serein.

— De là, dit-il en pointant l'endroit du doigt.

À l'extrémité du bâtiment, se dressait en effet un grand chêne dont une des branches surplombait la galerie. Je compris alors qu'il avait suffi à mon jeune visiteur de grimper sur l'arbre et de se faufiler jusqu'à ma fenêtre. Comme la porte-fenêtre n'était pas verrouillée, il avait pu entrer et sortir de ma chambre à sa guise.

— Pourrais-tu me dire comment tu t'appelles et ce que tu

fais ici? dis-je doucement, soucieuse de ne pas l'effaroucher, du moins pas avant d'avoir obtenu quelques éclaircissements.

— Je m'appelle Zach, dit-il, c'est grand'pa Ty qui m'envoie.

Décidément, j'allais de surprise en surprise.

— Ty Frazer serait ton grand-père?

— Pas vraiment. Mais tous les enfants l'appellent comme ça. Il nous apprend des tas de choses sur la vie dans les montagnes. Des choses que ni p'pa ni m'man ne connaissent.

— Bien. Et pourquoi grand'pa Ty t'a-t-il envoyé me voir?

— Il m'a dit de vous donner ceci, de vous dire de le prendre et de vous en aller.

Zach fouilla quelques instants dans ses poches et me tendit un vieil écrin de satin de couleur incertaine. À peine l'avais-je saisi, que je vis l'enfant courir le long de la galerie, se hisser sur sa branche et disparaître dans le feuillage du grand chêne.

J'emportai la petite boîte dans ma chambre et m'installai près de la table de chevet pour en examiner le contenu. Enveloppé dans du coton, je découvris un mince bracelet d'argent orné de minuscules clochettes. Lorsque je le levai à la lumière pour l'examiner plus attentivement, les clochettes tintèrent agréablement. Le bijou était ravissant, mais je me demandai dans quel but le vieux Ty me l'avait envoyé, même si j'avais une bonne idée de la personne à qui il avait appartenu.

À Victoria, sans aucun doute... Si mes soupçons se confirmaient, je devrais trouver la réponse à la multitude de questions qui se pressaient déjà dans mon esprit, et auxquelles seul le vieux Ty pouvait répondre. La première de toutes étant : savait-il qui j'étais?

Je consultai le bottin téléphonique pour trouver le numéro de Gordon. Quelques instants plus tard, c'est Finella, aimable comme toujours, qui décrochait. Lorsque, sans hésiter, je la renseignai sur la manière dont se précipitaient les événements, et lui expliquai mon désir de rencontrer Ty Frazer au plus tôt, elle ne manifesta aucune surprise.

— C'est qu'il n'est pas facile à joindre. En général, nous

attendons qu'il se manifeste. Gordon est sorti donner à manger aux animaux, mais je lui dirai que vous voulez voir Ty; il se peut qu'il sache où le trouver.

Après l'avoir remerciée, je retournai sur la galerie et m'abandonnai à la fascination des grandes montagnes sombres, quand un mouvement près de la remise à bateaux capta mon attention. Gretchen Frazer se dirigeait vers l'auberge. Elle m'aperçut et, aussitôt, m'apostropha :

— Il faut que je vous voie.

À vrai dire, je ne me sentais guère d'humeur à lui faire la conversation. Mais comme cette requête ressemblait à un ordre, je lui donnai mon accord avec un enthousiasme mitigé. Si, comme je le croyais, la rumeur avait fait son œuvre, elle devait déjà être au courant de la visite surprise de Roger Brandt.

En l'accueillant sur le seuil de ma chambre, je constatai qu'elle tremblait d'indignation.

— Ce personnage ne doit pas mettre les pieds ici, articula-t-elle d'un ton cassant.

Je lui expliquai sommairement que je n'avais pas souhaité cette visite, et encore moins sollicité. Elle entra néanmoins dans ma chambre et se laissa tomber sur un fauteuil, ne me laissant d'autre choix que d'écouter ses doléances.

— Que voulait-il?

— Je suppose qu'il voulait me dissuader...

— De quoi?

— Eh bien, je vous l'ai déjà dit; Natalie m'a proposé de terminer le film que Jim avait commencé, et il voulait connaître mes intentions.

— Bien sûr, fit-elle un peu calmée, il craint surtout que vous ne gobiez pas sa petite histoire, comme ce fut le cas pour Jim. Ce personnage aime avoir la mainmise sur les gens et les événements qui le touchent de près ou de loin. C'est lui qui dictait à Jim sa ligne de conduite et les limites à ne pas dépasser. Je le tiens de Jim lui-même.

— Croyez-vous que Jim ait pu garder sous le manteau une information susceptible de déplaire aux Brandt?

114

Elle hésitait, et je me demandai si cette femme n'en savait pas moins que ce qu'elle voulait laisser croire.

— Qui sait? Les Brandt sont des gens bizarres. Pourquoi tout ce remue-ménage, si ce projet ne voit jamais le jour? Elle balaya ces spéculations d'un revers de la main.

— À moins que ça n'ait un rapport direct avec la mort de Jim, hasardai-je.

L'air grave, elle réfléchit à cette éventualité.

— Cela se pourrait, en effet. Ty pense... Elle s'interrompit en frissonnant.

— Gordon m'a dit ce que pense Ty.

— Il n'est jamais bon de spéculer sur ce que pense Ty, s'objecta-t-elle avec un hochement de tête soucieux. Voilà longtemps que, dans de nombreux domaines, il n'a plus l'esprit très clair.

— Natalie souhaiterait me voir reprendre le projet de Jim. Elle a le sentiment que son grand-père mérite qu'on parle encore de lui.

— Ha! N'écoutez pas Natalie; adressez-vous plutôt à Camilla... dans la mesure où on vous le permet, bien sûr. Roger Brandt a toujours interdit à Jim de l'interroger; et je sais que Jim souhaitait ardemment poser à Camilla les questions qu'il ne pouvait poser à Roger.

— Vous vous êtes longuement entretenue avec mon mari, ce me semble.

— En dépit de ma personnalité — peu sociable j'en conviens — nous étions en quelque sorte devenus amis. Je sentais qu'il voulait me parler de Victoria; et peut-être l'aurait-il fait, si le clan Brandt ne s'y était pas opposé. Avec le sens du romanesque que je lui devinais, je suis persuadée qu'il aurait apporté à cette dramatique idylle une tout autre dimension. Mais, malgré son souci de vérité, je crois qu'il ne détestait pas y ajouter un brin de sensationnalisme. J'aimais beaucoup votre mari, madame Castle. C'était le genre d'homme que ma mère aurait qualifié de « gentleman », dans le vrai sens du terme.

— Merci, fit-je, avant de changer abruptement de sujet.

Avez-vous vu l'enfant de Victoria avant qu'il ne fût confié à ses amis?

— Naturellement. Je lui ai même proposé de le garder, mais Victoria s'opposait à ce qu'il vécût ici. Même après que je lui eus proposé de déménager, elle a préféré confier sa fille à ses amis de Californie.

— Mais pourquoi n'a-t-elle pas gardé l'enfant?

— Comment l'aurait-elle pu? À cette époque, la crainte du scandale rendait ce genre de décision impossible. Et puis elle devait avoir d'autres projets en tête...

— Vous faites allusion à son suicide?

— À quoi d'autre? fit Gretchen, avant de reprendre, les yeux baissés pour cacher son trouble :

— Longtemps après la mort de Victoria, j'ai tenté de rétablir le contact avec sa fille, Margaret. Mais celle-ci ne me répondait que très rarement. Une fois adulte, elle est venue me rendre visite. Mais cela s'est assez mal passé; nous étions devenues des étrangères. À tel point que j'ignore si elle est encore en vie...

Je perçus chez ma grand-tante une authentique tristesse et mes sentiments pour elle se radoucirent un peu. J'avais l'impression de percer peu à peu le mystère dont ma mère avait toujours refusé de parler.

— Comment s'est comportée... Margaret, durant son séjour ici?

— Cet endroit l'effrayait. Elle détestait le lac et les montagnes. Elle n'a jamais cherché à voir son père et ce dernier n'a jamais eu connaissance de la présence de sa fille à Lake Lure. C'est aussi bien comme cela car, quoi qu'il prétende, je refuse de croire qu'il ait oublié Victoria et qu'il se soit pardonné le mal qu'il a pu lui faire. Il aurait été fort capable de clamer à toute la ville que Margaret était sa fille.

— Voilà qui n'aurait pas plu à Camilla...

— Évidemment. Mais Roger a l'habitude de faire ce qui lui plaît.

Je reposai la question qui me taraudait l'esprit.

— Pourquoi a-t-il décidé de venir vivre ici, après le drame?

— Il se croit le dépositaire de la légende.

— Ce qui signifie?

— Ce qu'il vous plaira. Mais peut-être a-t-il voulu simplement punir Camilla...

— Et de quoi? Ne l'était-elle pas assez comme ça?

— Brandt aimait passionnément ma sœur; il ne pouvait se résoudre à renoncer à elle. C'est la raison pour laquelle, une fois *Blue Ridge Cowboy* terminé, il a insisté pour rester à Lake Lure. Et comme les gens des studios voulaient à tout prix éviter le scandale, ils ont décidé de tourner un autre film dont il serait la vedette, ici, à Lake Lure. Cela permettait de justifier sa présence, tandis que Victoria se terrait à quelques milles de là, en attendant d'avoir son bébé. Camilla n'aurait jamais accepté le divorce, oh, mon Dieu, non! De plus, à l'époque, la loi était très stricte en matière de divorce. Je ne comprendrai sans doute jamais pourquoi, mais Camilla était folle de Roger et elle n'aurait jamais renoncé à lui. Fort de cela, en décidant de vivre ici, Roger l'obligeait à choisir : elle vivait avec lui à Lake Lure, ou elle rentrait seule en Californie.

De toutes ces explications, où je décelai une grande part de suppositions, rien ne me satisfit entièrement.

— Par la suite, y a-t-il eu d'autres femmes?

— Qui sait? Roger Brandt ne restait pas tout le temps cloîtré. C'était un homme jeune, et il lui arrivait souvent de partir seul.

— Il ne m'apparaît pas comme un personnage très tendre...

— Tendre!

— Si, au moins, il avait pu garder Margaret, la situation aurait peut-être été différente.

Je sentis à nouveau la profonde tristesse qui s'emparait de Gretchen, et je pus imaginer les années monotones qu'elle avait connues, avec une sœur disparue, une nièce qu'elle avait souhaité élever et dont elle était sans nouvelles, et un frère, dont l'esprit battait la campagne. Mais, secouant ses mornes pensées, elle se leva d'un bloc.

— Mieux vaut ne plus parler de tous ces malheurs, Lauren...

Puis, coupant court à toute question de ma part, elle alla vers la porte.

— Bonne nuit. Je voulais seulement vous dire de vous tenir à l'écart des Brandt. Ne laissez pas Roger vous faire son petit numéro d'acteur, et soyez particulièrement prudente avec Ty; depuis quelques jours, c'est le délire total.

Sans trop savoir de quoi il retournait exactement, je l'assurai de ma prudence et refermai la porte derrière elle. À peine couchée, je m'endormis d'un sommeil de plomb, sans que la présence du lac ne vînt troubler la sérénité de mes rêves.

Comme je l'avais souhaité, on me servit un petit déjeuner matinal, à la suite duquel je téléphonai à Natalie pour fixer un rendez-vous avec Roger Brandt. Apparemment, ma cousine semblait au courant de mes projets car, bien que troublée, elle ne posa aucune question, et se limita à m'annoncer qu'elle passerait me prendre vers deux heures de l'après-midi.

Je me retrouvai donc avec une matinée sans autre occupation que celle de trouver Ty, lequel me devait quelques explications sur les raisons de son cadeau.

Vers neuf heures, je me dirigeai vers le quai, près du pâté de maisons qui était censé représenter le centre-ville de Lake Lure. Là, j'aperçus Justyn Brandt qui faisait les cent pas devant le mouillage du *Showboat*. Nous ne nous étions pas revus depuis la veille et, malgré l'expression hostile de son regard, je hasardai quelques pas dans sa direction :

— Au magasin de Finella, j'ai vu l'aquarelle de Natalie où l'on voit un OVNI prêt à s'écraser sur le Rumbling Bald, lui annonçai-je à brûle-pourpoint. Finella m'a appris que c'est réellement arrivé et que vous et votre père y étiez.

La lueur d'intérêt que je lui avais déjà vue lorsqu'il s'adressait à ses passagers s'alluma aussitôt au fond de sa prunelle. Il m'apparut évident que c'était son sujet de conversation favori et, quoiqu'il eût déjà raconté son histoire des centaines de fois, il ne détesterait pas la raconter encore.

— J'étais adolescent quand c'est arrivé, mais ç'aura été l'expérience la plus extraordinaire de ma vie. Cet après-midi-là, père et moi avions entrepris l'escalade du Rumbling Bald, quand le ciel devint tout à coup très noir, et une violente tempête s'abattit sur nous. Nous cherchions à nous mettre à l'abri dans une grotte quand, près du sommet, des éclairs illuminèrent un étrange aéronef. Il n'y avait pas d'arbres, et, à la lumière des éclairs, nous pouvions le voir très distinctement. Je n'avais jamais rien vu de tel, auparavant. J'avais l'impression qu'il allait s'écraser, mais nous ne pouvions rien entendre, à cause du tonnerre et du vent. L'éclair suivant, le ciel était vide, et mon père et moi avons conclu que l'appareil s'était effectivement écrasé. Nous avons tenté de grimper jusqu'au sommet, mais c'était très difficile, à cause de la boue et des débris de végétation laissés par l'orage. Je n'avais jamais cru aux OVNI, mais à partir de ce jour-là, je ne me suis plus interrogé sur leur existence. Je sais ce que j'ai vu et je sais que cela ne pouvait être rien d'autre. Malheureusement, père et moi n'avons jamais réussi à constater vraiment ce que les éclairs nous avaient seulement permis d'entrevoir.

Personne ne nous a cru, bien sûr. Cela se passait dans les années cinquante, et, à l'époque, toutes les histoires d'extrater-restres étaient systématiquement tournées en dérision. Quand père et moi avons voulu y retourner, l'armée avait bouclé le secteur. On a prétendu à des manœuvres, mais père et moi n'y avons jamais cru. Deux jours plus tard, tout était fini et toutes les traces avaient été effacées. Il y avait un large et profond sillon dans la terre, mais c'est tout. Aujourd'hui encore, on garde cette histoire secrète, mais certaines personnes commencent à se poser des questions...

Tout en bavardant, nous avions marché jusqu'au bout du quai. Mais déjà, Justyn faisait demi-tour vers son bateau, auprès duquel des touristes commençaient à se rassembler. Je l'y accompagnai.

— Avez-vous parlé à Jim de cette histoire?

Il hésita, comme pour se demander jusqu'à quel point il me

devait la vérité.

— Père n'aime pas que je raconte ce que nous avons vu, ce qui n'est pas grand-chose, en fait. Mais, ce soir-là, je me rappelle avoir eu très peur, au milieu de cette pluie noire et de ces coups de tonnerre. Père dit aussi que cette histoire ne nous attire que des quolibets et que nous n'avons pas besoin de cela — Justyn leva les yeux vers le Rumbling Bald. Nous avons fouillé les bois environnants mais nous n'avons rien trouvé. Si bien qu'avec le temps, cette aventure m'apparaît souvent comme un rêve.

Comme nous arrivions au bateau, je décidai de poser la question qui me brûlait les lèvres. Je sortis de mon sac l'enveloppe que Jim m'avait adressée et lui montrai le morceau de tissu vert. Justyn s'en saisit, troublé.

— Qu'est-ce que c'est?

— Jim me l'a laissé dans une lettre qu'il a confiée à Natalie à mon intention. Je pense que cela provient d'une pièce d'étoffe beaucoup plus grande. Il m'écrit que je peux me fier à Gordon et à Ty, à l'exclusion de toute autre personne. D'après ses dernières conclusions, Victoria aurait été assassinée.

— J'en doute, rétorqua sèchement Justyn. Et je ne pense pas que le point de vue de votre mari mérite qu'on s'y attarde.

— Vous ne l'aimiez pas beaucoup, n'est-ce pas?

— Je n'avais aucune raison de l'aimer, fit-il froidement, me rappelant par ce biais le genre de relation qu'avait entretenu Jim avec sa fille Natalie.

Il gardait les yeux fixés sur le morceau d'étoffe.

— Pourriez-vous me laisser ceci?

Comme il n'en était pas question, je m'empressai de le récupérer.

— Je veux d'abord savoir ce que c'est.

— Dans ce cas, je vous souhaite bonne chance, lâcha-t-il avec aigreur.

Je le regardai haranguer ses passagers pour les inviter à monter à bord, puis mettre ses moteurs en marche, sous l'œil indifférent des canards.

Le magasin de Finella se trouvait à deux pas. Je décidai d'aller la voir, au cas où elle aurait eu des nouvelles de Ty.

CHAPITRE SEPT

Au moment où j'entrai dans le magasin, Finella servait un client apparemment tenté par un macramé. Son ensemble vert menthe semblait mettre en valeur ses manières affables. D'un geste léger, elle repoussa une mèche de cheveux et m'adressa un sourire. J'attendis patiemment qu'elle fût disponible, puis je lui parlai du projet de Natalie.

— Et que comptez-vous faire? s'enquit-elle.

— Cette éventualité semble beaucoup irriter Roger Brandt, me semble-t-il; mais j'ai refusé. Si je décidais de poursuivre le travail de Jim, ce serait uniquement parce que j'aurais eu accès à certains détails de la vie des personnes dont j'aimerais parler, Victoria Frazer en particulier.

Comme un nouveau client entrait, je fis quelques pas vers les présentoirs. Je n'étais ici que pour savoir si j'avais quelque chance de parler à Ty. Mais alors que je contournais la table aux tambours, je remarquai une femme, assise sur un divan, au fond du magasin. C'était Camilla Brandt. Elle était vêtue d'un pantalon de toile blanc et d'une chemise bleu marine, et ses cheveux noirs étaient rassemblés sous un chapeau de paille à larges bords, orné d'un ruban marine aussi. À nouveau, elle m'apparut comme une personne très sûre d'elle, et aussi intimidante que la veille.

Je n'éprouvai aucune envie de lui adresser la parole. Aussi, je commençais à m'éclipser en direction du stand « kudzu » quand, levant les yeux, elle me vit. Mais plutôt que d'afficher le masque froid et poli de la veille, son visage s'éclaira d'un sourire que je trouvai étonnamment amical.

— Madame Castle! Depuis que ma petite-fille m'a dit que vous pourriez poursuivre ensemble le projet de votre mari, je brûlais d'envie de vous revoir. Si nous en parlions? J'ose espérer que vous accéderez à son souhait...

Ces paroles me surprirent, surtout après les révélations de Natalie, la veille au restaurant. D'un geste, elle m'invita à m'asseoir auprès d'elle, et je m'exécutai, hésitante, un brin méfiante.

— Si vous saviez comme je suis heureuse de m'entretenir avec vous hors de la propriété, madame Castle... Mais parlez-moi donc de ce projet...

J'ignorais si elle était au courant de la visite de son mari, la veille, ainsi que de notre rencontre, prévue pour l'après-midi même. De plus, cette exubérante cordialité me désarçonnait un peu. Je pressentais en elle un personnage complexe, dont les motivations seraient difficiles à déchiffrer.

— Rien n'est encore décidé, dis-je évasivement. Je ne suis pas certaine d'avoir les capacités ni même le désir de poursuivre le travail de Jim. La suggestion de votre petite fille m'a un peu prise de court, conclus-je, sans parler des réserves formulées la veille par le cher Roger.

— Vous en possédez cependant la plus juste perception, s'objecta-t-elle d'une voix rassurante, ne serait-ce que parce que ce sujet lui tenait particulièrement à cœur. Je crois que vous pourriez y apporter une touche personnelle tout à fait sympathique; sans parler du fait que vous êtes tout de même un peu de la partie...

Ces revirements ne cessaient de me mystifier.

— Étiez-vous d'accord sur ce que Jim avait entrepris? demandai-je.

— Au début, j'ai pensé aux problèmes que cela pouvait entraîner, et je m'y suis opposée de toutes mes forces. Il faut dire que, en plus et aussi à cause de sa popularité, mon mari s'est trouvé confronté à une certaine... comment dirais-je? inimitié.

« C'est le moins qu'on puisse dire », pensai-je. Mais je préférai biaiser.

— Je crains que ma perception ne soit différente de celle de Jim. D'après Natalie, son film était exclusivement consacré à la carrière cinématographique de Roger Brandt...

Libérée de ses obligations, Finella s'était approchée de

nous. Je constatai qu'elle n'en perdait pas une miette.

— Que voulez-vous dire? s'étonna Camilla.

Je répondis calmement, guettant du coin de l'œil ses réactions.

— Dans la biographie de Roger Brandt, j'intégrerais celle de Victoria Frazer. Cette actrice y tient une place importante. N'a-t-elle pas été sa partenaire dans un des films les plus importants qu'il ait jamais tourné? J'aimerais bien savoir ce qu'en pense sa sœur et son frère, quoiqu'une conversation avec Ty me paraisse très aléatoire...

Songeuse, Camilla Brandt croisa les jambes et balança son pied aristocratique chaussé de blanc. Sous les larges bords du chapeau, je notai à nouveau la ligne profonde de sa cicatrice.

— Ce serait intéressant, fit-elle, hésitante. Cela permettrait peut-être de mettre en évidence la véritable nature de Victoria Frazer.

J'opinai de la tête, me doutant bien que, en ce qui concernait Victoria Frazer, nous ne partagions sûrement pas les mêmes idées.

— J'ai déjà eu l'occasion de bavarder une ou deux fois avec Gretchen, dis-je.

— Connaît-elle vos intentions?

— Je n'en ai aucune, insistai-je. Je n'ai encore rien envisagé.

— Il est normal que Gretchen garde une vision idéalisée de sa sœur. Par conséquent, je crains qu'elle ne vous soit guère d'une grande utilité, surtout si, comme j'en suis convaincue, vous souhaitez rétablir la vérité. Quant à son frère, autant s'adresser à un écureuil. C'est un déséquilibré et vous n'en tirerez rien.

Je voyais très clair dans ses manigances : aussi aimable fût-elle, Camilla dressait subrepticement des obstacles, afin de me dissuader de tenter de découvrir une vérité autre que celle des Brandt. Mais, en fait, cela ne fit qu'attiser un peu plus ma curiosité.

Malgré l'intérêt soutenu que Finella apportait à notre conversation, elle ne semblait cependant pas en saisir tous les sous-entendus. Une idée lui traversa brusquement l'esprit, car elle tapa dans ses mains en s'écriant :

— Je connais quelqu'un qui pourrait vous parler longuement de Victoria Frazer, Lauren. C'est Betsey Harlan. C'était l'habilleuse de Victoria et une de ses confidentes. Je crois que lui parler vous permettrait d'obtenir les éclaircissements que vous cherchez.

— Où peut-on la trouver?

Finella tourna vers Camilla un regard hésitant.

— Peut-être pourriez-vous conduire Lauren auprès d'elle?

Cette requête me surprit d'autant plus que Finella était parfaitement consciente de ce qu'elle demandait et à qui elle le demandait. Je ne pouvais m'attendre qu'à un refus. D'ailleurs, je la voyais déjà secouer la tête.

— Je ne pense pas que ce soit une bonne idée. Betsey est très vieille et impotente. Je ne crois pas qu'elle veuille être dérangée.

L'insistance de Finella me sidéra. J'éprouvai le vague sentiment qu'elle voulait un peu agacer Camilla.

— Pas plus que vous, Camilla. Mais si cela vous importune, je demanderai à Gordon de le faire.

Camilla ne se départit pas pour autant de son air serein. Peut-être pensait-elle que, à tout prendre, mieux valait encore être présente au cours de mon entretien avec Betsey Harlan.

— C'est d'accord, décida-t-elle. Si vous êtes libre, nous pouvons nous y rendre tout de suite. Plus tard, je ne serai pas disponible.

J'acceptai sur-le-champ et suivis Camilla jusqu'à sa magnifique Lincoln. Apparemment, les Brandt avaient une prédilection pour les voitures de luxe. Quelques minutes plus tard, je constatai que nous nous éloignions des montagnes pour déboucher dans une large vallée.

— Vous êtes dans le pays des pommes, m'apprit Camilla. La ceinture thermique nous permet d'avoir les plus beaux fruits et légumes de la région.

— La ceinture thermique?

— C'est un courant d'air chaud très étroit qui traverse cette partie-ci de la Caroline du Nord. Une sorte de microclimat dû à la topographie de la région nous épargne les grands écarts de température qu'on observe dans les montagnes. Si Lake Lure est une région idéale pour le tourisme, cette vallée offre les conditions climatiques parfaites pour la culture maraîchère. L'endroit où nous allons est une pommeraie.

Malgré l'affabilité et l'aisance verbale de Camilla, je sentais croître en elle, au fur et à mesure que nous approchions de notre but, une sorte d'appréhension. Que je m'entretienne avec Betsey Harlan était la dernière chose au monde qu'elle souhaitait.

— Parlez-moi donc de cette femme que nous allons voir? demandai-je.

— Elle vit dans la famille de son petit-fils. Vous comprendrez qu'elle puisse refuser de nous recevoir...

— Auriez-vous, par le passé, éprouvé quelque ressentiment à son égard, madame Brandt?

— Il y a peu de raisons pour qu'il en soit autrement avec les personnes qui ont côtoyé Victoria Frazer.

Comme ces paroles ressemblaient à une réprimande, je n'insistai pas.

— Naturellement... je suis désolée...

— Ne le soyez pas. Depuis notre dernière prise de bec, l'eau a coulé sous les ponts. Betsey et moi ne sommes plus les mêmes personnes. Mais je tiens à vous prévenir qu'elle peut se montrer acerbe et désagréable. C'est une femme qui n'a pas l'habitude de mâcher ses mots, et il est possible qu'elle profère des paroles peu flatteuses, pour moi comme pour vous. Bien que clouée à sa chaise roulante, elle est encore très vive, très indépendante et tout à fait imprévisible.

— L'avez-vous vue récemment?

— Pas moi. Mais Natalie a fait un portrait d'elle, il n'y a pas très longtemps.

— Comment Betsey en est-elle arrivée à devenir l'habilleuse de Victoria Frazer?

— Victoria et elle sont toutes deux de la région. C'étaient

125

des amies d'enfance. Lors du tournage de *Blue Ridge Cowboy*, Victoria lui a demandé de devenir sa costumière, car j'ai cru comprendre que Betsey excellait dans les travaux de couture. Je crois même qu'elle a créé certaines robes que porte Victoria dans le film. En ce temps-là, l'improvisation tenait une grande place dans le tournage d'un film. J'imagine que Victoria a retenu les services de Betsey, non seulement pour ses talents naturels, mais aussi parce qu'elle était jeune, impressionnable et totalement dévouée, en fait prête à exaucer le moindre de ses désirs. Je présume qu'en plus d'être son amie, elle a dû également être sa confidente.

Tout cela s'annonçait des plus prometteur. Betsey Harlan avait assurément bien des choses à me raconter... à moins que la présence de Camilla ne la contraignît au silence.

— Avez-vous assisté à quelques séances de tournage?

L'inclinaison de son chapeau à larges bords me permettait de contempler tout à loisir l'adorable profil de Camilla et sa pureté de ligne, ininterrompue jusqu'à la base du cou. Le pare-brise jetait des reflets blancs sur la cicatrice de sa joue. Silencieuse, Camilla semblait rassembler ses souvenirs.

— Je n'allais pas souvent sur le plateau, cela déplaisait à Roger. Et puis, avec toutes ces scènes d'action, il n'y avait pas grand-chose à voir...

— Cependant, vous y avez bien rencontré Betsey, quelquefois?

Elle ne répondit pas immédiatement. Nous venions d'emprunter une route secondaire, le long de laquelle j'aperçus les premiers pommiers. Les montagnes avaient reculé pour faire place à des collines en pente douce au milieu d'une campagne verdoyante.

— Bien sûr, dit-elle enfin d'un ton détaché. J'ai même eu droit à sa visite, après le suicide de Victoria.

Voilà qui était surprenant. Mais l'heure n'était plus aux questions car, après avoir franchi un portail grillagé, nous pénétrâmes dans une cour encombrée de nombreuses voitures.

— Nous y sommes, annonça Camilla. Betsey vous racontera peut-être la suite; les raisons de sa visite m'étaient alors apparues pour le moins bizarres...

De l'autre côté de la cour, une grande maison peinte en jaune tournesol s'étirait de manière accueillante, avec une longue véranda légèrement surélevée, où de nombreuses familles achetaient des paniers de pommes, qu'elles allaient décharger dans le coffre de leurs voitures.

Camilla fit signe à un enfant d'une dizaine d'années qui vint aussitôt vers nous.

— Je m'appelle Camilla Brandt, annonça-t-elle, et nous voulons voir Betsey Harlan.

— Elle ne veut pas recevoir de visite, répliqua l'enfant d'un air soupçonneux. Mais je vais quand même aller voir.

Quelques instants plus tard, il était de retour, encore tout surpris de nous apprendre que son arrière-grand-mère acceptait de nous recevoir, et nous conduisit auprès d'elle. Nous le suivîmes sur la véranda, à l'extrémité de laquelle se trouvait un petit salon surchargé de meubles qui, sans être des antiquités, auraient pu faire le bonheur d'un brocanteur. De là, il nous guida au fond de la pièce, vers une porte entrouverte.

En raison de son aspect très coloré, la chambre me parut immédiatement chaleureuse. De nombreux « patchworks » recouvraient le lit, mais aussi de grands pans de murs. Une couverture au crochet était posée sur les jambes de la vieille femme assise dans un fauteuil roulant, et qui nous regardait fixement. Bien qu'à peine plus âgée que Camilla, la silhouette petite et frêle, emmitouflée dans un châle gris que j'avais devant moi, semblait avoir des décennies de plus que mon guide. Cependant, contrastant singulièrement avec son visage crevassé de rides, ses yeux bruns brillaient d'une intelligence et d'une curiosité qui captaient immédiatement le regard.

En deux rapides enjambées, Camilla s'approcha de Betsey Harlan et prit la main noueuse et décharnée dans la sienne. Les mains parlent plus que les visages, dit-on, et je constatai que celles de Camilla, bien que soigneusement manucurées, avaient des veines aussi saillantes que celles de Betsey, et étaient tout autant constellées de fleurs de sépulcre. Le baiser qu'elle posa sur la joue de l'infirme me surprit. La croyant à peine capable de gentillesse, je me demandai jusqu'à quel point cette marque d'affection était sincère.

Quand Camilla me présenta, Betsey tourna vers moi un regard inquisiteur.

— Je me rappelle votre mari, madame Castle. Il m'a rendu visite, il y a deux ans; mais j'ai refusé de lui parler, dit-elle en lançant un bref coup d'œil en direction de Camilla. Je ne lui ai jamais dit quoi que ce soit sur Roger.

— Voilà qui est la sagesse même, décréta Camilla. Mais c'est à Victoria Frazer que s'intéresse Mme Castle. Il est possible qu'elle prenne la suite du film que voulait faire son mari en y ajoutant quelques anecdotes sur la vie de Victoria Frazer; et comme personne ne connaissait Victoria comme vous...

Sous le châle gris, les épaules étriquées de la vieille femme semblèrent se redresser.

— Votre mari souhaitait uniquement avoir mon opinion sur Roger Brandt, madame Castle; or, je n'ai jamais aimé cet homme-là. Mlle Victoria était bien trop bonne pour lui!

À l'invite de Betsey, Camilla et moi amenâmes deux chaises près du fauteuil roulant et nous nous y installâmes.

— Vous pouvez raconter à Mme Castle tout ce qui vous plaira, intervint Camilla. Cette histoire m'importe peu, vous le savez bien...

Bien qu'elle s'adressât à Camilla, Betsey Harlan gardait les yeux fixés sur moi avec une rare insistance.

— Bien sûr, mademoiselle Camilla, j'ai compris cela le jour où je suis venue vous voir, juste après la mort de Victoria.

Puis, d'une voix claire, Betsey se mit à me parler de Victoria, ne tarissant pas d'éloges sur sa beauté, sa gentillesse, sa bonté d'âme... Par la suite, Betsey avait eu l'occasion d'exercer ses talents auprès d'autres actrices de renom, mais aucune ne l'avait autant subjuguée que Victoria Frazer.

— Mlle Victoria ne faisait confiance qu'à moi. Elle savait que je ne lui voulais que du bien; et moi, je voulais qu'elle soit toujours la plus belle. À l'époque, j'étais assez adroite dans les travaux d'aiguille. C'est moi qui ai conçu et réalisé la robe et le turban qu'elle portait dans son dernier film. Mais dès qu'elle a fait la connaissance de cette espèce d'ensorceleur, elle a cessé de m'écouter, poursuivit-elle, faisant totalement abstraction de Camilla. Elle était persuadée qu'il allait renoncer à sa femme pour l'épouser, elle. J'ai eu beau lui expliquer qu'elle ne devait pas lui faire confiance, elle a refusé de m'entendre... Et puis, est arrivé ce qui est arrivé.

J'évitai de regarder Camilla pour demander dans un souffle :

— Et qu'est-il arrivé, Betsey?

— Mais il l'a tuée, bien sûr. Et il a fait en sorte qu'on ne retrouve jamais le corps.

J'adressai un bref coup d'œil à Camilla. Son visage reflétait un calme olympien, comme si tous ces propos ne la concernaient en rien. Un peu hésitante, Betsey poursuivit sa narration.

— Je me souviens de son adorable bébé. Mlle Gretchen aurait aimé le garder pour l'élever; mais peut-être valait-il mieux éloigner cet enfant de cet homme. Et vite, encore.

— Dites-moi, Betsey : qu'est-ce qui vous prouve que Roger Brandt a assassiné Victoria Frazer?

— Je connaissais Victoria mieux que personne, répliqua-t-elle avec une véhémence qui me surprit. Après avoir repris quelques forces, elle avait l'intention d'aller rejoindre sa fille, en Californie, où sa profession lui avait permis de se faire de nombreux amis.

— Je crois que Mme Castle voudrait savoir pourquoi vous êtes venue me voir, après sa mort, énonça Camilla comme un rappel à l'ordre.

Les yeux de Betsey étincelèrent, comme si le souvenir de cette visite la ravissait au plus haut point. Cependant, elle ne répondit pas immédiatement, préférant garder un œil sur Camilla. De son côté, celle-ci paraissait lire dans les pensées de Betsey, car, pour une raison inconnue de moi, elle porta machinalement la main à sa joue balafrée. Pour la première fois, Camilla ne cherchait pas à cacher sa contrariété.

— Dites donc à Mme Castle pourquoi vous êtes venue me voir, Betsey.

La vieille femme baissa les yeux sur la couverture qui recouvrait ses jambes.

— Je voulais qu'elle sache la vérité sur son mari; voilà pourquoi...

— Il serait peut-être bon que vous fassiez également part de cette vérité à Mme Castle.

Betsey leva sur moi des yeux embués de larmes.

— Je pense qu'il a voulu se débarrasser de Victoria avant qu'elle ne parle trop et ne ruine sa carrière.

— Et, bien sûr, j'ai été en total désaccord avec vous, sachant que mon mari est incapable de faire du mal à une mouche.

Betsey fit pivoter son siège et se dirigea vers un chiffonnier pour y prendre un mouchoir. Puis elle poursuivit :

— Victoria aurait dû rester ici, sur les lieux de son enfance. Même si elle était retournée en Californie, je l'y aurais suivie, quitte à renoncer à Ty.

— Ty? m'étonnai-je.

— Oui, Tyronne, son frère. Nous nous plaisions, à l'époque...

Mon étonnement parut amuser Camilla.

— Vous auriez dû nous voir, quand nous étions jeunes, madame Castle. Betsey était la plus jolie fille de Caroline du Nord, et Ty était très beau garçon, lui aussi. Si grand que fût son amour des montagnes, il aimait Betsey bien plus encore. Qui sait ce qui serait arrivé, si Victoria n'avait pas disparu. Cette mort l'aura détruit et aura fait de lui la caricature de vieillard que vous avez pu voir.

— Voilà quelques années, Ty est venu me voir, poursuivit Betsey dans un murmure. Imaginez, il m'a apporté du chèvre-feuille, alors que cette plante pousse partout comme du chiendent! Nous ne nous sommes pas dit grand-chose. Nous nous sommes regardés, et nous avons compris que les deux jeunes gens que nous avions été n'existaient plus. Cela m'a un peu attristée, mais je me suis souvenue que j'étais une ou deux fois tombée amoureuse, après l'avoir connu. Et puis, j'ai été mariée. S'interrompant pour se tourner vers Camilla, elle persifla : au fait, votre ménage ne va pas si bien que ça, il me semble... Aujourd'hui, mon mari est décédé; mais, au moins, je sais qu'il n'a jamais couru la gueuse, durant nos années de mariage.

— Tenons-nous-en à Victoria, fit Camilla avec un brin d'irritation. Que pourriez-vous dire à Mme Castle qui puisse l'aider à finir le film de son mari?

— Après la mort de Victoria, Roger est venu me voir, poursuivit Betsey en éludant la question. Mais ça, il ne s'en est pas vanté, n'est-ce pas, mademoiselle Camilla?

— Et que voulait-il? demanda précipitamment Camilla.

— Il m'a demandé de me taire, de cesser de parler de lui, et de tout ce que je savais, faute de quoi il m'enverrait ses avocats.

— Et que saviez-vous? la pressai-je.

Betsey hésita, parcourant mon visage de son regard scrutateur. Dans l'entre-temps, je sentis que Camilla avait recouvré son calme, comme si elle avait paré depuis longtemps à toute éventualité.

— Je ne veux pas avoir de problèmes avec les avocats. Je ne veux pas voir débarquer ici des inconnus pour nous menacer, mes enfants et moi.

— Mais c'était il y a longtemps, voulus-je la rassurer. Je ne crois pas que quiconque soit tenté de vous créer des ennuis, aujourd'hui.

Mais pour Betsey Harlan, le présent et le passé ne semblaient plus faire qu'un. Près de moi, Camilla n'avait qu'une hâte : quitter les lieux. Comme cet entretien tournait court, je remerciai Betsey. Quand je lui demandai si elle accepterait de me recevoir à nouveau, elle déplaça son fauteuil sans répondre. Mais au moment où nous nous apprêtions à franchir le seuil de la chambre, elle me lança, d'une voix à nouveau assurée :

— Il y a bien eu cette dispute entre Victoria et Ty. Mais vous êtes déjà au courant, n'est-ce pas?

C'est Camilla qui réagit la première en ouvrant de grands

yeux étonnés.

— Non Betsey, nous ne savions pas. Racontez-nous cela.

— Ty adorait sa sœur, et quand il a appris qu'elle allait avoir un enfant de Roger, ça l'a rendu presque fou. Il menaçait même de tuer Roger; il était devenu un autre homme. J'étais là, et quand elle l'a giflé, j'ai cru qu'il allait perdre la tête. Une chance que Gretchen ait été présente, elle aussi. C'était la plus jeune des trois, mais elle était la seule à pouvoir calmer Ty, quand il avait ses crises de colère.

— Ty a-t-il tenté de mettre sa menace à exécution? demandai-je.

— Pas que je sache.

Betsey s'éloigna de nouveau, et Camilla posa la main sur mon avant-bras.

— Nous ferions mieux de partir. Merci de nous avoir reçues, Betsey. Y a-t-il quelque chose que je puisse faire pour vous?

À mon grand étonnement, Betsey opina du menton.

— Oui, mademoiselle Camilla. Vous pouvez sortir et aller attendre Mlle Castle dans la voiture. Je n'en ai que pour une minute.

Comme une telle sommation n'était pas pour plaire à Camilla, je jugeai bon de la rassurer à ma manière.

— Je ne serai pas très longue…

— Rappelez-moi votre nom, me demanda Betsey une fois Camilla partie.

— Je suis la femme de Jim Castle, répétai-je, croyant d'abord à une absence de mémoire.

— Je veux savoir votre vrai nom. Quel est votre prénom? Comment vous nomme-t-on?

— Lauren Castle.

— Faites-moi passer cette Bible, fit-elle alors en hochant la tête.

C'était un ordre et je ne le discutai pas. Je me dirigeai plutôt vers la table basse pour m'emparer du livre qu'elle me désignait. Ce n'était pas une grosse Bible, mais un ouvrage de format courant relié en noir et à tranche dorée. Je le lui tendis d'une main un peu tremblante.

— Il m'arrive d'avoir des visions, mais malheureusement pas toujours quand je le souhaite, reprit-elle. Cependant, j'ai su qui vous étiez l'instant même où vous avez franchi cette porte. Mais, tant qu'ELLE était ici, je ne pouvais rien dire, ELLE ne sait rien, n'est-ce pas? Victoria était votre grand-mère. Je savais que vous viendriez un jour, et que vous seriez enfin la personne que j'attendais, même si votre maman n'a pas su l'être...

J'en restai un instant muette d'effarement. Puis je tombai à genoux près de son siège et plongeai mon regard dans des yeux soudain étonnamment clairs, tandis que m'envahissait un inexplicable sentiment de soulagement.

— Personne ne le sait, avouai-je, sans toutefois faire allusion à Gordon. Personne ne doit savoir. Pas encore. Je ne suis pas prête.

— Personne ne saura, me rassura-t-elle en me tapotant la main. De vieilles haines flottent encore dans l'air, sans que je sache exactement de qui elles émanent. De toute façon, je suis très heureuse de votre visite. J'ai gardé quelque chose à votre intention.

Ce disant, Betsey ouvrit la Bible. Entre les pages, je vis des fleurs séchées, mais aussi quelque chose de rigide, enveloppé dans un morceau de tissu, et qui, avec le temps, avait fait une empreinte profonde et facilement repérable.

— C'est Ty qui m'a offert ces fleurs. C'est que, dans le temps, il ne connaissait pas que le chèvrefeuille; il adorait les violettes et les myosotis. Enfin! Laissons là ces fleurs. Voilà ce que je destinais à la petite-fille de la grande Victoria Frazer.

Betsey déplia le morceau de tissu dans le creux de sa main et me le tendit. Il contenait une petite pierre qui ne ressemblait à rien de plus qu'un morceau de gravier.

— Prenez-le, commanda-t-elle.

J'obéis, mystifiée. J'en éprouvai le contact rugueux sans savoir davantage de quoi il retournait.

— Levez-le à la lumière, fit-elle encore.

Je pus alors voir, émergeant de la masse grisâtre, une petite lueur verte, et quand je l'orientai vers la fenêtre la pierre se mit à scintiller d'une lumière translucide.

— Est-ce une émeraude? hasardai-je.

— Précisément. Une émeraude encore dans sa gangue, trop petite pour valoir quelque chose. C'est Mlle Victoria qui me l'avait offerte, comme ça, pour rire. Il y avait une mine d'émeraudes dans la région et, pour les besoins du film, elle et l'autre homme ont dû y creuser un peu. C'est là qu'elle l'a trouvée. Je crois que cette pierre vous revient, à présent.

— J'en prendrai grand soin, promis-je en l'embrassant sur la joue. Pourrai-je venir encore vous voir, avant mon départ?

— Naturellement. Mais auparavant, il y a autre chose que j'aimerais vous montrer. Une chose que je garde précieusement depuis qu'on a décidé de faire don des affaires personnelles de Victoria à des œuvres de charité. Ouvrez cette porte, là-bas.

J'ouvris la porte d'un petit placard, et découvris une housse en plastique transparent, bien plus récente que le vêtement qu'elle contenait. Je fis coulisser le curseur de la fermeture à glissière et en sortis une robe longue, pendue à son cintre. Sa confection avait sûrement nécessité de longs métrages d'étoffe et son contact froufroutant me fit oublier son âge.

— Elle portait cette robe pendant le tournage de son dernier film, murmura Betsey. La scène était d'autant plus étonnante qu'elle portait cette robe du soir, pendant que lui, était affublé de sa ridicule tenue de cow-boy. Une fois, elle a tenté de la déchirer... Elle s'interrompit, comme pour contenir les paroles qui se pressaient à ses lèvres. Mais j'ai quand même réussi à la sauver.

La robe était faite de ces étoffes rares et transparentes dont j'ignorais le nom, et qui avaient eu tant de succès en ce temps-là. Elle ne comportait pas de manches, mais un sobre décolleté mettait en valeur un bustier à volants multiples qui allaient en s'élargissant jusqu'aux chevilles. Alors que je tenais la robe à bout de bras, je fus à nouveau saisie d'un étrange enchantement. J'avais l'impression de toucher ma grand-mère, un peu comme si son être eût été encore palpable à travers le vêtement.

— Vous avez à peu près la même taille qu'elle, m'apprit Betsey. Vous pourriez la porter...

— Je ne vois pas en quelle circonstance, lui souris-je. Mais merci quand même de me l'avoir montrée.

Après une ultime caresse, je remis la robe dans la housse, et la housse dans le placard, non sans lui avoir adressé un dernier regard.

— Personne ne sait que cette robe se trouve en ma possession, m'apprit-elle encore. La dernière fois que votre grand-mère l'a portée, elle était enceinte de six mois; mais personne ne s'en est aperçu.

Je pris soudain conscience que j'avais, moi aussi, quelque chose à lui montrer. Après avoir rangé l'émeraude, je tirai de mon sac le bracelet d'argent que Ty m'avait envoyé.

— Reconnaissez-vous ceci? demandai-je.

Betsey posa alors ses deux mains à plat sur ses genoux, comme pour se défendre d'y toucher.

— C'est LUI qui le lui a offert. Je hais tout ce qui vient de lui, car je sais la duplicité dont il est capable. Comment a-t-il atterri entre vos mains?

— Ty me l'a fait parvenir par l'intermédiaire d'un jeune garçon; mais j'en ignore la raison...

Le visage de la vieille femme se plissa lentement, au point que je crus qu'elle allait éclater en sanglots.

— Rendez-le-lui, débarrassez-vous-en. Cet homme est un fourbe et un malfaisant.

Je compris qu'elle ne faisait pas allusion à Ty, mais à Roger. Brusquement, l'étincelle de son regard s'éteignit et j'eus l'impression qu'une grande lassitude s'emparait d'elle. Il était temps pour moi de partir.

— Merci de m'avoir reçue, Betsey. Et de m'avoir reconnue.

— Gardez-vous de montrer à Camilla le bracelet et l'émeraude. Après tout, c'est SA femme...

— Mais Roger Brandt est mon grand-père, lui rappelai-je, et contre cela je ne peux rien.

— Ce n'est pas votre faute, en effet. La merveilleuse créature qu'était votre grand-mère était trop jeune, trop écervelée, trop amoureuse pour savoir ce qu'elle faisait. Je suis la seule à me rappeler ce qu'elle était vraiment. Je suis navrée pour votre mari, c'était quelqu'un de bien, m'a-t-il semblé...

Elle ferma les yeux et je la laissai glisser dans une douce somnolence. Puis je courus rejoindre Camilla dans sa voiture.

— Je commençais à m'impatienter, attaqua-t-elle d'emblée. Que vous voulait-elle donc?

— Elle s'est un peu égarée en cours de route, mais je crois qu'elle voulait me présenter ses condoléances.

— Il est vrai que son esprit s'égare... pauvre vieille...

Comme l'avait si bien fait remarquer Finella, peu d'années séparaient Betsey Harlan et Camilla Brandt. J'eus un sourire intérieur en songeant que le vocable de « vieille » ne s'appliquerait jamais à Camilla, tant il est vrai qu'elle était à des années-lumière de paraître son âge. Elle attendit que nous eussions quitté la ferme pour reprendre la parole.

— J'avais espéré que Betsey vous remettrait quelque chose qui pût apporter de l'eau à votre moulin...

J'éprouvai le désagréable sentiment que ses paroles dépassaient le stade de la simple spéculation.

— Eh bien non. Mais pourquoi tenez-vous tant à me voir poursuivre l'œuvre de Jim, alors que votre mari y est farouchement opposé?

À ma question, elle opposa un visage de marbre, avant de répondre évasivement :

— Roger mérite que l'on parle encore de lui et de sa carrière; que cela lui plaise ou non.

Je doutais fortement de sa sincérité, mais je me rappelai avoir entendu Natalie avancer le même argument.

— Et si, de tout cela, surgissait un événement auquel vous ne vous attendiez pas? Quelque chose qui lui serait extrêmement préjudiciable? À cet effet, Betsey m'a paru assez redoutable...

Camilla tourna la tête pour me regarder, et je perçus dans ses yeux une brève lueur d'excitation.

— Après tout, peut-être est-il temps d'étaler au grand jour ce qui a soigneusement été occulté pendant des années... le meilleur comme le pire...

L'intensité du ton m'ébranla plus que les paroles. Avais-je réveillé en Camilla quelque sentiment vindicatif à l'égard de son mari, que les années n'avaient su effacer? Peut-être avait-elle délibérément souhaité que Betsey me fît des révélations sur Roger Brandt... Et pourtant, cela ne les avait pas empêchés de vivre des années ensemble, même si, comme le prétendait Natalie, ils s'adoraient et se haïssaient tout à la fois. Je ne trouvais rien à ajouter, et si Camilla avait conscience de m'avoir choquée, elle ne le montra pas.

Le voyage de retour s'effectua en silence. En arrivant à Lake Lure, je demandai à Camilla de me déposer chez Finella. Elle s'éloigna en m'adressant un geste vague de la main, et je me demandai alors jusqu'à quel point elle ne cherchait pas à se servir de moi contre son mari. Ç'aurait expliqué pourquoi elle avait si peu insisté pour savoir ce que Betsey m'avait dit en privé. Au premier tintement de cloche, Finella émergea de l'arrière-boutique.

— Vous arrivez juste à temps, Lauren. Gordon et moi allions déjeuner; j'espère que vous allez vous joindre à nous.

Je la remerciai et la suivis dans un petit salon meublé à la va-vite mais avec goût. Des napperons jaunes avaient été dressés sur une table ronde; un grand bouquet de fleurs sauvages y célébrait la belle saison.

Gordon apporta du jambon et une salade de pommes de terre, pendant que Finella s'occupait du café et des petits pains chauds. Sans crier gare, l'apparition de Gordon me frappa, plus violemment encore qu'au village indien. Au moment où je m'installai à table, je cherchai désespérément un sujet de conversation, quand, par chance, Finella combla le vide en racontant la discussion qu'elle avait eue le matin même avec un client.

Ma quasi-absence expliquait en quelque sorte le mutisme dans lequel je m'enfermai malgré moi. Quelque sentiment insidieusement caché, une émotion longtemps refoulée m'avaient ramenée à San Francisco. Gordon et moi, nous nous tenions côte à côte en haut d'une colline et regardions la brume se répandre lentement sur la baie. Tout comme à cet instant, j'étais, ce jour-là, pleinement consciente de la complexité du personnage. De cette période était née une telle douceur, que tous mes sens en avaient été exacerbés. Je ne m'étais jamais sentie aussi vivante que ce jour-là.

Pourtant, cela n'avait duré que quelques jours, mais ces quelques jours semblaient vouloir se répercuter à l'infini, comme un écho. Rien n'existait alors pour nous que nous, et chaque seconde avait son importance. Sous cette douceur latente, je prenais conscience d'une surexcitation et d'une attente toutes nouvelles qui nous poussaient vers une intimité, une communion de l'esprit et du corps inévitables. Aussi, quand le moment était venu, je n'avais pas hésité. Et personne ne pourra jamais m'arracher le souvenir de notre amour. À présent que je regardais à nouveau Gordon, je pouvais encore sentir le contact de ses cheveux sous mes doigts, et sa main sur la ligne de mon menton et de mon cou. Tout cela je le ressentais encore, et ma douleur éclaboussait tout l'intérieur de mon corps.

Gordon me regardait, sans que j'eusse le courage de lever les yeux sur lui. Il devait se souvenir que j'étais une personne qu'il ne connaissait plus, au même titre qu'il n'était plus celui que j'avais connu à dix-neuf ans. Je me sentis tirée d'affaire quand Finella me demanda des nouvelles de Betsey Harlan.

Après avoir, tant bien que mal, mis un terme à mes rêveries et mes langueurs, je lui dis combien j'avais apprécié la personnalité de Betsey, et lui fis part de ma surprise, quand elle m'avait révélé que Ty lui avait fait la cour. Silencieux, impassible même, Gordon ne perdait pas un mot de mon compte-rendu. Sans doute avait-il jugé bon de mettre quelque distance entre lui et moi; et mon cœur lézardé menaçait de partir en mille miettes.

De temps à autre, un client entrait dans le magasin, ce qui contraignit Finella à quelques va-et-vient, et permit quelques instants de tête à tête entre Gordon et moi. Presque malgré moi, je m'évertuai à amorcer une sorte de replâtrage en lui demandant calmement :

— Nous aimions tous deux Jim. Ne pourrions-nous pas trouver un terrain d'entente sur cette base-là?

— Je peux comprendre que tu ne veuilles pas dévoiler ton lien de parenté avec les Brandt, articula-t-il froidement. Mais pourquoi toute cette tromperie, ici et aujourd'hui? Ne crois-tu pas devoir au moins te justifier aux yeux de Natalie?

— Pour moi, c'est le meilleur moyen d'en apprendre davantage. Sachant que j'étais la petite-fille de son mari, Camilla n'aurait certainement pas accepté de me conduire chez Betsey Harlan; je crois même qu'elle m'aurait totalement ignorée. Si ce subterfuge te paraît un peu mesquin, tu m'en vois navrée, mais la fin justifie quelquefois les moyens.

Mes arguments ne semblèrent guère l'émouvoir, mais il ne répondit rien.

— Cet après-midi, poursuivis-je, Roger Brandt doit me projeter le film qu'il a tourné avec Victoria Frazer. J'en ai manifesté le désir et il y a consenti. Je me demande s'il aurait eu la même réaction, en sachant qui je suis.

— Quand vous êtes-vous rencontrés?

Je racontai la visite impromptue de mon grand-père, quand Finella réapparut, heureuse d'apprendre mes projets de l'après-midi.

— C'est très exaltant. Il n'a jamais projeté ce film à personne.

— Pourquoi n'informes-tu pas ma mère de ton lien de parenté avec les Brandt? me pressa Gordon.

Je me sentis immédiatement trahie. Révéler mon identité à Finella ne posait pas de problème particulier, mais je déteste qu'on me force la main.

— Je suis la petite-fille de Victoria Frazer et de Roger Brandt, annonçai-je. Quand ma mère fut envoyée chez des amis de Victoria Frazer, en Californie, ceux-ci n'ignoraient pas de qui elle était la fille. Compte tenu de la suite des événements, il serait difficile d'en douter.

— Comme c'est romantique! s'exclama Finella au comble du ravissement. Et toi, Gordon, le savais-tu?

— Je le sais depuis longtemps. Lauren et moi, nous nous sommes rencontrés pour la première fois à l'université de Berkeley, voilà bien des années. Jusqu'à présent, j'ai bien voulu jouer le jeu, mais cette comédie commence à me lasser. Je me demande si toute cette mystification est vraiment justifiée.

Finella ne semblait pas percevoir l'exaspération qui perçait dans les paroles de son fils.

— Comptez-vous l'annoncer à Roger, cet après-midi, Lauren?

— Je ne le crois pas. L'idée de dévoiler mon identité à Roger ou à Camilla ne me séduit pas outre mesure. Et puis, en quoi cela changerait-il quelque chose? Tout ce que je souhaite, c'est voir à quoi ressemblait ma grand-mère, et rentrer chez moi.

— Plutôt que de savoir ce qui est réellement arrivé à Jim? s'indigna Gordon. Encore que tu n'y puisses plus grand-chose...

Ses mots me firent mal et c'est ce qu'il voulait. La mort de Jim était en effet la cause initiale de ma présence à Lake Lure. Quelqu'un connaissait les circonstances exactes de sa mort. Quelqu'un savait aussi ce qu'il était vraiment advenu de Victoria. Dans mon esprit, la corrélation entre ces deux drames ne faisait aucun doute, même sans savoir ce que Jim avait découvert et que je voulais découvrir à mon tour. Mais je n'avais pas l'intention de livrer mes plans à Gordon Heath. Pour des raisons évidentes, il avait décidé d'étaler sa rancœur en s'érigeant contre moi, et je ne pouvais l'en blâmer. À ses yeux, j'étais celle qui avait renoncé à l'amour, au profit de la petite vie bourgeoise et tranquille qu'un homme de dix ans plus vieux qu'elle lui avait offert sur un plateau.

Si je m'attardais à Lake Lure, Gordon me ferait du mal, pour me punir de mon erreur passée; et probablement y prendrait-il un certain plaisir. Or, il n'était pas un instant question que je subisse un tel sort. Je regardai ma montre-bracelet.

— Merci pour le déjeuner, Finella. Il faut que je retourne à l'auberge, Natalie doit venir m'y chercher.

Finella me quitta sur le seuil de son magasin, mais Gordon me suivit jusqu'à la voiture. Je m'installais au volant quand il se pencha vers moi pour me dire :

— Je crois que je te dois des excuses...

— Je ne vois pas pourquoi, répliquai-je.

— Aimerais-tu te lever avant l'aube, demain, Lauren? me demanda-t-il, avant de poursuivre, face au mutisme étonné que je lui opposai : Je voudrais te montrer quelque chose, mais il faut se lever très tôt...

Ses soudains revirements ne cessaient de me dérouter. Mais peut-être s'était-il rappelé, comme moi, nos plus beaux souvenirs, à San Francisco? Je sentis monter mon taux d'adrénaline, mais je me repris rapidement, me disant qu'en l'occurrence, la plus grande prudence était de rigueur.

— Précise un peu, lâchai-je.

— C'est une surprise, fit-il avec un sourire au coin des yeux. Ce sera plus drôle. Tu n'as qu'à te tenir prête pour quatre heures trente, je t'attendrai dans le hall.

Puis, comme de crainte de me voir refuser, il tourna rapidement les talons, et regagna le magasin de sa mère. Je me dirigeai vers l'auberge d'un cœur léger, même si j'avais le sentiment de faire une montagne de peu de chose. Mais pour le moment, je devais me préparer à rendre visite à mon grand-père, ce que je considérai déjà comme une épreuve en soi.

Dans ma chambre, je troquai mon ensemble bleu contre un autre, de couleur corail et, en attendant Natalie, je décidai de jeter un coup d'œil sur l'émeraude qui m'avait été offerte. Que cette pièce datât de millions d'années m'importait peu; ce qui m'intéressait, c'était la période où Victoria l'avait arrachée à la terre. Je la posai au creux de ma main et refermai mes doigts sur elle, dans l'espoir futile qu'elle me transmît une sorte de message. Les yeux fermés, je sentis alors la caresse d'une plume frôler ma joue, tandis qu'un profond bien-être, pareil à un grand souffle chaud, envahissait mon corps. Étais-je encore en train de sentir SA présence, comme je l'avais déjà sentie en caressant sa robe?

La sonnerie du téléphone brisa le charme. Natalie m'attendait dans le hall et je m'empressai de l'y rejoindre. Elle portait un « jean » et une chemise d'homme. Aussi me sentis-je accoutrée et vaguement inquiète quand j'interceptai le bref regard qu'elle posa sur ma tenue.

— Allez-vous m'expliquer à quoi rime tout cela? me demanda-t-elle sans préambule. Pourquoi grand-père veut-il vous voir?

J'avais toutes les raisons de lui dire la vérité, même si Roger s'en était gardé.

— Votre grand-père m'attendait dans le hall de l'auberge, hier soir. Il voulait me dire combien il était opposé à ce que je finisse le travail de Jim. Mais quand je lui ai parlé de l'intérêt que je portais au film qu'il a tourné avec Victoria Frazer, il m'a proposé d'en faire une projection pour moi.

Ce n'était pas tout ce dont il m'avait parlé, mais, pour elle, j'en avais bien assez révélé, me dis-je.

Natalie ralentit, et s'engagea sur une aire de stationnement attenante à une maison haut perchée au-dessus du lac. La maison était verrouillée comme si, une fois la saison estivale achevée, ses occupants s'en étaient allés. L'endroit rêvé pour une conversation privée avec vue sur le lac. Natalie entra sans ambages dans le vif du sujet.

— Grand-père ne m'a jamais projeté ce film, alors pourquoi vous?

— Je n'en sais rien. Je lui ai parlé d'un magazine où il était photographié en compagnie de Victoria Frazer. J'ai formulé le désir de voir *Blue Ridge Cowboy*, et il a accepté. Voilà, c'est tout.

Une explication aussi simpliste ne parut cependant pas satisfaire Natalie. Je lui demandai, sans lui laisser le temps de poser une autre question :

— Hier après-midi, vous vouliez que je finisse le film de Jim. Mais voilà que, le soir même, vous faites volte-face. J'aimerais connaître les raisons de ce revirement et surtout de l'acrimonie que vous me manifestez.

— Je suis désolée, fit-elle en soupirant tristement. Je n'ai strictement rien contre vous. Jim disait même que je vous trouverais sympathique. Mais les réactions de mon grand-père m'ont contrainte à réviser mon point de vue. Après tout, moi, je ne voulais que son bien et celui de Jim.

— Cependant, en ce qui a trait à ce fameux projet, votre grand-mère ne semble pas tout à fait d'accord avec votre grand-père. Je l'ai rencontrée au magasin de Finella et c'est elle-même qui m'a conduite chez Betsey Harlan. Un personnage fascinant, soit dit en passant...

Je remarquai la crispation de ses phalanges sur le volant, avant qu'elle répondît d'une voix tendue :

— Si grand-mère y tient au point de vous inciter à le faire, peut-être alors grand-père changera-t-il d'avis.

Je spéculai sur quelque projet de vengeance ourdi par Camilla. Le scandale provoqué par les amours adultérines de son mari avait dû lui peser lourdement. J'imaginai la terrible fracture qu'avaient dû causer dans leur vie de couple l'existence et la mort de Victoria Frazer.

Natalie passa la marche arrière et regagna la route qui descendait vers le barrage.

— Leurs relations sont extrêmement complexes, Lauren. Il m'arrive de me demander si la décision de grand-père de s'installer ici n'avait pas d'autre but que celui de se débarrasser de grand-mère, en espérant qu'elle retournerait en Californie. Et si elle est restée accrochée à lui envers et contre tout, je ne crois pas qu'elle ait oublié pour autant l'affront que lui a infligé grand-père.

— Drôle de vie de couple...

— En effet. L'amour est aussi funeste que la haine; mais lorsque ces deux sentiments s'entremêlent, le mélange peut se révéler détonnant. Quelquefois, il m'arrive de me demander lequel cherche à protéger l'autre. J'attends toujours l'étincelle qui mettra le feu aux poudres...

À sa façon de me regarder en coin, je me dis qu'elle attendait peut-être que je fusse cette étincelle-là. Évidemment, elle ne pouvait concevoir l'ampleur de la déflagration que je pourrais provoquer, quand ces deux-là sauraient qui j'étais. Brusquement, il m'apparut que l'idée de révéler mon identité dépassait mon simple bon-vouloir et cela m'effraya un peu. Comme je ne soufflais mot, Natalie dit encore :

— Peu importe ce qu'ils diront. J'espère, quant à moi, que

vous ne prendrez pas au sérieux cette idée folle, que j'ai eue, de vouloir terminer le film de Jim. Si j'avais tant soit peu soupçonné la réaction de grand-père, jamais je ne vous aurais écrit et vous ne seriez pas ici aujourd'hui.

— Cela n'aurait pas résolu le mystère de la mort de Jim pour autant, lui rappelai-je.

— J'y pense souvent. Mais peut-être était-ce vraiment un accident; je ne sais plus...

Comme nous touchions au but, je rassemblai mentalement mes énergies. La perspective d'affronter Roger Brandt me jetait dans un malaise insoupçonné. À cela, venait s'ajouter la foule de questions que le changement d'attitude de Natalie éveillait en moi, car les raisons invoquées pour me faire renoncer au projet ne m'avaient pas convaincue, loin s'en fallait. Cependant, j'étais sûre d'une chose au moins : je devais entrer dans cette famille sur la pointe des pieds.

CHAPITRE HUIT

Natalie me conduisit directement à l'étage supérieur, où se situait l'aile occupée par ses grands-parents.

Le hall d'entrée s'ouvrait sur un espace immense comprenant une salle de séjour, située en contrebas, ainsi qu'une pièce combinant cuisine et salle à manger.

À l'extrémité de la salle de séjour, des panneaux vitrés coulissants donnaient accès à une époustouflante vue sur le lac avec, en arrière-plan, les grands pics embrumés du Rumbling Bald Mountain. La pièce était teintée de couleurs vives, dont la chaleur se mariait merveilleusement à celles du paysage.

— Il vous attend, m'annonça Natalie, en m'indiquant les paravents japonais vert et jaune qui délimitaient le coin bureau.

Assis dans un fauteuil de cuir vert, Roger Brandt lisait, les jambes étendues sur un pouf. Je jetai un coup d'œil distrait sur le mobilier et les nombreuses photos qui couvraient tout un pan de mur (des photos de lui, j'étais prête à le parier) ainsi que sur les nombreuses étagères encombrées de livres et d'objets hétéroclites qui m'apparurent comme étant des souvenirs de voyage. Puis je me concentrai sur l'homme.

La manière dont Roger Brandt se leva pour me recevoir sentait le numéro d'acteur à plein nez. Pour une raison que j'ignorais, il semblait résolu à me faire les yeux doux, et je me raidis instinctivement, refusant de succomber à ce charme contrefait. À vrai dire, je souhaitais ardemment que l'individu me déplût sur toute la ligne, même si sa poignée de main était cordiale.

— Merci d'être venue, madame Castle, dit-il avec une reconnaissance excessive.

En retour, je murmurai quelque formule polie mais dénuée d'obséquiosité, sous le regard soupçonneux de Natalie.

— Autant commencer tout de suite et ne pas retenir plus

longtemps Natalie, fit-il avec un regard éloquent à l'endroit de la jeune femme.

Mais celle-ci ne semblait pas l'entendre de cette oreille.

— J'aimerais bien voir ce film, moi aussi, grand-père.

— Pas cette fois, ma chère, trancha Roger avec un sourire glacial. Je préfère que tu te charges de tenir ta grand-mère à distance, pendant que je projette ce film à Mme Castle.

— Elle doit rentrer tard, bougonna Natalie. Mais je vais quand même guetter son arrivée.

Brandt remercia sa petite-fille et m'adressa un regard amusé dont je ne saisis pas le sens. C'est alors que je pris conscience de son élégance et de sa séduction naturelles, rendues plus spectaculaires encore à cause de son grand âge. Le foulard de soie négligemment noué autour du cou en camouflait habilement les rides, mais conférait aussi à l'homme la désinvolture qu'il se plaisait à arborer à l'écran. Son sourire creusait deux grandes lignes verticales sur ses joues, apportant ainsi à son visage un caractère que je ne lui connaissais pas dans ses films.

Roger Brandt effleura un bouton et, sur le mur opposé à la baie vitrée, un écran de projection apparut. Après m'avoir invitée à m'asseoir sur l'un des deux confortables fauteuils, il tira les rideaux, éteignit les lumières et vint s'installer près de moi. Sur une table près de lui, un projecteur était installé. Il le mit en marche sans attendre.

Dès les premières images (en noir et blanc), je fus totalement captivée car, déjà, notre héros apparaissait à l'écran. De toute évidence, Roger Brandt avait décidé de se mettre immédiatement en situation en éludant le générique. Je le vis voler au secours d'une jeune fille de la bonne société que des méchants venaient de kidnapper, galopant sur son magnifique palomino le long d'un sentier surplombant une rivière d'où jaillissaient d'énormes rochers noirs. Comme ce type de paysage ne se rencontrait pas dans l'Ouest j'en conclus qu'il s'agissait de la Broad River. Arrivé devant une cabane délabrée, il sauta en bas de sa selle. Un personnage à la mine patibulaire apparut et, après quelques échanges verbaux sommaires, ce dernier fut jeté à terre par notre cow-boy qui, sans tarder, pénétra dans la cabane (arborant l'attitude de l'acteur éminemment conscient de l'enthousiasme qu'il suscite auprès de son public).

Mais, à présent, je n'avais plus d'yeux que pour Victoria Frazer. Bien que je ne visse d'elle que des plans éloignés, dans sa chemise savamment déchirée et ses culottes de cheval maculées, je la trouvai absolument belle. Roger Brandt la débarrassa immédiatement de ses liens, sans qu'un seul mot ne fût prononcé. Dans sa manière de la prendre dans ses bras pour l'emporter au loin, je ne devais voir que l'acte de bravoure pur et simple, comme on se plaisait à le dépeindre à l'époque.

Manifestement, le personnage que Roger Brandt campait dans ce film n'était pas le moins du monde impressionné par cette beauté fatale; et le regard presque amusé de Victoria, en réponse à tant de hardiesse, me rappela une actrice plus jeune, qui jouait des rôles semblables avec moins de raffinement et de subtilité que celle dont elle semblait l'émule. Pour moi, Victoria Frazer ne ressemblait en rien à toutes les actrices que j'avais pu voir sur un écran de cinéma. Si elle avait vécu, elle aurait probablement été une des plus grandes « stars » du cinéma international. L'intense émotion qui s'emparait de moi et dont je pris brusquement conscience me stupéfia.

— Voilà un film que l'on devrait faire connaître au public, murmurai-je.

Avec un regard oblique, Roger Brandt m'incita à me taire en pointant l'écran du menton.

Le premier gros plan du film mettait en évidence les yeux démesurés de Victoria, exprimant en noir et blanc une gamme d'émotions que la couleur n'aurait su mieux restituer. Si ces yeux-là avaient permis de découvrir un air de famille entre Victoria et moi, cette ressemblance restait — hélas — très insuffisante pour trahir notre lien de parenté. Le soupir que j'exhalai inconsciemment attira un instant l'attention de Roger, avant qu'il se concentrât à nouveau sur l'écran.

Les péripéties un peu folles du film suivaient leur cours et je les regardai d'un œil distrait. Seuls les deux personnages centraux et les sentiments survoltés qui les unissaient retenaient mon attention. Il n'était plus question de comédie, et je devinai les raisons qui poussaient Roger à cacher à Camilla l'existence de cette copie de *Blue Ridge Cowboy*.

La scène changea, mais je ratai la transition. Le cow-boy et la belle dame dînaient en tête à tête dans un somptueux salon privé, probablement situé au Lake Lure Inn. Un salon réservé par la jeune dame riche, au grand désarroi du cow-boy, peu habitué à ce genre de décor. Pour le spectateur, il était évident que, dès le départ et en raison de leurs différences sociales, cet amour était voué à l'échec. Néanmoins, après quelques paroles un peu gauches, le cow-boy tendit à la belle dame un cadeau grossièrement emballé.

— C'est quelque chose qu'a appartenu à M'man, ânonna le cow-boy.

Je décelai l'ardeur qu'il mettait dans ces mots et me dis qu'elle n'était pas aussi feinte qu'on aurait pu le croire.

Victoria fit entendre une voix de gorge, grave, chargée d'émotion et de larmes quand, au comble du ravissement, elle ouvrit un écrin de satin. Je m'étais souvent demandé comment des acteurs de cinéma pouvaient, en dépit des techniciens et de leur machinerie, se plonger aussi complètement dans une scène, en entraînant le spectateur avec eux, car les caméras avaient beau virevolter autour d'eux, nos deux personnages semblaient réellement seuls au monde.

Au moment où Victoria exhiba un bracelet d'argent orné de clochettes, la caméra amorça un nouveau « close-up ». L'actrice poussa alors un petit cri émerveillé, tandis que des larmes perlaient au coin de ses grands yeux.

— Je lui ai vraiment offert ce bracelet, chuchota Roger Brandt à mon oreille. Elle était si heureuse que les larmes que vous voyez sont réelles.

Je captai toute la tristesse contenue dans ses paroles. Malgré le temps et nonobstant le fait que, pour Roger Brandt, il ne s'agissait que d'un film parmi tant d'autres, la sincérité de cette scène était restée intacte, et il ne l'avait pas oubliée.

Quelle étrange chose de penser que nous, spectateurs amateurs de films anciens, en savions davantage sur ces deux acteurs que les acteurs eux-mêmes! Nous savions comment la fatalité avait pétri leurs destinées, pourquoi l'un était mort, et l'autre vivant. Nous connaissions leur avenir... et cela contribuait à rendre ce film plus poignant encore.

Le bracelet d'argent accrocha la lumière. Ses clochettes, silencieuses au fond de mon sac, égrenèrent sur l'écran quelques notes cristallines. Victoria tendit la main et Roger agrafa le bracelet autour de son frêle poignet.

J'eusse aimé brandir mon trésor, l'agiter en ricanant sous le nez de Roger Brandt, mais je n'osai pas. Les conséquences d'un tel geste restaient imprévisibles et, quelles qu'elles fussent, je n'étais pas prête à les assumer. Pas encore, du moins. Car, si un jour, je le lui montrais et lui révélais qui j'étais, ce serait, non pas à cause d'un brusque accès d'attendrissement ou de sensiblerie, mais parce que je souhaitais — avec une férocité qui me surprenait moi-même — lui faire du mal, le châtier pour la mort atroce de ma grand-mère. Mais, en attendant ce jour, je devais ronger mon frein en silence.

Sur l'écran, le dénouement était proche. Les méchants se montrèrent de nouveau, et l'on procéda à l'habituel échange d'orions. Au cours de l'empoignade, notre héros et le chef des méchants passèrent à travers une fenêtre dans un grand fracas de verre brisé, pour atterrir, après un magnifique vol plané, dans la poussière de la grand-rue. Près de moi, Roger se mit à rire doucement.

— L'acteur contre lequel je me bats ne me portait pas dans son cœur, et il cognait vraiment fort. Mais je lui ai rendu coup pour coup et ce fut un joli pugilat. Aujourd'hui, avec tous vos cascadeurs, cela ne se passe plus de la même façon. Mais à l'époque, les choses n'étaient pas aussi faciles. C'est vraiment moi que vous voyez passer par la fenêtre.

J'acquiesçai poliment et reportai mon attention sur l'écran, où une nouvelle scène attisa les braises mourantes de mon intérêt. Couverts de poussière, le cow-boy et la belle dame cherchaient des diamants, à coups de grandes pelletées de terre. J'ignorais comment ils en étaient arrivés là, mais cela n'avait guère d'importance. Je vis alors ma grand-mère tendre la main pour montrer ses trouvailles à son cow-boy. Après un tri rapide, ce dernier se saisit d'un petit caillou gris. Puis il écarta d'un revers de la main les pierres sans valeur, pour déposer un tendre baiser sur la paume chérie.

J'étais également consciente de la véracité de ce geste. D'ailleurs, bien que régies par la censure de l'époque, les scènes d'amour étaient toutes réelles. Saisie d'une impulsion soudaine, je plongeai ma main dans mon sac pour y prendre le morceau de tissu qui enveloppait l'émeraude que Betsey m'avait donnée. Cela, au moins, je pouvais le lui montrer. Bien qu'encore dans sa gangue, l'émeraude capta immédiatement la lumière du projecteur.

— N'est-ce pas l'émeraude qu'elle vous a offerte? demandai-je.

Il s'en saisit aussitôt et, pour un moment, nous perdîmes le fil de l'action.

— Où avez-vous eu ça? voulut-il savoir.

— C'est vraiment la même, poursuivis-je. Votre femme m'a conduite chez Betsey Harlan, ce matin. Betsey l'a envoyée m'attendre dans la voiture afin que nous puissions nous entretenir en privé. Elle en a profité pour me donner ceci, et m'a également montré la magnifique robe que Victoria porte dans le film.

Quel que pût être son sentiment, mon grand-père resta de marbre. Ses doigts triturèrent quelques instants la pierre, puis il se tourna à nouveau vers l'écran.

— Regardez, fit-il, voilà la robe en question.

Pendant que nous parlions, le temps avait passé. Bien loin de la petite ville où se déroulait le début du film, un bal était donné, au cours duquel Victoria portait en effet la fameuse robe blanche signée Betsey Harlan, sa jolie tête gracieusement coiffée d'un turban également blanc.

La tristesse de son visage, tandis qu'elle dansait dans les bras d'un officier en grand uniforme, me bouleversa. Je savais que, là encore, sa tristesse était authentique, puisqu'elle devait dire adieu à son cow-boy, à la fois dans le scénario et dans la vie réelle.

Mais voilà que, comble du spectaculaire, la jument palomino montée par son beau cavalier faisait à grand fracas irruption dans la salle de bal. Sous la lumière des grands lustres de cristal, elle martela de ses sabots le parquet ciré, semant la débandade parmi les danseurs, à la fois apeurés et indignés. Caracolant jusqu'à l'objet de son amour, notre héros sauta en bas de sa selle et entraîna sa bien-aimée dans une valse étourdissante devant l'assistance ébahie. La grande robe virevoltait, et les caméras tourbillonnèrent longuement autour du couple, avant de faire un gros plan sur le regard énamouré de Victoria. On aurait pu se demander où le rude cow-boy avait appris à valser avec tant de grâce, mais j'étais bien placée pour savoir que le cinéma hollywoodien ne s'encombre pas de ce genre de détails.

La jument, parfaitement dressée comme il se doit, attendait.

Aussi soudainement qu'il était entré, Roger Brandt interrompit sa valse et sauta en selle sous le regard agonisant de Victoria. Puis, avec un gracieux mouvement du bras, il se pencha vers elle. Saisissant la main tendue, sa bien-aimée sauta à son tour en amazone sur l'arçon de la selle, un genou passé par-dessus le pommeau. Son héros l'entourait de ses bras vigoureux, auxquels nulle force au monde n'aurait pu l'arracher. Puis la jument fit volte-face, et le couple s'éloigna dans un soleil couchant flamboyant. À la toute dernière image, je vis Roger Brandt tourner la tête pour adresser, par-dessus son épaule, une œillade complice au spectateur, tandis que Victoria gardait les yeux farouchement fixés sur la ligne bleu tendre de son avenir.

Le mouvement que fit Roger en se levant pour éteindre le projecteur me fit sursauter. Lorsqu'il ouvrit les rideaux, la grande pièce fut inondée d'une lumière tremblante. Puis, comme pour cacher son trouble, il laissa son regard errer longuement sur l'étendue miroitante du lac. Au moment où il revint près de moi, il semblait avoir repris le contrôle de ses émotions.

— Vous voilà satisfaite...

Le ton était volontairement léger, empreint de dérision

151

même, envers les sentiments qu'aurait pu inspirer son film.

— Je ne l'avais pas vu depuis des années. Sincèrement. Ce n'est pas mon meilleur film, tant s'en faut. J'aurais dû le brûler.

— Mais vous ne l'avez pas fait, soufflai-je. Pourquoi avez-vous abandonné Victoria? Pourquoi avoir renoncé à elle et à l'enfant qu'elle portait de vous?

Sa colère latente jaillit brusquement; et c'était celle de l'homme, non pas celle du comédien.

— Cela ne regarde personne. À présent que vous avez eu ce que vous désiriez, madame Castle, que comptez-vous faire de cette somme appréciable d'informations?

Sa colère froide me figeait; mais je tentai néanmoins de m'exprimer calmement.

— Je vais y songer, les savourer, les emmagasiner précieusement dans ma mémoire. Avec quelle grâce elle a sauté en selle sur vos genoux, et quel merveilleux cavalier vous devez être!

— Ah! fit-il d'un ton incisif, vous parlez d'un talent!

À présent, les émotions suscitées par le film semblaient s'être définitivement dissipées, pour faire place à l'agressivité du vieil homme revêche et peut-être aigri par la perte d'un grand amour de jeunesse.

— Mais pourquoi tout cela vous préoccupe-t-il tant? insista-t-il. Votre mari, lui, ne s'est pas intéressé une seconde à la vie de Victoria Frazer.

— Peut-être ne souhaitait-il pas que vous fussiez au courant, répliquai-je.

Je me sentais prête à lui dire toute la vérité. Mais, une fois ce pas franchi, avec toutes les conséquences que cela pouvait avoir, je ne pourrais plus faire machine arrière. Il était peu probable que Roger Brandt ouvrît les bras à une petite-fille dont il avait rejeté la mère depuis longtemps.

— Comment est-elle morte? Réellement morte? osai-je.

Il se détourna de moi, de manière à me cacher son visage. En entendant sa réponse, je tombai des nues.

— Accepteriez-vous de dîner avec moi, ce soir, Lauren? (Je remarquai que, pour la première fois, il m'appelait par mon prénom). J'aimerais vous emmener au Esmeralda Inn; c'est l'endroit où nous séjournions, pendant le tournage de ce film.

Peut-être me trompai-je. Peut-être que, sous le cuir tanné du visage, les émotions du jeune homme qu'il avait été subsistaient encore, intactes. Je fis en sorte que mon empressement ne transparût pas dans mes paroles.

— Bien volontiers.

— Parfait. Vous pourrez ainsi me parler de votre visite chez Betsey Harlan et des raisons qui ont poussé Camilla à vous y conduire.

Mes soupçons étaient fondés : il ne savait rien des intentions de Camilla à mon égard.

— Je passerai vous prendre à l'auberge à dix-neuf heures, poursuivit-il, mais je vous déconseille de parler de ce dîner à Gretchen Frazer; elle ne me porte pas dans son cœur, c'est le moins qu'on puisse dire.

— Je m'en étais un peu rendu compte. Mais rassurez-vous, je n'ai pas l'habitude de consulter Mlle Frazer sur ce que je dois faire ou pas.

Cette fois, le sourire qu'il m'adressa, chaleureux, appuyé même, était indéniablement celui de l'acteur. Il tenait toujours dans sa main la petite émeraude et je ne la lui réclamai pas.

— Je vous attendrai, promis-je. Merci de m'avoir accordé le privilège de voir *Blue Ridge Cowboy*.

Roger Brandt avait à présent retrouvé son masque d'impassibilité, au-delà duquel je perçus néanmoins une certaine lassitude. Je décidai de précipiter mon départ.

Lorsque j'atteignis la porte par laquelle j'étais entrée, j'eus la surprise de constater que Natalie m'y attendait.

— Éclipsons-nous par un autre chemin. Grand-mère vient juste de rentrer et il vaut mieux qu'elle ne sache pas que vous étiez avec grand-père. Elle a un don particulier pour deviner les choses, et si elle apprend que vous avez assisté à cette projection, cela pourrait avoir des conséquences désastreuses.

Je lui emboîtai le pas sur le chemin qui descendait vers son studio, puis vers la remise à bateaux.

— Je vais vous ramener en canot, fit-elle en pressant le pas. J'espère que grand-mère aura l'heur de ne pas regarder par la fenêtre.

Toutes ces cachotteries et cet excès de précautions m'irritaient.

— Avez-vous toujours autant de secrets les uns pour les autres? m'enquis-je, tandis que nous atteignions le quai.

Natalie ne répondit pas. Je vis amarré un minuscule canot hors-bord à fond plat qui portait le nom, lourd de dérision, de « Roger-l'enjoué ». Natalie le stabilisa, le temps pour moi de monter à bord et de m'installer sur la banquette. Mais à peine Natalie avait-elle mis le moteur en marche, que j'aperçus Justyn qui courait vers nous en agitant frénétiquement les bras. Quelle étrange famille était-ce là, songeai-je.

— Il faut que je vous parle, madame Castle, commença-t-il, le souffle court. Il semble que vous soyez la cause de l'étrange comportement de ma mère. Je viens de la voir à l'instant, et son état d'esprit m'inquiète. Vous comprendrez que nous cherchons à tout prix à protéger notre famille.

Tout cela était pour le moins surprenant. Protéger? Mais de quoi, de qui? À mon avis, nul ne pouvait être davantage en possession de ses facultés mentales que Camilla Brandt, en qui, de surcroît, j'avais cru déceler un caractère inébranlable.

— Monte, père, intervint impatiemment Natalie. Éloignons-nous de la maison. Grand-père vient tout juste de projeter *Blue Ridge Cowboy* à Lauren. Si grand-mère apprend que, non seulement, il détient ce film par-devers lui, mais qu'en plus, il l'a projeté à Lauren, je crains fort qu'elle n'en fasse une maladie.

Justyn s'installa devant moi, et je remarquai, à son expression, que la nouvelle l'avait fortement secoué.

Le canot s'éloigna lentement de la crique pour gagner le milieu du lac et, malgré l'irritation que provoquaient en moi les mines de conspirateurs des Brandt, je m'efforçai de jouir pleinement du magnifique panorama. Il fallait, avant toute chose, que je visse Gordon pour l'informer de la manière dont évoluait la situation, histoire de savoir ce qu'il en pensait. Mais cela pouvait attendre au lendemain. Pour le moment, je me limitai à regarder le lac et la masse lointaine et floue des montagnes se fondant dans le ciel d'azur. Le soleil jetait des reflets dorés sur la surface du lac, avec, tout autour, la tâche sombre et dense des forêts de sapins. L'étroitesse du lac permettait une vision claire et globale de ce site enchanteur d'un seul coup d'œil. Décidément, cet endroit me fascinait de plus en plus.

Le long de la traversée, je remarquai des bateaux au mouillage dans le creux de minuscules anses privées avec des chalets à fleur d'eau ou, le plus souvent, à flanc de coteau.

La demeure des Brandt hors de vue, Natalie coupa son moteur et laissa l'embarcation glisser sur les eaux tranquilles. Je remarquai alors la fureur contenue de Justyn Brandt.

— Pour quelle raison père vous a-t-il projeté ce film, madame Castle? Dans son entourage, personne ne fait jamais la moindre allusion à Victoria Frazer; alors pourquoi?

— Votre mère aimerait que je termine le film que Jim avait commencé. C'est pourquoi j'ai jugé bon d'en savoir plus sur cette période de sa vie. J'ai exprimé le souhait de voir ce film, et votre père a bien voulu l'exaucer, rien de plus, expliquai-je calmement, en dépit de la fureur excessive de Justyn. Et puis, pourquoi faire tant d'histoires? Tous ces événements appartiennent au passé, et je ne crois pas qu'ils puissent constituer autre chose qu'une histoire intéressante à raconter...

Justyn et Natalie échangèrent un regard entendu dont le sens, une fois encore, m'échappa. Justyn parut faire un effort pour réfréner ses réactions et s'adressa à moi d'un ton plus posé.

— Je me suis opposé au projet de votre mari dès le départ, madame Castle. Vous comprendrez, par conséquent, que je m'oppose aussi à ce que vous en preniez la suite.

Bien que je fusse de son avis, je me gardai bien de le lui dire.

— Pourtant, votre mère ne semble pas partager ce point de vue...

— Elle s'est encore laissé emporter par son enthousiasme naturel, fit Natalie en s'adressant à son père. Elle est allée jusqu'à conduire Lauren chez Betsey Harlan, ce matin. S'il existe quelqu'un qui puisse nous nuire, c'est bien elle. Je me demande où grand-mère veut en venir...

— Je ferais mieux de lui parler, décida Justyn. Quoiqu'il y ait peu de chance qu'elle m'écoute. Chère madame Castle, vous ne pouvez imaginer les répercutions que pourraient avoir ces événements. C'est pourquoi je vous demande instamment de ne pas aller plus loin. Oubliez toute cette histoire, croyez-moi.

— Ty Frazer est convaincu que Jim a été assassiné. Cela vous suffit-il pour remettre tous ces événements d'actualité, monsieur Brandt?

Justyn parut quelques instants décontenancé.

— Ty n'est qu'un vieux fou dangereux, pour lui-même comme pour autrui. Voilà longtemps qu'il devrait être enfermé. Si, la plupart du temps, mes parents parviennent à faire bonne figure, ils sont bien plus fragiles que vous le pensez. Je tiens à ce qu'on les laisse tranquilles.

— Même si EUX ne le souhaitent pas? renchéris-je. Votre père m'a invitée à dîner au Esmeralda Inn, ce soir, et j'ai accepté.

Justyn afficha un air si chagrin, qu'un peu plus, j'en aurais été peinée pour lui.

— Mais, inutile de vous inquiéter, le rassurai-je. Je rentrerai probablement en Californie très bientôt, et ce documentaire ne verra jamais le jour. De toute manière, je n'ai jamais pensé être la personne désignée pour ce genre de travail.

— Et la mort de Jim? souffla Natalie.

Justyn lança à sa fille un coup d'œil de mise en garde, mais ne dit rien.

— À moins de découvrir une véritable piste, je ne vois pas ce que je pourrais faire, poursuivis-je, consciente du fait qu'aucun d'entre nous n'osait faire allusion à la lettre que m'avait adressée Jim.

— Que s'est-il passé, lors de votre visite chez Betsey Harlan?

Je décidai de ne lui raconter qu'une partie de mon entretien.

— Elle m'a paru totalement obnubilée par le souvenir de Victoria. J'ai même eu l'occasion de voir la robe qu'elle portait dans le film qu'elle a tourné avec votre père. En regardant ce film, je trouvai étrange que cette robe ait ainsi survécu à Victoria.

— Comment avez-vous trouvé le film? demanda Natalie.

— Je me suis plus intéressée au jeu des acteurs qu'au scénario — je décidai d'aller plus avant, et plongeai mon regard dans celui de Justyn. J'ai le sentiment qu'ils étaient éperdument amoureux l'un de l'autre, pendant le tournage. Les scènes d'amour ont l'air trop réelles pour n'être qu'une comédie.

Justyn renâcla bruyamment. Sans lui laisser le temps de placer un mot, Natalie répliqua :

— Ce n'était qu'une tocade. Cela arrive souvent, quand des acteurs tournent ensemble. En général, la romance s'achève en même temps que le tournage. En ce qui me concerne, je suis convaincue que grand-père n'a jamais aimé que Camilla.

— Et elle, l'aime-t-elle?

J'avais posé la question presque malgré moi, et Natalie tourna les yeux vers le Rumbling Bald.

— Cette histoire a dû la faire terriblement souffrir, bredouilla-t-elle.

— Mais naturellement! s'exclama Justyn dans un nouvel emportement. Comme n'importe quelle femme trompée!

— Je pense que cela n'a pas dû être drôle pour Victoria non plus, indiquai-je en remarquant l'embarras de Natalie. Surtout en sachant qu'elle attendait un enfant.

— Et si ce mystérieux enfant n'était qu'un mythe? hasarda Natalie. Après tout, quelle part de crédibilité faut-il accorder à toute cette histoire, puisque ni grand-père ni grand-mère ne veulent en parler?

Mais j'existais, et j'étais la preuve vivante que ce bébé n'était pas un mythe.

— Gretchen m'a parlé de cet enfant. Elle a même proposé de le garder. Une fois adulte, celle qui était la fille illégitime de Roger Brandt lui aurait même rendu visite...

Justyn et Natalie eurent l'air également surpris. Mais

Natalie m'adressait déjà un signe de dénégation.

— Gretchen dirait n'importe quoi pour faire du tort à grand-père. De toute façon, en ce qui vous concerne, tout cela n'est qu'une histoire comme une autre. Réveiller ces vieux souvenirs ne ferait que blesser certaines personnes. Je vous ramène à l'auberge.

Le bruit du moteur nous contraignit au silence, au cours duquel je pus appréhender, non seulement l'ampleur de l'hostilité que je suscitais, à la fois chez Justyn et chez sa fille, mais aussi le profond désaccord qui régnait entre eux.

Le canot filait doucement. Je reconnus l'auberge parmi les grands arbres, et lorsque l'embarcation se dirigea vers le quai attenant à la remise à bateaux, je vis aussi Gretchen, prête à embarquer dans la sienne. Près d'elle, se tenait le porc Siggy, apparemment impatient de monter à bord.

Notre arrivée fut loin de plaire à Gretchen, et le regard qu'elle nous lança m'instruisit de l'énorme contentieux qui l'opposait aux Brandt. Natalie choisit d'accoster contre le bord de la remise, sur lequel je débarquai sans tarder. Puis, après un bref salut, elle mit rapidement le cap sur le milieu du lac, aussi peu envieuse de rencontrer Gretchen que celle-ci l'était de la voir accoster à son quai.

Je contournai la remise pour me rendre compte que Gretchen m'attendait. Elle s'adressa à moi courtoisement, sans faire la moindre allusion aux Brandt.

— Bonjour, Lauren. Vous arrivez juste à temps. Je vais rendre visite à un parent. Si le cœur vous en dit...

J'avais plutôt le cœur à me rendre dans ma chambre, mais cette femme était ma grand-tante, et une des personnes les plus habilitées à me fournir des détails sur ce que je commençais à appeler « la légende abracadabrante ».

Malgré les efforts enthousiastes de Siggy pour me faire tomber à l'eau, je réussis à monter à bord du canot. Après avoir calmé l'animal grâce à quelques tapes bien appliquées, Gretchen le prit à bras le corps et l'installa à l'avant de l'embarcation. Pendant que le bateau s'écartait lentement du quai, je le regardai humer l'air avec un ravissement de chien d'arrêt.

Nous voguâmes en diagonale vers la rive opposée. Dans une sorte d'étranglement, je remarquai parmi les arbres un long bâtiment blanc que Gretchen pointa du doigt en s'écriant « *Dirty Dancing!* » et je reconnus, en effet, le décor où ce film avait été en partie tourné.

Les bords du lac les plus éloignés de l'auberge étaient beaucoup moins peuplés. Gretchen mit le cap sur une petite crique dont le quai, totalement délabré, semblait près de s'effondrer. Tandis que ma grand-tante y amarrait le canot, je remarquai que la maison qui surplombait les lieux se trouvait dans le même état d'abandon.

Siggy se mit à couiner et à se tortiller, exprimant, me sembla-t-il, son désir de regagner la terre ferme. Après l'avoir débarqué, Gretchen se tourna vers moi.

— Voulez-vous visiter?

— Quelqu'un vit-il encore dans cette maison?

— Oui, Tyronne. Il est ici parce qu'il a eu un accident. Je viens tout juste de l'apprendre et je suis venue m'occuper de lui.

Du coup, le problème de savoir où je pourrais trouver Tyronne se trouvait résolu. Sur le quai branlant, je suivis tant bien que mal Gretchen qui poussait son animal devant elle en l'asticotant du bout de son bâton de marche.

— Mais votre frère vit-il ici? insistai-je.

— Personne ne sait où vit Tyronne, grommela-t-elle. Cette maison est déserte et doit être démolie. Il y trouve quelquefois refuge, quand il ne peut faire autrement.

La porte d'entrée pendait sur des gonds à demi arrachés. À l'intérieur, bien que la partie arrière du séjour fût à peu près intacte, les rigueurs de l'hiver avaient causé d'énormes dégâts. Je pus y voir une table de cuisine, à laquelle il manquait un pied, un tabouret, et un sofa défoncé, sur lequel Ty était assis. Il se tenait l'épaule en grimaçant de douleur. En le voyant, Siggy fit entendre une série de grognements joyeux, puis il trottina vers son ami.

— Pousse-toi, c'est pas le moment de rigoler, bougonna Ty.

La bête s'assit alors sur son derrière, et sortit le bout de la langue.

— Il sourit, m'expliqua Gretchen en posant sur le sol le sac qu'elle avait apporté avec elle.

Pendant qu'elle examinait l'épaule de son frère, ce dernier m'adressa un regard absent, puis fit mine d'ignorer ma présence. Installée sur l'unique tabouret, je regardai Gretchen exécuter un rapide mouvement de torsion sur la clavicule de son frère. Après un bref cri de douleur, le vieil homme leva une main hésitante.

— T'as réussi, mon épaule est en place!

— Ce n'était pas grand-chose, lâcha simplement Gretchen. Je vais te faire un cataplasme de kudzu que tu pourras changer toi-même. Mais il faut que tu laisses à cette épaule le temps de guérir. Essaie de te tenir tranquille pendant quelques jours.

Ty adressa à sa sœur un sourire entendu. Après que celle-ci se fut dirigée vers ce qui avait dû être autrefois la cuisine, je tirai le bracelet d'argent de mon sac et le montrai à Ty.

— J'ai reçu de votre part ce bracelet qui appartenait à Victoria Frazer; pourquoi me l'avoir donné?

— À qui d'autre tu veux que je le donne? Jim Castle m'a dit qui t'es, expliqua-t-il en me regardant pour la première fois dans les yeux. Il m'a tout dit sur toi. Y avait déjà un secret entre nous et il savait qu'il pouvait me faire confiance. D'ailleurs, j'en ai parlé à personne. Ce bracelet, c'est à toi qu'il revient…

Gretchen était de retour avec son cataplasme. Quand elle l'appliqua sur l'épaule de Ty, ce dernier poussa un grognement qui n'était pas sans rappeler celui de Siggy.

— Tiens-toi tranquille, je vais te faire un bandage, le somma Gretchen.

Cela fait, elle se tourna vers moi. Quelle ne fut pas sa stupéfaction en reconnaissant le bracelet que je tenais au bout des doigts.

— D'où tenez-vous cela?

— C'est Ty qui me l'a envoyé. J'ai cru comprendre qu'il appartenait à Victoria.

Gretchen apostropha alors brutalement son frère.

— Pourquoi? Pourquoi, ELLE?

Mais ce dernier ne semblait pas disposer à aborder ce sujet.

— C'est pas le moment de parler de ça...

— C'est un moment comme un autre... surtout que j'ai la chance de t'avoir sous la main. Allons, parle...

Sous ses sourcils broussailleux, je remarquai le coup d'œil inquiet qu'il m'adressa, avant de tourner vers sa sœur un visage renfrogné.

— À qui tu veux que je l'donne? Y s'rait p'têt temps que tu t'réveilles. T'as devant toi la petit-fille de Victoria, et pas seulement la femme de Jim Castle.

Gretchen braqua ses yeux sur mon visage et, quoi qu'elle y vît, cela parut confirmer les dires de son frère.

— Je n'aime pas être bernée, articula-t-elle d'un ton cassant. Donnez-moi ça!

Je fis un signe de dénégation de la tête.

— Désolée, mais j'en ai besoin, pour le moment. Il faut d'abord que je le montre à quelqu'un.

— À LUI, peut-être? À Roger Brandt? Grand bien vous fasse!

Ainsi, je pouvais constater que mon existence n'était pas plus appréciée par Gretchen qu'elle ne l'était par son frère, même si ce dernier semblait s'être habitué à l'idée que je fisse partie de sa famille.

Gretchen renouvela à Ty ses recommandations au sujet de son épaule déboîtée, lui demanda s'il y avait autre chose qu'elle pût faire pour lui, puis se mit à emballer sa trousse de soins.

— Rentre chez toi, fit Ty d'un ton revêche. Et emmène-la avec toi.

Le dos tourné, Gretchen lança par-dessus son épaule, sans m'adresser un regard :

— Allons-y, Siggy, nous partons...

Siggy surgit du coin où il s'était installé et trottina vers sa maîtresse.

Je rangeai le bracelet dans mon sac en me disant qu'il fallait que j'en sache plus long sur ses origines. Mais ces questions-là, c'était pour plus tard. Pour le moment, je devais rejoindre Gretchen. J'étais encore sur le seuil de la maison, en train de souhaiter à Ty mes vœux de rétablissement, quand j'entendis gronder le moteur du canot.

— Elle me laisse en plan! m'écriai-je. Elle est partie sans m'attendre!

— Je présume que tu lui as causé tout un choc, grommela Ty avec une grimace.

— Comment vais-je faire pour regagner l'auberge?

— T'auras qu'à marcher, comme moi, répondit-il en regardant mes sandalettes avec une moue dégoûtée. Tu f'rais mieux d'partir tout de suite. Y a une sorte de sentier près du bord. T'as qu'à le suivre, y t'conduira jusqu'à la maison voisine. Si les propriétaires sont encore là, y se f'ront un plaisir de te ramener; sinon, t'auras qu'à poursuivre ta route jusqu'à l'auberge.

Arriverais-je à temps pour mon dîner avec Roger Brandt? Cette pensée ne fit qu'accroître ma rancœur envers Gretchen Frazer. Cependant, je décidai de ne pas quitter les lieux sans avoir posé à Ty les questions qui me taraudaient. J'ouvris à nouveau mon sac, en sortit le morceau d'étoffe verdâtre et le tendit au vieil homme.

— Savez-vous ce que c'est?

Comme ce dernier semblait refuser à la fois d'y toucher et de me répondre, je réitérai ma question.

— Jim l'avait glissé dans une lettre qui m'était destinée et qu'il avait confiée à Natalie, peu avant sa mort. Pouvez-vous me dire ce que c'est et comment Jim l'a eu en sa possession?

Ty parut s'arracher à une sorte de torpeur, avant de me répondre d'une voix forte :

— C'est moi qui le lui ai donné.

— Pourquoi? De quoi s'agit-il?

— Aucune importance. Fous ça en l'air et n'y pense plus. P'têt que si je l'avais pas donné à Jim, il s'rait encore vivant, aujourd'hui.

— Je ne comprends pas un traître mot de ce que vous me dites, Ty. Qui aurait voulu du mal à Jim? Tout le monde l'aimait bien, semble-t-il...

— Pas tout le monde. À vrai dire, y f'sait peur à pas mal de gens, avec toutes ses questions. Et tu f'rais mieux de rentrer chez toi, avant que quelqu'un prenne peur de toi, aussi. Y a des gens qu'ont l'bras long, dans l'pays; des gens qu'aiment pas qu'on fourre son nez dans leurs affaires.

— Et le bracelet que vous m'avez envoyé?

Il ferma les yeux.

— C'est ELLE qui me l'a donné. ELLE voulait que ce soit toi qui l'aies. ELLE sait que t'es ici. Elle voit tout c'qui se passe...

— Victoria? Mais elle est morte!

— Sois donc pas stupide; personne meurt vraiment. Elle rôde encore dans le coin, tout comme Jim Castle. Ces deux-là veulent pas cesser de vivre.

— Les fantômes n'offrent pas des bracelets d'argent, Ty.

— Dis donc! T'en sais des choses pour ton âge!

— Que savez-vous exactement sur la mort de Victoria?

— Tout le monde dit qu'elle s'est noyée, grommela le vieil homme en tournant les yeux vers son épaule endolorie.

— Je ne le crois pas. Pas de son plein gré, en tout cas. Je crois, moi, que vous savez quelque chose. Quelque chose que vous n'auriez pas même dit à Gretchen.

Sa grande carcasse se tortilla sur le sofa défoncé.

— Interroge ton grand-père. C'est à lui qu'y faut poser ces questions-là. Va-t-en, maintenant, t'as pas mal de route à faire.

J'hésitai, espérant encore trouver un moyen pour qu'il se confiât à moi.

— Pourrez-vous vous débrouiller tout seul?

— J'suis toujours seul. J'aime ça. Gordon m'a dit que t'es allée voir Betsey, ce matin, ajouta-t-il comme si cela lui trottait dans le crâne depuis un bon moment. J'l'ai revue une fois, y a quelques années; ça doit être une vieille femme, aujourd'hui...

Je me hérissai.

— Pas plus que vous n'êtes un vieil homme. Ç'a dû être une très belle femme. Je suppose qu'en vieillissant, nous portons tous sur le visage les traces de notre existence. J'ai trouvé le sien intéressant. Évidemment, je ne peux pas en dire autant du vôtre, puisque vous le cachez derrière votre barbe...

Je jetai mon sac sur mon épaule et me dirigeai vers la porte.

— Fais attention de pas marcher sur un serpent! me lança-t-il d'une voix rauque.

Peu rassurée, je descendis d'un pas incertain vers le sentier dont il avait fait mention plus tôt, priant le Ciel de trouver quelqu'un dans la maison voisine.

CHAPITRE NEUF

Je cheminai, tant bien que mal, sur le long sentier caillou-teux, maudissant Gretchen à chaque pas. Si je me retrouvai très vite avec des ampoules aux pieds, au moins eus-je la chance de ne rencontrer aucun serpent. La plupart du temps, je progressai sous d'épaisses frondaisons, à travers lesquelles j'apercevais çà et là, les reflets argentés du lac. À certains endroits, le sentier disparaissait complètement sous la végétation, mais je me débrouillai malgré tout pour atteindre la maison voisine.

Par bonheur, ses occupants étaient encore là. C'était un couple de retraités dont les vacances ne devaient se terminer que la semaine suivante. Ils compatirent à mon désarroi et le mari se fit un plaisir de me raccompagner jusqu'à l'auberge à bord de sa « familiale ». Au moment où j'entrai dans le hall, il me restait à peine le temps de prendre une douche et de me changer, avant l'arrivée de Roger Brandt.

Au pied de l'escalier, Gretchen quitta le comptoir de réception derrière lequel elle semblait m'attendre et courut vers moi. Comme c'était la dernière personne à qui je souhaitais adresser la parole, je lui tournai le dos et poursuivis mon chemin.

— Il faut que je vous parle, souffla-t-elle.

— Je ne crois pas que nous ayons grand-chose à nous dire, rétorquai-je froidement.

— Attendez, Lauren, s'exclama-t-elle alors que nous venions d'atteindre le palier du premier étage sans que je me fusse arrêtée. Je me suis très mal conduite, je le sais. Mais je serais revenue vous chercher en voiture, si la route l'avait permis.

— Je suis en retard, à présent, conclus-je. Je ne sais pas pourquoi vous m'avez laissée en plan, et je n'ai pas le temps d'en discuter. Je dois me préparer pour le dîner et soigner mes ampoules aux pieds.

— Je vous en prie, insista-t-elle avec une humilité qui me surprit. C'est de Victoria que j'aimerais vous parler.

Cet argument balaya mes réticences. Si Gretchen avait des révélations à me faire sur Victoria Frazer, Roger attendrait.

— Très bien, concédai-je. Mais quelques instants seulement.

J'entrai dans ma chambre et elle m'y suivit. Mon acquiescement avait suffi pour qu'elle redevînt la femme qu'elle était.

— Montrez-moi vos pieds, Lauren.

Je ne voulais pas de ses manipulations. Aussi répondis-je laconiquement :

— Un pansement adhésif fera aussi bien l'affaire.

Mais voilà qu'elle me poussait vers le lit.

— Ôtez vos chaussures et allongez-vous...

Quand Gretchen s'exprimait sur ce ton, on ne pouvait qu'obéir. Je fis glisser mes sandales avec une mauvaise grâce évidente et m'allongeai, pendant qu'elle allait s'asseoir au pied du lit.

— Laissez-moi faire et détendez-vous.

Ce ne fut pas facile, mais je fermai malgré tout les yeux. Je sentis le contact soyeux de ses doigts et, après que je lui eus désigné d'un geste mes deux talons, je sentis un léger courant électrique parcourir mes pieds. Ma tension retomba et, lorsque j'ouvris les yeux pour la regarder, j'étais parfaitement détendue.

Immobile, les paupières closes, Gretchen semblait à présent avoir rejoint une autre dimension. Je remarquai la lueur qui irradiait son visage et je restai immobile, jusqu'à ce qu'elle ouvrît à nouveau les yeux pour m'adresser un sourire rassurant. Un sourire qui n'était pas sans me rappeler celui de Victoria Frazer. Gretchen s'adressa à moi d'un ton si convaincant que je ne pouvais qu'écouter.

— La révélation de Tyronne a été pour moi un terrible choc, Lauren. J'ai commencé par la rejeter parce que je me sentais affreusement humiliée d'avoir ainsi été dupée. Mais en y repensant, je me suis dit que, tôt ou tard, je devrais faire face à cette réalité. Je n'arrive pas encore à comprendre comment j'ai pu faire pour ne pas deviner que vous étiez la petite-fille de ma sœur. Il est vrai que vous avez ses yeux, mais c'est comme si j'avais inconsciemment refusé de faire cette association. À présent, je sais, je SENS qui vous êtes. Vous êtes la fille du bébé de ma sœur chérie. Oh, comme j'aurais aimé élever cet enfant! Si cela avait été, je me serais battue de toutes mes forces contre les Brandt.

Elle ferma encore les yeux sur le présent, sans doute pour mieux remonter dans le passé, et je me mis à réfléchir sur les paroles qu'elle venait de prononcer. Se battre contre les Brandt? Mais pourquoi? Il me paraissait fort peu probable que ces derniers eussent souhaité récupérer l'enfant de Victoria. Certainement pas Camilla, en tout cas. Gretchen rouvrit les yeux pour me dire des mots déroutants.

— Mais aujourd'hui, tu es venue pour prendre sa place. Toi, la petite-fille de Victoria... mon propre sang!

Je sentais monter en moi des émotions anciennes auxquelles je n'étais cependant pas prête à m'abandonner. Mais avant que j'eusse le temps d'ébaucher une réponse, Gretchen continuait :

— Il faut que je te mette en garde contre la femme de ton grand-père, Lauren. Ne lui dévoile jamais tes points faibles. C'est une personne qui s'y entend pour faire le mal; et elle en a fait beaucoup à Tyronne.

— Que voulez-vous dire par « me mettre en garde »? À quels points faibles faites-vous allusion?

— Ne te laisse pas enjôler par ce qui pourrait a priori te paraître une belle histoire d'amour. Car, en réalité, il s'agit d'une histoire sordide, crapuleuse. Fais bien attention de ne pas réveiller de vieux démons...

Je ne savais trop que faire de toutes ces recommandations-là, aussi annonçai-je abruptement :

— Cet après-midi, Roger Brandt m'a projeté le film qu'il a tourné avec Victoria. Il y avait une scène durant laquelle Roger offrait à Victoria le bracelet d'argent que Ty m'a donné.

— Tu es déjà allée très loin, fit Gretchen avec un frisson. Je me rappelle très bien ce film, je suis allée le voir à Asheville. Quand il est sorti, Victoria était encore de ce monde, et le bébé n'était pas encore né. Je me souviens avoir trouvé ce film un peu idiot, indigne de l'actrice qu'elle était, en tout cas. J'avais eu beau lui conseiller de refuser ce contrat, le prestige de Roger Brandt l'attirait. Elle et lui s'étaient déjà rencontrés, au cours d'une soirée à Hollywood, six mois avant le début du tournage. Dès leur arrivée ici, ils ont été pratiquement inséparables; et quand le tournage a commencé, ils avaient beau se connaître à peine, Victoria était déjà enceinte de trois mois.

Je commençais à un peu mieux comprendre la chronologie de ce drame, et j'en retirai une profonde tristesse. De mon côté, je lui appris ma visite chez Betsey Harlan et tout ce qu'elle m'avait montré. Je la vis alors changer brusquement d'humeur et de sujet.

— Lève-toi, ordonna-t-elle, et dis-moi comment vont tes pieds.

« Tu n'es pas près de savoir ce qu'elle pense de cette visite », me dis-je. Ces souvenirs-là étaient-ils trop douloureux pour être réveillés, eux aussi?

Je m'assis sur le bord du lit et posai les pieds sur le plancher. La douleur avait disparu et, à la place de mes ampoules je ne vis que deux marques rougeâtres. Par les temps qui couraient, je fus presque tentée de tenir ces petits miracles pour acquis.

— Merci, dis-je.

Gretchen reprit son ton bourru pour me tarabuster un peu.

— Dépêche-toi, à présent. Tu vas être en retard pour ton dîner.

— Je dîne avec Roger Brandt, annonçai-je à brûle-pourpoint en plongeant mon regard dans le sien.

Fâchée ou indignée, elle ne montra rien d'autre qu'un triste hochement de tête.

— Je suppose que cela devait arriver. Mais surveille bien tes arrières, chaque fois que tu es avec lui, Lauren.

— Je le sais. J'ai remarqué ses petites mimiques, mais ça ne prend pas, avec moi.

— Sait-il qui tu es?

— Non. Je le lui dirai quand le moment sera venu. Victoria

168

appartient au passé et, pour le moment, je ne dois être pour lui qu'un personnage sans aucun rapport avec ce passé-là.

— Mais tu en fais partie, et cela risque de lui porter un sacré coup, quand il l'apprendra.

— J'y compte bien, si jamais il l'apprend un jour.

Après un nouveau hochement de tête, Gretchen sortit. Je quittai mes vêtements et pris rapidement une douche. Je m'empressai de passer un ensemble de soie mauve dont l'encolure mettrait en valeur ma chaîne en or, ainsi que le médaillon que m'avait offert Gordon quelque douze années plus tôt. De mes cheveux, je fis un chignon, que je fixai à l'aide d'un peigne en écaille de tortue. Le temps de mettre une paire de boucles d'oreilles, et j'étais prête à rencontrer mon grand-père.

Debout devant le grand miroir, je souris tristement à mon reflet. Le soin que j'avais apporté à ma tenue vestimentaire pouvait laisser croire que j'avais rendez-vous avec un galant, et non point avec un grand-père presque octogénaire. Cependant, cette rencontre aurait peut-être des répercussions insoupçonnables, bien plus surprenantes que Roger Brandt ne pouvait l'imaginer.

Je m'assurai que mon allure ressemblât le moins possible à celle de Victoria Frazer car, jusqu'à nouvel ordre, je souhaitais n'être que Lauren Castle. Je glissai au fond de mon sac le bracelet d'argent, sans cependant savoir à quel moment ou si seulement je le montrerais à Roger Brandt.

Ce dernier m'attendait, m'annonça Mlle Adrian au téléphone. À l'excitation que je décelai dans sa voix, j'opposai un calme olympien.

— Je descends immédiatement, dis-je.

Debout dans le hall d'entrée, mon grand-père me regarda descendre l'escalier d'un œil appréciateur. Quand il vint à ma rencontre, je remarquai ses épaules étroitement moulées dans un veston bleu nuit qui, bien que démodé, avait dû, en son temps, coûter une fortune. Le pli parfait du pantalon de flanelle grise contrastait étrangement avec le foulard noué à la va-vite autour du cou et qu'il semblait arborer comme un signe distinctif de sa personnalité. Ce soir, il n'était plus le cow-boy de ses films, mais un homme modelé par les ans, à peine empâté, mais toujours très sûr de lui et de son charme.

Il était venu me chercher en Mercedes, celle-là même dans laquelle m'avait raccompagnée Natalie. C'était une voiture somptueuse et probablement très coûteuse, mais sûrement moins ostentatoire que celles que j'avais coutume de voir en Californie. Roger Brandt m'ouvrit la portière, la referma silencieusement après que je fus assise, puis contourna la voiture pour s'installer au volant. S'il fallait en juger par l'aisance de ses gestes, mon grand-père (tout comme son épouse, d'ailleurs) devait déployer de gros efforts pour se tenir au mieux de sa forme.

— L'Esmeralda se trouve de l'autre côté de Chimney Rock, m'apprit-il alors que nous atteignions la grand-route. Ça n'est qu'à cinq minutes d'ici — il m'adressa un rapide coup d'œil avant de regarder à nouveau la route. Vous disiez plus tôt avoir rendu visite à Betsey Harlan. Voilà des années que je ne l'ai pas vue; en fait, depuis l'époque où elle était l'habilleuse de Victoria Frazer. Je crois me souvenir qu'elle est à peine plus âgée que ma femme.

— Vraiment? Elle paraît pourtant beaucoup plus vieille. Je pense vous avoir déjà dit que c'est Camilla en personne qui m'a conduite auprès d'elle.

— Dans quelles circonstances cela s'est-il passé?

— Votre femme voudrait me voir poursuivre le documentaire sur votre carrière que Jim avait décidé de réaliser — comme la nouvelle ne parut pas le surprendre, je conclus qu'il devait déjà être au courant. Je poursuivis : Je lui ai répondu qu'advenant le cas, j'orienterais mes recherches vers une autre piste; en l'occurrence, celle de Victoria Frazer.

— Et comment Camilla a-t-elle réagi à cette éventualité? demanda-t-il calmement.

— Elle a paru trouver la chose tout à fait normale. Compte tenu de tout ce qui s'est passé, vous imaginez ma surprise...

Roger Brandt, que rien ne semblait décidément émouvoir, semblait disposé à faire preuve de la plus grande ouverture d'esprit, un peu comme si toute cette histoire abracadabrante ne le concernait en rien.

— Voyez-vous, mon beau-père était propriétaire de studios de cinéma, et par conséquent, Camilla était très au courant de ce qui se passe quelquefois dans les coulisses des plateaux. De plus, pour peu que les deux protagonistes se plaisent, cela transparaît forcément à l'écran.

Les manières de mon grand-père m'irritaient. Je trouvais que « pour peu » et « se plaisent » étaient des expressions plutôt faibles pour qualifier les rapports qu'il avait entretenus avec Victoria Frazer.

— Mais peut-être la situation était-elle légèrement différente pour Victoria...

Roger ignora mon allusion, préférant se concentrer sur sa conduite. Pendant quelques minutes, il suivit sans dire un mot la route de Hickory Nut bordée de profonds ravins, puis, bifurquant à droite, il emprunta un chemin qui montait à flanc de colline. Caché derrière une ligne de grands pins, Esmeralda Inn surplombait la route de très haut et embrassait tout le panorama. La voiture garée, Roger et moi montâmes les quelques marches du porche qui abritait l'entrée de l'auberge.

Le hall d'entrée consistait en un grand espace ouvert de forme carrée, et dont le cachet rustique ne ressemblait en rien au caractère beaucoup plus guindé du Lake Lure Inn. De longues galeries accédant aux chambres couraient sur deux étages, tandis qu'à l'extrémité opposée à l'entrée, se dressait une immense cheminée de pierre dont le manteau s'ornait de bois de cerf démesurés. Partout, ce n'était que bois brut et poutres apparentes.

Immobile, comme perdu dans ses vieux souvenirs, Roger Brandt promenait sur les lieux un regard circulaire.

— L'auberge date de 1892, me dit-il. Mais le bâtiment initial a été détruit par un incendie, pour être reconstruit en 1917. La société de cinéma avait réservé les chambres du dernier étage, ce qui nous permettait d'avoir une vue imprenable sur les gorges et Chimney Rock. J'ai séjourné ici pendant des années. Mais après ce qui s'est passé, je ne peux prétendre avoir gardé un très bon souvenir de cet endroit, même si j'y ai passé de très bons moments... Allons nous installer; j'ai réservé une table dans la véranda.

On nous fit traverser une magnifique salle à manger, jusqu'à l'immense baie vitrée qui couvrait la façade de l'auberge. Nous longeâmes la rangée de tables dressées de turquoise et de blanc, au-dessus desquelles des ventilateurs faisaient entendre un ronron apaisant. Je remarquai que, sans doute à cause de la structure essentiellement de bois de la bâtisse, nul bruit extérieur n'était perceptible. Une fois assise, je découvris que j'étais placée juste en face de Chimney Rock, formidable rocher de granit se dressant tel une tour par-delà les montagnes.

Je déclinai le menu qu'on me présenta et demandai à mon grand-père de choisir à ma place. Peu m'importait le repas; tout ce que je souhaitais, c'était aller au-delà des apparences et savoir ce que cet homme cachait derrière son masque d'impassibilité.

— Pourquoi m'avoir invitée à dîner? attaquai-je.

Il eut un mouvement d'épaules désinvolte.

— J'admirais votre mari, et je suis curieux de savoir ce que vous comptez faire de son film.

— Parlons plutôt de Victoria : sur l'écran, elle semblait si belle, si talentueuse... mais comment était-elle dans la vie courante?

— Je regrette de devoir ternir son image, mais elle pouvait se montrer vindicative, voire dangereuse...

— Pourtant, Betsey Harlan prétend que c'était une personne douce, aimable. J'ai du mal à croire que... m'insurgeai-je un peu avant qu'il ne m'interrompît.

— Vous avez sans doute remarqué la cicatrice que porte Camilla à la joue... Eh bien, c'est Victoria qui la lui a faite. Mais, sincèrement, je préférerais que nous abandonnions ce sujet de conversation; laissez-moi plutôt vous parler du Esmeralda Inn.

J'étais contrainte au silence. Aussi m'efforçai-je d'écouter sagement son récit.

— La route en contrebas est celle qu'utilisèrent dans le temps le poney express et les diligences. C'est l'unique route qui traverse les gorges. Des tas d'histoires courent sur ces gorges; ce sont, en général, des légendes que colportent les petites gens, pleines de mystères et de magie. Pour ma part, j'ai toujours aimé les entendre. Vous savez sans doute que d'autres sociétés de cinéma ont précédé celle pour laquelle je tournais. Mary Pickford, Gloria Swanson et Douglas Fairbanks et bien d'autres ont séjourné dans cette auberge. Lew Wallace a écrit *Ben Hur* ici même.

Roger Brandt s'animait. Sa voix semblait retrouver des inflexions de jeunesse et, bien malgré moi, je me surpris à me laisser captiver par sa narration. Victoria pouvait attendre; je ne manquerais sûrement pas d'y revenir.

— D'où vient le nom d'« Esmeralda »? m'enquis-je.

— Alors qu'elle séjournait dans la région, Frances Hodgson Burnett a écrit une pièce de théâtre qu'elle a nommée « Esmeralda ». C'était voilà bien longtemps, et le colonel Turner, fondateur de cette auberge, s'en est inspiré. Mais c'est surtout le site exceptionnel qui a attiré les cinéastes. Il semblerait qu'aujourd'hui, Hollywood le découvre à nouveau. Vous avez sans doute vu *Dirty Dancing* et *Le dernier des Mohicans*?

— J'ai eu, en effet, un aperçu de l'endroit où a été tourné *Dirty Dancing*; naturellement, j'ai également visité le village indien. Gordon Heath m'a appris que c'est là que Jim a trouvé la mort.

Roger Brandt me répondit alors avec une douceur et une gentillesse que je n'avais pas pressenties.

— Votre mari et moi étions devenus amis. C'était quelqu'un de bien en qui j'avais totalement confiance.

— Merci, soufflai-je. Mais parlez-moi encore de Victoria; je suis anxieuse de savoir.

Mon grand-père poussa un soupir las, comme si le sujet lui pesait depuis de longues années.

— Que voulez-vous savoir?

— Tout. Tout ce que vous pourrez m'en dire. Comme on peut le constater dans le film, vous étiez amoureux d'elle...

— Ce n'était pas toujours un personnage aimable; je crois m'être clairement exprimé là-dessus.

Je décidai de m'aventurer sur un terrain plus risqué.

— Mais elle vous a donné un enfant; cela, c'est un fait

indéniable. Cependant, seriez-vous en train de me dire que vous n'aimiez pas Victoria?

Pendant un court instant, la brutalité de mes paroles parut le choquer. Son entourage, me dis-je, devait tourner autour du sujet depuis des années sans jamais oser l'aborder. Néanmoins, Roger recouvra rapidement ses esprits.

— Chercheriez-vous à me faire regretter de vous avoir invitée à dîner, jeune dame?

Ce n'était certes pas un tel argument qui allait me faire lâcher prise. C'est pourquoi je décidai de lui adresser le regard débordant d'admiration qu'il se croyait en droit d'attendre. Je pouvais presque entendre le tintement des clochettes du bracelet d'argent, dans mon sac, comme si une main invisible s'y était glissée. Patience, bientôt... très bientôt.

On nous servit, et je tentai vainement de m'intéresser à mon potage.

— Puisque vous vous passionnez tant pour Victoria Frazer, il existe un ouvrage que vous devriez peut-être lire... dans la mesure où vous pourrez vous en procurer un exemplaire. Sa publication a eu lieu peu après le suicide, et je crains qu'il ne soit plus réimprimé depuis longtemps. C'est un livre qui a connu un énorme succès, en son temps. Son titre : « La luciole ». C'est aussi celui du dernier — et meilleur — film de Victoria, avant que nous tournions ensemble. L'auteur de ce livre avait fait sa connaissance pendant que nous séjournions ici, au Esmeralda. Je me souviens qu'il la suivait partout, notait le moindre de ses gestes, pas toujours avec bienveillance, soit dit en passant.

— Ce livre relate-t-il fidèlement les faits? Comment vous y êtes-vous pris pour qu'il n'y soit pas fait mention de vous?

— J'avais prévenu Victoria de ne pas se fier à ce lascar, répliqua Roger avec une trace d'exaspération dans la voix. Il ne m'inspirait pas confiance. Seulement, Victoria était du genre imprévisible, cyclothymique, dirais-je même. Un vrai feu follet... Je suppose que cela explique en partie la fascination qu'elle exerçait sur les hommes...

— Vous m'intéressez; j'aimerais bien me procurer cet

ouvrage.

Brusquement, comme s'il venait de se rappeler une chose importante, Roger arbora un air profondément tracassé.

— Poursuivre dans cette direction n'est peut-être pas une très bonne idée, Lauren. Tout ça, c'est de l'histoire ancienne et remuer la vase n'apporte jamais rien de bon. Je ne crois pas que votre idée aurait plu à votre mari.

— Je ne crois pas, moi, que l'on puisse qualifier la mort de Jim d'« histoire ancienne », surtout si elle est liée à celle de Victoria.

À nouveau, ma remarque parut le piquer au vif. Mais la serveuse arriva avec les entrées, et le temps qu'elle nous servît suffit à mon grand-père pour éluder le sujet. Le soir était tombé et, à travers les arbres, je pouvais apercevoir les phares des voitures sur la route, en contrebas. Plus la soirée avançait, et moins je me sentais apte à entrer véritablement dans le vif du sujet. J'hésitais : quelles seraient les réactions de cet homme en apprenant qu'il était mon grand-père? Je n'en avais pas la moindre idée.

La truite sauvage aux amandes était, comme promis, délicieuse. Roger me satura d'anecdotes de tournage que j'écoutais d'une oreille distraite, l'autre ne pouvant se détacher du tintement des clochettes d'argent. Je souhaitais ardemment capter l'expression douloureuse de son regard, lorsque je les agiterais sous son nez; mais je préférai attendre. J'attendis en fait jusqu'au dessert. C'est seulement après que la serveuse eut pris la commande, que je plongeai une main hésitante dans mon sac et posai abruptement le bracelet sur la table, entre nous.

Dans le regard de Roger Brandt, je lus alors bien plus que de la surprise et de la douleur.

— Que signifie? Comment avez-vous eu cela? balbutia-t-il, le visage exsangue.

— Ce que cela signifie? C'est pourtant bien le bracelet que vous avez offert à Victoria, n'est-ce pas? J'ai vu dans son regard tout le bonheur du monde, quand vous le lui avez agrafé au poignet. Et je suis convaincue que ni vous ni elle ne jouiez la comédie, à ce moment-là.

— Ce bracelet, elle le portait au moment de son suicide, annonça-t-il. Je veux savoir comment et pourquoi il est en votre possession.

— Et vous, comment en êtes-vous si sûr, alors que son corps n'a jamais été retrouvé? Comment pouvez-vous affirmer cela?

— Parce qu'elle ne s'en séparait jamais. Elle m'avait promis de ne jamais le quitter.

Je reconnus alors le véritable sentiment qui animait mon grand-père : ce n'était rien d'autre que la peur. Roger Brandt était un homme aux abois. Mais je n'étais pas encore disposée à lui parler de Ty; pour sa gouverne, j'avais d'autres nouvelles tout aussi étonnantes à lui annoncer.

— Ce qui importe, décrétai-je calmement, ce n'est pas tant ce bracelet, mais le fait que je sois la petite-fille de Victoria Frazer et que vous soyez mon grand-père.

Mais Roger me désarçonna avec un sourire où je crus même percevoir une certaine tendresse.

— Je le savais. Je l'ai su dès le premier instant où je vous ai vue. Pourquoi croyez-vous que j'aie accepté de vous projeter le film? Pour quelle autre raison vous aurais-je invitée à dîner? Vous ne ressemblez pas à Victoria, mais vos yeux vous trahissent. Pour qui l'a connue, il est impossible de ne pas voir l'air de famille qui existe entre elle et vous.

Je me sentais à présent toute décontenancée, un peu effrayée, même, car la porte que je venais de pousser s'ouvrait sur un paysage parmi lequel je ne trouvais pas ma place; mais je me sentais coupable par-dessus tout. Je tendis une main repentante.

— Je suis navrée d'avoir joué la comédie. Je voulais vous mettre dans l'embarras. Votre attitude est si compassée; vous semblez si sûr de vous... Je ne croyais jamais lui ressembler à ce point...

Son regard bleu, jadis si pétillant et pénétrant, était à présent éteint et las, comme hanté par quelque vieille menace sur laquelle il s'efforçait, jour après jour, de prendre le pas. Cependant, il se garda bien de toucher la main que je lui tendais.

— Suis-je le seul à être au courant de votre véritable identité?

— Non. Gordon et moi, nous nous connaissons depuis des années. Comme il était de la région, je lui avais révélé mes origines, en lui demandant toutefois de n'en rien dire à personne, et je crois qu'il a tenu parole. Mais à l'heure où je vous parle, sa mère est également au courant, ainsi que Gretchen et Ty. Mais la seule à m'avoir reconnue au premier coup d'œil, c'est Betsey Harlan.

— Ah, oui... Betsey. Elle a toujours eu une sorte de sixième sens pour ce genre de chose... Roger resta un instant silencieux, comme s'il voulait rassembler ses idées, et je pris soudain conscience que la révélation de mon identité l'avait beaucoup moins choqué que la réapparition du fameux bracelet. Et Natalie, est-elle au courant? demanda-t-il encore.

— Ma très chère cousine? Je ne pense pas. Pas plus que votre femme, d'ailleurs.

Cette nouvelle parut le soulager.

— Pourquoi êtes-vous venue jusqu'ici, après tout ce temps?

— C'est Natalie qui m'y a contrainte. Elle est persuadée que Jim a été assassiné, quoique cette idée soit toute récente. Elle n'en a pas véritablement la preuve, mais elle a tout de même cru bon de m'inciter à venir.

Roger resta un long moment silencieux, comme perdu dans des pensées dont il me serait impossible de suivre le cours. J'attendis que la serveuse eût fini de nous servir le gâteau aux carottes avant de poursuivre :

— Je suis venue ici pour en savoir plus long sur la disparition de Jim, mais aussi sur celle de Victoria. Ma mère n'a jamais cru à son suicide.

Roger Brandt s'emparait distraitement de sa fourchette à dessert, quand une femme s'approcha de notre table. En levant les yeux, je fus étonnée de reconnaître Natalie. Elle s'adressa précipitamment à son grand-père.

— Gordon m'a dit que je vous trouverais ici. Camilla te réclame. Elle sait qui est Lauren et moi aussi. Betsey Harlan lui aurait téléphoné, par méchanceté, bien sûr. Elle voulait faire du mal à grand-mère et elle y est parvenue. Tu sais comme grand-mère a le cœur fragile; je crois que tu ferais mieux de rentrer sans tarder, grand-père; je me charge de ramener Lauren.

Repoussant brusquement sa chaise, Roger Brandt se leva. Puis il s'immobilisa, le regard posé non pas sur moi, mais sur le bracelet d'argent. Finalement, il tourna les talons et disparut, immédiatement remplacé par Natalie.

— Ne gaspillons pas les bonnes choses, commença-t-elle en s'emparant de la fourchette abandonnée par notre grand-père.

Puis, sans dire un mot, elle avala la portion de gâteau jusqu'à la dernière miette, un éclat malicieux au fond du regard.

— Je dois avouer que pour une surprise, c'est une surprise, Lauren. Dans la mesure, où vous êtes effectivement la petite-fille de Victoria Frazer, bien sûr... Cela fait de nous quoi, exactement?

Je n'avais rien à répondre à cela, et pour cause : je n'avais aucune envie d'entamer ce sujet avec elle.

— Lorsque Betsey a téléphoné, que s'est-il passé, exactement?

— Grand-mère, qui est pourtant une femme de tempérament, n'en revenait pas. Encore une chance que père était à la maison, c'est la personne de qui elle se sent la plus proche. D'ailleurs, elle lui pardonne tout...

— Qu'a donc à se faire pardonner votre père?

— Le fait d'être l'unique personne de la famille totalement dénuée d'imagination et sinistre de surcroît. Mais ce sont les propos de grand-mère qui m'ont inquiétée. Elle pleurait, pleurait VRAIMENT en disant : « Si tout cela devait se reproduire, je crois que je ne pourrais pas le supporter! ».

— Qu'est-ce qui devrait se reproduire? Qu'est-ce qu'il pourrait découler de si terrible du fait que je sois la petite-fille de Roger Brandt et de Victoria Frazer?

— Comment le saurais-je? J'ai beau aimer mes grands-parents, je suis bien obligée d'admettre qu'ils sont un peu farfelus. Mais, à présent que vous faites partie de la légende, quel effet cela vous fait-il, Lauren?

Je détestai son cynisme.

— Ce qui arrive vous laisserait-il indifférente, Natalie?

Elle me rendit le regard glacial que je posais sur elle.

— Peut-être qu'un nouveau vaisseau spatial vient de s'écraser et que je ne peux faire davantage qu'essayer de ne pas perdre l'esprit...

Je ne répondis rien. Des Brandt, Camilla était, en quelque sorte, celle pour qui j'éprouvais le moins d'antipathie; car, plus je voyais ces gens-là, et moins je me sentais attirée par eux. Mais où situer Victoria dans cet embrouillamini?

— Vous cherchez vraiment à semer la discorde, n'est-ce pas, Lauren? Faites seulement attention où vous mettez les pieds...

En disant cela, Natalie semblait plus amusée qu'inquiète, telle une observatrice distante et pas le moins du monde concernée.

— Ne vous inquiétez-vous donc pas pour vos grands-parents? insistai-je.

— Mais bien sûr que je m'en inquiète. Je les aime et je suis fière d'eux. Et je m'indigne en pensant que la carrière de mon grand-père a été ruinée par la faute de VOTRE grand-mère.

— Ce qui fait l'objet de notre dissension, c'est bien cela?

Elle se mit à rire, comme si mes paroles dépassaient largement sa pensée.

— Ne soyez pas sotte, je vous aime bien, Lauren. Mais cela ne m'empêche pas de penser que, une fois le rideau tombé, la fin m'importe peu. Dans tout ce mélodrame, je ne suis qu'une figurante.

En ce qui me concernait, je n'en demandais pas davantage. Mais je ne pouvais écarter de moi le sentiment qu'en dépit de ma volonté, je me trouvais au centre de terribles bouleversements. Savoir que Victoria était responsable de la cicatrice que Camilla portait sur la joue ne cessait de me tourmenter.

— J'aimerais rentrer, annonçai-je. De votre côté, je suis sûre que vous avez hâte de rejoindre vos grands-parents.

— Naturellement, Lauren. J'espère, en tout cas, que ces événements ne compromettront pas la grande fête que donne bientôt Camilla.

— Une fête? répétai-je, intriguée.

J'avais bien entendu quelque chose à ce sujet mais je ne me rappelais plus de quoi il s'agissait. Il faut dire que je n'avais guère la tête à ce genre de futilités.

— Elle s'y emploie depuis des mois. C'est en fait une levée de fonds au profit de la région. Le Lake Lure Inn lui prête sa vieille grange. Elle croule sous le kudzu, mais Camilla a réussi à persuader la direction d'y faire un peu de ménage et quelques réparations. Lorsque grand-mère demande quelque chose, personne n'ose le lui refuser. La piste de danse est d'ores et déjà remise à neuf.

À entendre Natalie parler avec autant de légèreté de danse et de fête, alors que sa grand-mère était, semblait-il, au plus mal, je me sentis un peu perdue.

— Va-t-on danser le quadrille? demandai-je distraitement.

— Vous n'y pensez pas, fit Natalie avec un sourire indulgent. Pouvez-vous imaginer Camilla en train de mener le cotillon? Non! Ce sera un grand bal costumé, une soirée très huppée dont les bénéfices seront répartis entre le service des incendies, celui des ambulances et d'autres encore dont Lake Lure a grand besoin. Grand-mère s'y consacre à plein temps depuis des mois, et c'est pourquoi cette soirée doit absolument avoir lieu. Toute l'élite d'Asheville sera présente, et tout le monde sera costumé. Un orchestre spécialisé en musique ancienne a été pressenti. Cela ne conviendra peut-être pas tout à fait aux plus jeunes invités, mais ce ne sont pas les plus fortunés non plus. Naturellement, grand-père fera ce que grand-mère décidera, comme d'habitude...

— J'ai cru comprendre que Roger détestait les mondanités. Pourquoi fait-il tant de concessions à Camilla?

— Parce qu'il l'aime, énonça simplement Natalie. C'est un état de fait qui ne changera jamais, et elle en est très consciente, même si son sang espagnol lui rappelle sans cesse qu'elle aura été une femme trompée.

— Je me demande où se situe ma grand-mère, dans toute cette histoire.

— Mais dans le rôle de la femme qui décide de se suicider parce qu'elle ne peut concevoir de vivre sans son amant, bien sûr, répliqua Natalie avec un regard surpris.

Je n'en croyais pas un traître mot, pas plus que Natalie, d'ailleurs.

— À quel moment se dérouleront ces festivités? m'enquis-je.

— Samedi prochain. Camilla possède une magnifique robe espagnole — mantille, éventail et le reste — qui lui vient de sa mère. Sa silhouette lui permet encore de porter ce genre de robe, quoique je n'ai cependant pas réussi à la convaincre de danser avec une rose entre les dents. Et devinez quel costume portera Roger?

Inutile d'avoir une imagination féconde pour comprendre que le seul déguisement que porterait Roger serait son bel habit de cow-boy, sauf que je doutais fortement qu'il fît son entrée en caracolant sur son palomino, cette fois.

— Même en sachant qu'il est follement amoureux de Camilla, je me demande pourquoi il est si anxieux de lui plaire, poursuivit Natalie d'un air songeur.

— Peut-être se sent-il coupable... proposai-je.

— J'ai du mal à croire qu'après toutes ces années, il puisse encore éprouver un tel sentiment. Mais il est vrai aussi que le fait que le corps de Victoria n'ait jamais été retrouvé aura laissé bon nombre de questions sans réponses...

Natalie s'exprimait d'un ton léger, mais je ne pus malgré tout réprimer un frisson. Elle m'adressa alors un bref regard de biais.

— Vous serez des nôtres, n'est-ce pas? Gordon vous servira de cavalier.

Je n'étais pas d'humeur à la fête, et c'est pourquoi je fis un signe négatif de la tête, surprise cependant de son intérêt pour ma modeste personne.

— Merci, mais je ne pense pas. J'aimerais rentrer, si vous le voulez bien.

C'est seulement alors que Natalie remarqua le bracelet posé sur la table. Elle le crocheta du bout de l'index en me demandant :

— Qu'est-ce que c'est que ça?

Je décidai de couper au plus court.

— Dans le film que Roger a tourné avec Victoria Frazer, il y a une scène où il lui offre ce bracelet. Pendant que nous regardions ce film, il m'a avoué le lui avoir réellement offert.

— Je me rappelle la scène. C'était charmant et très sentimental.

— Vous auriez donc vu ce film?

— Naturellement, mais il l'ignore. Dans la famille Brandt, *Blue Ridge Cowboy* a toujours été un film tabou. Grand-mère ignore l'existence de ces bobines, et c'est d'autant plus drôle qu'elle le connaît presque par cœur. Mais avec mon goût pour l'interdit, je n'avais pas quatorze ans que j'avais déjà découvert son existence et me l'étais projeté en cachette.

Mine de rien, je récupérai le bracelet et le remis dans mon sac. Aujourd'hui, ce bijou m'appartenait, et si ses clochettes devaient encore tinter dans ma tête pendant des années, peu m'importait.

— Comment l'avez-vous eu? voulu encore savoir Natalie.

— C'est Ty qui me l'a fait parvenir par un jeune garçon, en pleine nuit. Je me demande pourquoi...

— Voilà qui est intéressant; reste à savoir comment LUI se l'est procuré.

— Je lui ai posé la question, cet après-midi, et il a refusé de me répondre.

— Et si quelqu'un est capable d'emporter un secret dans la tombe, comme on dit, c'est bien lui. C'est quand même drôle de penser que Ty et grand-père ont autrefois été de très bons amis, avant que toute cette histoire ne tourne au désastre. Ty ne lui a jamais pardonné ce qui est arrivé à Victoria. Mais assez de tout cela...

Natalie fit signe à la serveuse, qui nous apprit que M. Roger Brandt avait déjà réglé l'addition. Alors que nous quittions l'Esmeralda, j'éprouvai une étrange nostalgie pour une époque que je n'avais pas connue. Victoria avait séjourné en ces lieux, et j'avais le sentiment qu'elle en descendait les marches à mes côtés, heureuse, confiante en l'avenir.

Je montai à bord de la « familiale » de Natalie, et celle-ci démarra sans attendre. Sur le chemin abrupt, je me retournai pour capter une dernière image de la grande bâtisse.

— Je viens d'avoir une idée géniale! s'exclama Natalie, mettant du même coup un terme à mon mélancolique vagabondage. Vous pourriez venir au bal habillée comme Victoria Frazer! Imaginez à quel point vous feriez sensation! Betsey Harlan se fera un plaisir de vous apporter son aide. Naturellement, comme Victoria était blond platine, vous devrez porter une perruque. Je suis sûre que nous en trouverons une, à Asheville.

Comme l'enthousiasme de Natalie tournait à l'hystérie, je jugeai bon d'y mettre un terme.

— Soyez assurée que je ne me prêterai jamais à une telle mascarade. Il m'arrive de me demander si vous, les Brandt, vous n'avez pas l'esprit un peu dérangé...

Elle éclata d'un rire haut perché.

— Mais naturellement, voyons! Tout comme les Frazer! La seule personne qui soit saine d'esprit, c'est mon père; ce qui fait de lui le personnage sinistre et si peu intéressant que vous connaissez.

J'écoutai distraitement les propos amphigouriques de Natalie, le regard hypnotisé par le sombre miroir du lac que de timides lueurs éclairaient à peine. Ma cousine me déposa sans un mot, et lorsque je m'arrêtai au comptoir de la réception pour prendre ma clé, un mot de Gordon m'y attendait. J'attendis de retrouver la quiétude de ma chambre pour en prendre connaissance.

Lauren,
je te rappelle que je passerai te prendre avant l'aube. Mets un jean, un vêtement chaud et des chaussures de marche. Je te promets une expérience inoubliable.
Bonne nuit,
Gordon

Cela ressemblait davantage au garçon que j'avais connu, et

je ne pus réprimer le sentiment d'exaltation qui montait en moi. Néanmoins, je devais m'astreindre à n'attendre rien et à ne compter sur personne. Le temps très court où Gordon et moi avions partagé nos existences faisait partie d'un passé révolu. Encore une fois, j'étais celle qui avait bradé son bonheur pour une sécurité et un confort matériel que ma mère n'avait jamais eus. À sa manière, Jim s'était montré très bon pour moi, ce qui ne m'avait pas empêchée de trahir — momentanément — sa confiance. C'est sans doute la raison pour laquelle je sentais encore peser sur mes épaules un fardeau de culpabilité dont je ne savais comment me défaire. Gordon ne m'avait jamais pardonné mon choix, et je ne pouvais l'en blâmer.

À présent, ce petit mot éveillait en moi des résonnances anciennes, cela ne m'empêcha pas de m'endormir en escaladant mentalement les collines de San Francisco. Cela s'était passé à l'aube, cette fois-là encore, et je me souvenais avoir vu, en contrebas, le tout premier rayon de soleil caresser lentement Market Street.

D'une façon ou d'une autre, ce qu'il fallait tout d'abord, c'était que j'apprenne à me pardonner.

CHAPITRE DIX

Sous le porche de l'auberge, le coup d'œil que je hasardai m'apprit que Gordon m'attendait déjà. En le voyant, une intense émotion doublée d'une irrépressible envie de courir vers lui m'envahirent. Mais mon cœur avait beau battre le tambour à la première apparition de cet homme au comportement de plus en plus déroutant, ce n'était plus celui de la gamine énamourée de dix-neuf ans que j'avais été.

Gordon sortit de sa voiture pour ouvrir ma portière. Je prétextai mentalement la fraîcheur du matin pour relever le capuchon de ma veste et masquer ainsi ma confusion.

— Ce capuchon est tout à fait le bienvenu, fit-il aimablement mais sans plus. L'endroit où nous allons est froid et très venteux.

— Et où allons-nous? demandai-je alors que nous gagnions la route principale.

— Disons... au sommet du monde.

Comme je commençais à me familiariser avec les itinéraires, je spéculai :

— À Chimney Rock? Est-ce que c'est ouvert, à cette heure-ci?

— C'est justement pour cette raison que j'ai choisi ce moment; il n'y aura pas de visiteurs, et nous aurons le lever du soleil pour nous seuls. Comme je travaille pour le parc, j'ai toutes les clés nécessaires.

Tout en l'écoutant, je tentai de sonder son humeur. Se souvenait-il du lever de soleil sur San Francisco, par hasard?

Le long de la route, boutiques et restaurants étaient tous plongés dans l'obscurité. Un peu plus bas, sur le côté, la Rocky Broad se précipitait avec des gerbes d'écume contre la masse noire des rochers, jusqu'aux eaux lénifiantes du lac.

L'entrée du parc était délimitée par deux énormes pilastres en pierre de taille soutenant un portail à ventaux multiples. Après que Gordon l'eut soigneusement refermé derrière nous, nous passâmes le pont qui enjambait la rivière, avant d'accéder à la route goudronnée qui menait au pied de Chimney Rock.

— À partir d'ici, il existe plusieurs sentiers pour ceux qui veulent faire l'escalade à pied, m'annonça Gordon. Mais nous, nous prendrons le chemin le plus facile...

Si tant est que c'en fût une, j'ignorai l'allusion et regardai par la fenêtre la petite maison de pierre aux volets clos. Dans la lumière grise qui précède l'aurore, les phares balayèrent une succession de virages en épingle à cheveux, jusqu'au moment où nous atteignîmes une large plate-forme bordée d'un muret de pierre. Là, à l'abri du vent grâce au rocher de granit qui se dressait derrière nous, et en dépit de l'obscurité ambiante, je pus déjà avoir un aperçu de ce qui m'attendait. Nous abandonnâmes le véhicule et Gordon prit aussitôt mon bras pour me guider.

— Chimney Rock commence ici, m'apprit-il. En plein jour, on peut le voir se dresser au-dessus de nos têtes jusqu'au sommet.

Gordon déverrouilla une nouvelle porte, et je sentis aussitôt l'air glacial venu du ventre de la montagne me griffer le visage. Durant quelques instants, ce fut l'obscurité totale. Puis Gordon manipula à tâtons quelques interrupteurs, et la lumière fut, tandis qu'un souffle d'air tiède me caressait la joue.

La dynamite avait percé dans le granit un tunnel de près de deux cents pieds. À ma droite, la pierre avait été taillée de manière à former une bordure basse, derrière laquelle des lampes au phosphore brillaient à intervalles réguliers. Magnifique travail d'ingénierie en vérité; n'empêche que l'étrange effet d'ombres et de lumières sur la pierre brute me donna la chair de poule.

— Il y a un ascenseur, à l'autre extrémité, annonça Gordon dont la voix se répercutait en écho sur les parois du tunnel.

Après que nous eûmes atteint l'ascenseur en question, Gordon m'invita à entrer dans la cabine et mit aussitôt le système en marche. Je me sentis alors monter lentement avec, durant un court instant, le désagréable sentiment que la montagne allait se refermer sur moi.

— De quelle hauteur est ce puits? demandai-je.

— L'équivalent de celle d'un immeuble de vingt-quatre étages. Mais nous sommes encore dans le cœur de la montagne, et pas du tout dans Chimney Rock, comme on pourrait le croire.

Arrivés au terminus, Gordon ouvrit un panneau électrique et fit encore de la lumière. À ma grande surprise, je me retrouvai alors dans une boutique de souvenirs étincelante de couleurs et de propreté.

— Suis-moi, m'ordonna Gordon, craignant sans doute de me voir lambiner. Nous devons encore grimper tout en haut de la cheminée, et il ne faut pas que nous rations le lever de rideau.

D'une porte à l'autre, nous débouchâmes sur une terrasse ouverte meublée de tables et de chaises d'extérieur. J'en profitai pour dissiper mon sentiment de claustrophobie à coups de grandes goulées d'air. Comme le ciel commençait à peine à bleuir, je me dis que nous serions au poste pour le lever du soleil.

En dépit du gouffre sans fond que j'entr'apercevais presque sous mes pas, la largeur des marches et une solide main courante, m'évitèrent d'avoir le vertige. À mi-chemin, un palier me permit de souffler quelques instants, avant d'entreprendre la dernière étape — quarante-sept marches comptées — qui conduisait au sommet de Chimney Rock.

Ce sommet était en fait une surface plane cimentée d'où émergeaient çà et là quelques blocs de granit, et qui surplombait légèrement en porte-à-faux la haute colonne de pierre. Devant moi, sur le point culminant, se dressait la hampe d'un drapeau. Un peu grisée par mon escalade et les longs sifflements du vent, je regardai Gordon hisser les couleurs, dans de violents claquements de toile, à la gloire du jour naissant.

Le pourtour de la grande plate-forme était délimité par une grille en fer forgé. Je remarquai au centre deux pins, minuscules et squelettiques, et qui, après avoir survécu à l'aridité du sol, semblaient vouloir résister aux plus terribles tempêtes.

Lentement, à l'est, le ciel hissait à son tour ses propres couleurs. À l'horizon, quelques traces de roses se changèrent en flammes dorées qui, peu à peu, embrasaient la terre entière. Gordon et moi regardions en silence, et je me découvris infiniment plus consciente de la présence de Gordon qu'à San Francisco, quand nous avions vécu la même expérience.

— Merci de m'avoir emmenée ici, bafouillai-je, le nez au vent, le regard perdu vers les couleurs changeantes du ciel.

Apparemment, Gordon semblait avoir momentanément renoncé à son hostilité, clairement manifestée lors de nos retrouvailles au village indien.

— Regarde là-bas, Lauren, me dit-il, le doigt tendu en direction de l'étroite bande miroitante que formait Lake Lure à l'extrémité des gorges.

À présent, je distinguais nettement la croix que formaient les deux petites anses situées face à face. Le Rumbling Bald était parfaitement visible, lui aussi. Tandis que le soleil montait dans le ciel, je regardai ses reflets rose et or se fondre lentement dans les eaux du lac. Très vite, d'un horizon à l'autre, les cieux se revêtirent d'un bleu éclatant.

Un « je-ne-sais-trop-quoi » m'incita à dire des mots que je n'aurais jamais oser prononcer en d'autres circonstances.

— Te souviens-tu quand nous sommes allés voir le soleil se lever sur San Francisco, Gordon? près de Tamalpais?

— Dans le cas contraire, pour quelle raison t'aurais-je emmenée jusqu'ici?

Les larmes me brûlaient les paupières; mais avant que je pusse lui répondre, il se redressa.

— Allons de l'autre côté, j'ai autre chose à te montrer.

La montagne qui se dressait devant nous ramenait Chimney Rock à des proportions bien plus modestes. Sur son flanc de granit abrupt, je captai un vague flottement. Des milliers de papillons voletaient contre la surface nue, et je regardai, les yeux écarquillés d'émerveillement.

— Ils migrent à cette époque-ci de l'année, m'expliqua Gordon, le regard posé sur moi.

On aurait dit de minuscules oiseaux agglutinés sur une falaise.

— Quelle vision extraordinaire!

— Descendons nous réchauffer, et tâchons de trouver un endroit où nous pourrons prendre un petit-déjeuner, décréta Gordon, comme pour briser le charme.

Toutefois, je n'avais pas encore envie de partir, et m'insurgeai — gentiment — contre ce comportement arbitraire.

— Ne pourrions-nous pas nous asseoir quelques instants? J'aimerais te raconter ma journée d'hier.

— Après t'avoir raccompagnée, Natalie m'a téléphoné, et elle m'a tout raconté. Ton dîner avec Roger Brandt l'a bouleversée, semble-t-il...

Je lui racontai néanmoins ma journée par le menu, depuis la projection de *Blue Ridge Cowboy*, jusqu'au moment où j'avais exhibé le bracelet et divulgué à Roger Brandt notre lien de parenté. Je fis également allusion à la biographie de Victoria Frazer et manifestai mon intention de m'en procurer un exemplaire.

— Je regrette que Natalie soit arrivée juste au moment où Roger et moi allions avoir une importante conversation, conclus-je. Mais après qu'elle lui eut appris l'état dans lequel se trouvait Camilla, on aurait dit qu'il ne pouvait plus penser qu'à ça. Il est parti sur-le-champ et c'est Natalie qui m'a reconduite à l'auberge.

Comme je frissonnai, Gordon décida :

— Redescendons; un café nous fera le plus grand bien.

Comment pourrais-je jamais pardonner à la jeune fille d'antan d'avoir été aussi sotte? Je ne bougeai pas et plongeai mon regard dans celui de Gordon afin qu'il pût lire tout ce qu'il recelait. Je le vis alors secouer la tête tristement, et bien qu'empreint de gentillesse, le ton de sa voix ne laissait aucune équivoque sur la nature de ses intentions.

— Nous étions si jeunes, dix-neuf ans à peine. Mais je crois que, contrairement à toi, je savais déjà ce que je voulais. Je ne veux pas dire pour autant que j'étais plus avisé que toi : j'étais sûr qu'étant amoureux de toi, tu le serais tout autant de moi.

— Et tu penses que cela n'a pas été le cas...

— Je pense que ni toi ni moi ne connaissions grand-chose à l'amour. Un premier amour résiste difficilement à une certaine logique, et je ne peux te blâmer pour le sentiment d'insécurité que tu éprouvais alors. Malgré la colère que j'en ai ressenti, je dois admettre que tu as pris la meilleure décision car, si tu m'avais suivi, il est certain que notre relation aurait tourné à la catastrophe.

Oubliant toute prudence, je décidai de lui dire le fond de ma pensée. Je voulais qu'il me comprît et peut-être, par là même, me comprendre moi-même.

— Ma décision n'a été qu'une preuve de lâcheté de ma part. J'ai épousé Jim, tout en sachant que je ne l'aimais pas assez pour cela. Le temps que je retrouve mes esprits, tu étais parti; il ne me restait plus alors qu'à faire une grande croix sur tout ce que nous avions partagé et d'essayer de faire pour le mieux. Mais je ne t'ai jamais oublié, pas plus que je ne me suis jamais pardonnée.

Je détournai le visage pour éviter d'éclater en sanglots. Gordon posa alors doucement sa main sur ma joue pour me forcer à le regarder.

— Oublions tout cela, Lauren. Depuis ton arrivée, c'est ce que je m'efforce de faire. Je sais, à présent, combien la colère et la rancune sont vaines. Si on ne peut rien changer au passé, tâchons, au moins, d'oublier nos ressentiments et notre rancœur.

C'était bien ce que je souhaitais, moi aussi. Sans la moindre hésitation, je passai mes bras autour du cou de Gordon et embrassai, près de ses lèvres, la fossette que je connaissais si bien; et quand il me serra dans ses bras, ce fut comme si je rentrais chez moi après une très longue absence.

En ce moment intense, j'eus la conscience aiguë de tout ce qui m'entourait : les papillons, un nuage esseulé dans le ciel, le promontoire qui me semblait le sommet du monde... et la conjonction de tout cela fit de cet instant un instant inoubliable. Tandis que Gordon m'embrassait, nous n'étions pas seulement ensemble : nous faisions partie intégrante de notre environnement. Je ne souhaitais que répondre à la tendre véhémence de ses baisers, sans que cela cessât jamais.

— Nous ferions mieux de descendre, me dit-il encore à l'oreille. Tu es frigorifiée et le soleil n'est pas près de nous réchauffer.

— Je suis prête. dis-je.

Quoi qu'il arrivât, je ne le perdrais plus jamais, décidai-je. Nous nous dirigions vers l'escalier, quand un geste de Gordon me figea sur place.

— Écoute! Quelqu'un monte par le sentier!

Immobiles, nous guettâmes l'apparition de l'intrus, jusqu'à ce qu'apparut nul autre que Ty Frazer. Si, la veille encore, il souffrait d'une épaule déboîtée, ce matin, il n'y paraissait plus. Je remarquai qu'il n'était pas même essoufflé. Cependant, sa venue me consternait. Elle me rappelait les sombres motifs de ma visite à Lake Lure, et le moment me parut mal choisi pour seulement y penser.

— J'vous ai trouvés! s'exclama-t-il d'un air triomphant. J'ai livré ce matin du kudzu à Finella et elle m'a dit où j'vous trouverais. J'veux vous causer, à tous les deux; surtout à elle!

Sous ses sourcils en broussailles, le vieillard me lançait des regards mauvais, et son état d'excitation extrême m'alarma. On eût dit un personnage différent, beaucoup plus sauvage que celui à qui Gretchen et moi avions rendu visite la veille. Je fis une tentative pour le distraire de ses intentions, que je soupçonnais plutôt malveillantes à mon égard.

— Comment va votre épaule, Ty? Je croyais que vous deviez vous reposer jusqu'à ce qu'elle soit guérie.

— Gretchen a plus de dons qu'elle croit. Elle s'imagine que c'est grâce au kudzu que je suis guéri, mais en réalité ce sont ses mains. J'ai pas eu besoin de garder mon cataplasme longtemps. C'qui compte, c'est l'esprit, le sien et le mien.

C'est Victoria qui m'a dit de venir te parler, me répondit le vieil homme d'une traite, l'œil vitreux, tandis que Gordon raffermissait son étreinte autour de mon épaule. Elle m'a rendu visite dans mon rêve, la nuit dernière. Faut dire qu'elle me laisse jamais dormir tant que j'ai pas fait ce qu'elle me dit; et elle te réclame, Lauren...

— Qu'entendez-vous par « elle me réclame »?

— T'es sa p'tite-fille. Laisse-toi faire, et elle viendra

habiter ton corps. Moi, elle me fait peur, je crois qu'elle veut me faire payer...

— Payer pour quoi, Ty?

Ty secoua si vigoureusement la tête que sa barbe et ses cheveux virevoltèrent autour de sa tête.

— Moi, je lui dois rien, c'est elle qui me doit quelque chose, pour m'avoir abandonné, alors qu'elle prétendait aimer son frère.

En voyant l'excitation croissante du vieil homme, j'adressai un regard interrogateur à Gordon, mais, d'un mouvement de tête, ce dernier m'incita à me taire et à écouter. Je compris alors que c'était un sentiment de peur qui poussait Ty à de tels comportements; la même peur que celle qu'avait éprouvée Roger, la veille, mais dont il ne voulait pas dévoiler la nature. Mais peut-être aussi cette rocambolesque histoire sur les visites nocturnes de Victoria Frazer était-elle simplement destinée à me faire quitter Lake Lure...

— Tous les Brandt sont mauvais, poursuivit Ty en s'adressant à Gordon. Elle (il me pointa du menton) doit s'méfier de cette engeance-là. Mets-là dans le premier avion en partance pour la Californie! s'exclama-t-il en levant les yeux au ciel. Tu m'entends, Victoria? Elle s'en va! C'est bon pour personne de rester dans c'pays! Regarde ce qui nous est arrivé, à toi et à moi!

— Je ne vais nulle part, annonçai-je posément. Mais si vous pouvez m'aider à répondre aux questions que je me pose, peut-être alors pourrai-je m'en aller...

— Roger le permettra jamais. C'est lui le Gardien. Mais si tu pars maintenant, tu auras la vie sauve. Pense un peu à ce qui est arrivé à Jim.

— Et Victoria? Qu'est-il vraiment arrivé à Victoria? demandai-je.

— Tu penses que Victoria était belle et bonne, rétorqua Ty en guise d'échappatoire, et qu'elle méritait pas tout c'qui lui est arrivé, pas vrai, Lauren? Pense un peu : ta grand-mère! Ma merveilleuse et talentueuse sœur!

— Pourquoi? Ce n'est pas ainsi que vous la voyez?

— T'as qu'à demander à qui tu voudras! Elle attirait les ennuis comme le miel attire les mouches.

— Betsey Harlan pense le plus grand bien d'elle; cela ne représente-t-il rien, pour vous?

— M'en fous de Betsey; demande plutôt à Camilla. Elle, elle peut t'en parler, de Victoria!

Je songeai à la cicatrice sur la joue de Camilla.

— Il est possible que Camilla ait des idées préconçues... Je vous pose la question, Ty.

Mon grand-oncle s'approcha alors si près de moi, que je pus sentir les odeurs d'humus et de forêt qui faisaient partie intégrante de son être. Ce personnage appartenait aux montagnes au même titre qu'un animal sauvage, mais c'était aussi ce même personnage qui m'avait fait parvenir le bracelet d'argent, au grand désarroi de Roger Brandt.

— Écoute-moi bien, me souffla Ty si près du visage que j'eus un mouvement de recul. J'ai vu Natalie, ce matin, chez Finella, et elle m'a parlé de ce qui s'est passé, hier soir, au Esmeralda. Décidément, faut toujours que tu fourres ton nez partout, pas vrai, Lauren? Je t'ai jamais dit de montrer ce bracelet à Roger. Victoria voulait que tu l'aies, un point c'est tout.

— Mais comment l'avez-vous eu, Ty? demandai-je, sachant très bien qu'il ne répondrait jamais à cette question.

— Et maintenant, par ta faute, Camilla sait qui t'es!

— Mais pourquoi cela vous effraie-t-il tant?

— C'est Victoria qui m'a empêché de me marier avec Betsey. P'têt qu'elle a eu raison, après tout. Elle devait me payer mes études, à la suite de quoi j'devais épouser Betsey. Mais ses p'tits copains l'entendaient pas de cette oreille; alors Victoria m'a coupé les vivres et tout a fini en queue d'poisson.

Parmi toutes les histoires que j'avais entendues sur ma grand-mère, la vérité devait bien se situer quelque part, me dis-je. Mais, pour le moment, la seule chose dont j'étais sûre, c'était qu'il me fallait en apprendre davantage.

— Hier soir, mon grand-père m'a parlé d'une biographie de Victoria Frazer. Le titre serait « La luciole »; quelqu'un de la famille en aurait-il un exemplaire?

— Ce bouquin-là, c'était rien qu'un tissu de mensonges. Gretchen a jamais voulu d'un pareil torchon dans la maison; et moi, les bouquins...

— Mais l'avez-vous lu, au moins?

— Oublie ce bouquin. Victoria veut te voir; mais t'as pas intérêt à y aller, crois-moi...

— Où la trouverai-je, Ty?

— Elle se balade un peu partout. Elle peut rentrer dans les corps, un peu comme elle fait pendant mes rêves. C'est elle qui m'a dit de v'nir te voir; elle a besoin de ton aide.

Gordon semblait en avoir assez entendu pour juger bon de changer de sujet.

— Hier soir, au téléphone, Natalie m'a appris que Camilla était malade; comment va-t-elle, ce matin?

— J'm'intéresse pas à c'qui s'passe chez les Brandt, lâcha Ty avec une mine de dégoût.

— Si vous savez ce qui est arrivé à Victoria, je vous en prie, dites-le-moi, le pressai-je.

— Pourquoi tu t'adresses pas plutôt à ton grand-père? rétorqua Ty, le regard furibond. Il peut te répondre mieux que personne.

Puis, tournant brusquement les talons, le vieil homme se dirigea vers l'escalier avec tant de hâte que nous n'eûmes d'autre choix que de le laisser s'en aller.

— Peut-être n'avait-il pas tout à fait tort lorsqu'il parlait de sauter dans le premier avion en partance pour la Californie, me dit Gordon.

— Tu sais très bien que je resterai ici aussi longtemps que je n'aurai pas appris ce qui est arrivé à Jim et à ma grand-mère. C'est quelque chose que je leur dois, et je sens que je ne suis pas loin du but. Mais peut-être dois-je aussi à Victoria de lui apprendre le personnage qu'elle était vraiment; peut-être est-ce ce qu'elle veut, afin que la vérité soit définitivement rétablie. N'est-ce pas mon rôle, après tout ce temps? Je ne crois pas ce que Ty vient de dire sur elle. Au bout du compte, il est possible qu'il ait détesté sa sœur. Mais, perturbé comme il l'est, comment peut-il encore porter des jugements sur elle?

— Ne te leurre surtout pas, me corrigea Gordon. Il n'est pas aussi insensé que ce qu'il le paraît, même dans ses moments les plus fous.

Mais, déjà, mes pensées se détachaient de Ty pour se concentrer sur une idée qui commençait à germer dans ma tête.

— Natalie m'a parlé d'un bal costumé qui doit se dérouler au Lake Lure Inn. Je lui ai annoncé que je ne m'y rendrais pas, mais, tout bien pesé, je me demande si ma présence ne me permettrait pas de découvrir certains secrets concernant Victoria Frazer... et peut-être Jim, aussi... Y seras-tu, Gordon?

— Forcément. C'est un événement social et Finella ne me pardonnerait jamais mon absence. Je serais heureux de t'y conduire, mais je voudrais d'abord que tu me dises ce que tu as en tête.

— Natalie m'a suggéré de me costumer comme Victoria Frazer. C'est une idée que j'ai rejetée d'emblée, mais, en y repensant, cela me permettrait de surprendre quelques personnes et de les amener à faire quelques commentaires utiles.

— Cette idée ne me plaît pas du tout; elle ferait de toi une cible.

— Mais je ne risque rien, puisque tu m'accompagnes. De plus, Betsey a exactement la robe qu'il me faut; c'est celle-là même que portait Victoria, dans *Blue Ridge Cowboy*. Cela va faire l'effet d'une bombe! m'exclamai-je, de plus en plus emballée.

— Non! C'est une idée complètement farfelue. Tu ne ressembles pas du tout à ta grand-mère. Elle était blonde et tu es brune. Personne ne fera l'association.

Je n'ignorais pas que le refus de Gordon émanait surtout du fait qu'il cherchait à me protéger, à m'éviter peut-être de graves ennuis. Mais cette vision de moi-même s'était déjà emparée de moi et je ne l'écoutais plus.

— Je porterai une perruque... Imagine l'effet que produiront les premières secondes qui suivront mon entrée. Il y aura peut-être beaucoup à apprendre de la réaction des personnes présentes.

Loin d'être convaincu, Gordon jugea cependant bon de ne pas insister.

— Allons déjeuner, dit-il.

J'étais affamée, moi aussi, et surtout désireuse de garder Gordon près de moi. Je sentis qu'il voulait prendre un peu de recul (peut-être avais-je un peu trop précipité les choses...) mais peu m'importait, mon corps sentait encore avec bonheur l'étreinte de ses bras. De la buvette, Gordon rapporta deux cafés accompagnés de brioches et de beurre que nous savourâmes près de la grande baie. J'admirai silencieusement le miroir argenté de Lake Lure, ainsi que la masse impressionnante du Rumbling Bald, montagne de tous les mystères, qui ne cessait de me fasciner. Je me plaisais en compagnie de Gordon. En dépit de l'intrusion de Ty, j'étais éminemment consciente que quelque chose entre nous avait changé. Les mots qu'il prononça ne firent que confirmer cette impression.

— Finella m'a chargé de te transmettre une invitation à dîner pour ce soir; qu'en penses-tu?

J'aimais bien Finella et j'étais prête à n'importe quoi pour être auprès de Gordon.

— Le plus grand bien... Mais, dis-moi : comment comptes-tu te déguiser pour le bal de samedi soir?

Voilà bien des années, une telle question eût suscité chez lui une cascade de plaisanteries. Mais, jadis, il ne ressemblait en rien à l'homme grave que j'avais aujourd'hui près de moi. Cependant, je vis une petite étincelle briller au fond de ses yeux.

— Patience, répondit-il. Qui sait? peut-être te surprendrai-je...

Je renonçai à satisfaire ma curiosité pour lui poser une question qui me tenait à cœur.

— Crois-tu que je puisse trouver un exemplaire de « La luciole »?

— Il existe un vieux bouquiniste, à Asheville. Peut-être en détient-il une copie... je lui téléphonerai.

Je trouvai ce moyen peu expéditif; et puis je souhaitais rester près de Gordon le plus longtemps possible.

— Et si nous y allions? J'adore les bouquinistes…

Je n'ignorais pas que mes yeux avaient retrouvé leur vivacité du temps jadis où, Gordon et moi, nous nous étions — si brièvement — embarqués pour Cythère. À ce moment-là, il avait trouvé mes yeux absolument irrésistibles et, cette fois encore, je ne ratai pas mon coup. Se penchant par-dessus la petite table, il m'embrassa sur la bouche.

— Finis ton café et nous y allons…

Je brûlais d'impatience, et nous eûmes tôt fait de regagner la voiture. Gordon choisit de suivre la *Blue Ridge Parkway*. C'était la route des crêtes, une route en lacets qui, à la première trouée, nous permettait de découvrir un magnifique panorama de montagnes et de vallées. Une heure plus tard, nous atteignîmes Asheville.

Gordon descendit immédiatement vers le vieux centre-ville et gara son véhicule tout près d'une zone piétonnière, caractérisée par ses vieux bâtiments aux formes géométriques surprenantes. Quelques pas suffirent pour nous rendre chez le bouquiniste dont l'enseigne, accrochée perpendiculairement à la façade de la vieille bâtisse, portait le nom de « Captain's Bookshelf ».

Un escalier extérieur, aux marches élevées, menait au premier étage. Gordon m'apprit que cette librairie avait, à l'origine, été créée par un capitaine de navire à la retraite, et qu'aujourd'hui, elle était tenue par son fils et sa bru. C'était tout à fait le genre de vieille librairie que j'affectionnais. Les murs étaient couverts de livres anciens. Je repérai des tables et des comptoirs encombrés d'ouvrages de toutes sortes et même un sofa et des fauteuils pour inciter à la lecture. Sur le mur du fond, un dragon fait d'un assemblage d'étoffes de soie faisait une décoration surprenante et bigarrée, tandis qu'un gigantesque caoutchouc dominait le centre de l'espace.

Gordon semblait connaître la propriétaire, puisque d'emblée, il l'appela Megan. Très vite, je remarquai son intérêt pour une foule de sujets, et me rendis compte qu'elle possédait une très grande connaissance des livres qui pullulaient autour d'elle. Quand Gordon lui demanda si elle possédait un exemplaire de « La luciole », Megan afficha un air étonné.

— Quelle étrange coïncidence! Vous êtes la deuxième personne de la journée à me demander ce livre. Je ne dispose malheureusement que d'un seul exemplaire, mais je puis vous le laisser consulter, si vous le désirez; cette personne, qui m'a téléphoné il y a quelques minutes à peine, et qui ne m'a laissé ni son nom ni son adresse, est censée passer le prendre d'une minute à l'autre.

Megan me prêta donc le livre en question et, pendant que Gordon musait dans la boutique, je m'installai sur un sofa afin d'y jeter un coup d'œil. Malgré le piteux état de la jaquette, les pages étaient en parfait état. Comme l'ouvrage comportait quelques photographies, je décidai de les observer.

Les premiers chapitres relataient l'enfance de Victoria Frazer. Je pus ainsi voir la photographie d'arrière-grands-parents dont on ne m'avait jamais fait mention car, en raison des circonstances particulières de sa naissance, ma mère savait très peu de chose de sa famille. Je vis aussi une photographie de Victoria, en compagnie de son frère et de sa sœur, et m'imaginai combien il avait dû être difficile pour Gretchen de grandir auprès d'une sœur aînée d'une beauté si exceptionnelle.

Cependant, c'étaient les photographies les plus récentes qui m'intéressaient le plus, celles qui montraient Victoria au faîte de sa carrière. Apparemment, ses parents n'avaient pas vécu assez longtemps pour voir la « star » qu'était devenue leur fille.

Le narrateur observait que Victoria Frazer, à peine plus âgée que Greta Garbo, possédait des qualités d'actrice tout à fait particulières, et, n'eût été son suicide, elle aurait atteint des sommets illimités. L'auteur clamait que son charme magique pouvait en un instant embraser les cœurs, et qu'elle n'avait jamais brillé autant que dans le film qu'elle avait tourné avec Roger Brandt.

L'auteur, Dennis Ramsay, tenait un peu malicieusement le lecteur en haleine en ne parlant que par bribes de la romance Frazer-Brandt. Tandis que je parcourais avidement ces paragraphes, je me demandai comment Ramsay avait pu obtenir tant de renseignements, si toute cette prolifération de détails n'était pas tout simplement le fruit de son imagination. Contrairement aux affirmations de mon grand-père qui prétendait que l'œuvre de Ramsay était totalement dévolue à Victoria, je constatai que l'auteur exprimait des idées beaucoup plus favorables à Roger qu'à Victoria.

Je fus également étonnée d'apprendre que, durant les trois derniers mois de sa grossesse, Betsey était restée auprès de Victoria. Cette dernière avait, semblait-il, recherché un endroit qui la mît à l'abri des indiscrétions de la presse. Si son état pouvait rester secret — comme elle y était déjà parvenu au cours du tournage de *Blue Ridge Cowboy* — jusqu'à l'accouchement, elle pourrait alors poursuivre sa carrière comme si rien ne s'était passé. Le bébé était né dans la maison de Betsey et, de là, avait été pris en charge par des amis de Californie, apparemment impatients d'adopter celle qui devait être ma mère.

Décidément, ma sympathie allait tout entière à Victoria, tandis que je n'éprouvais pour mon grand-père qu'un vague mépris. J'en étais au prétendu suicide et au scandale qui avait anéanti la carrière de Roger, quand j'entendis des pas résonner sur le plancher de bois. Derrière mon écran de verdure, je reconnus Roger Brandt. La mort dans l'âme, je rendis alors le livre à Megan, et m'approchai subrepticement de mon grand-père.

— Bonjour, dis-je. Je constate que le livre dont vous me parliez hier soir vous intéresse davantage que vous sembliez le prétendre...

— C'en a tout l'air, en effet, rétorqua Roger comme s'il s'attendait à me voir.

— Pourquoi vous intéressez-vous à ce livre, après tant d'années?

— Mais pour qu'il ne tombe pas entre vos mains, bien sûr, lâcha-t-il en levant les yeux vers le dragon de soie. Cet ouvrage contient un tissu de mensonges dont je ne souhaite pas que vous preniez connaissance. J'ai eu grandement tort de faire allusion à cette prétendue biographie; voilà que vous remuez encore de pénibles souvenirs...

— S'agit-il de mensonges vous concernant vous ou Victoria?

J'avais déjà vu cette expression de son visage sur l'écran et, en général, une bagarre s'ensuivait. Mais Roger pouvait difficilement sortir son arme et tirer sur moi; d'ailleurs, il n'avait même pas de cheval.

— Des mensonges à propos de ma femme, répliqua-t-il platement.

Je ne m'étais pas attendue à cette répartie et mon désarroi lui fit grimacer un sourire; mais cette répartie excitait ma curiosité quant au rôle exact joué par Camilla dans cette tragédie.

— Au fait, comment va-t-elle? m'enquis-je.

— Comment avez-vous eu le bracelet?

Pour une raison que j'ignorais, la récente intervention de Ty me fit hésiter. Cependant, je ne voyais pas ce qui pouvait m'empêcher de répondre.

— C'est Ty qui me l'a donné. C'est tout ce que je peux vous dire.

Quelles conclusions mon grand-père tira-t-il de cette révélation, je ne saurais le dire. Il remercia Megan, prit son paquet et quitta la librairie. Moi qui m'étais inquiétée de savoir comment mon grand-père accepterait de se voir nanti d'une seconde petite-fille, j'étais au moins édifiée sur ce point. Il était clair que pour lui, je ne représentais strictement rien. Pendant cet échange acerbe, Gordon s'était tenu à l'écart, mais n'en avait cependant pas perdu un mot.

— J'aimerais bien savoir ce qui est écrit dans ce bouquin. Serait-il possible d'en trouver un second exemplaire, Megan?

— Je ne le pense pas. Voilà bien des années que ce livre n'a pas été réédité. En revanche, vous pourriez peut-être tenter de joindre son auteur, suggéra Megan. Je crois savoir qu'il est toujours vivant et qu'il demeure quelque part vers Fairfield Mountains, près de Lake Lure. Peut-être acceptera-t-il de vous en céder un exemplaire.

Gordon et moi échangeâmes un regard et je compris alors que nous avions retrouvé notre ancienne complicité.

— Allons déjeuner, d'abord, dit-il. Vous nous avez rendu un grand service; merci, Megan.

À nouveau, je sentis monter en moi une bouffée d'exaltation. Que je fusse d'accord ou pas avec la teneur de cet ouvrage, Ramsay était un des personnages du drame ou, du moins, en connaissait-il intimement les acteurs. Tandis que nous regagnions la voiture, Gordon me donna quelques informations sur Fairfield Mountains.

— C'est un ensemble résidentiel de luxe, entre Lake Lure et Bald Mountain Lake. Il y a un terrain de golf, une plage privée et l'endroit est très bien gardé. N'y entre pas qui veut. C'est pourquoi je vais d'abord tenter de joindre Ramsay et lui demander s'il veut bien nous recevoir.

Je sentis que Gordon se détendait peu à peu, et je me détendis à mon tour. Dans cette folle recherche, je n'étais plus seule, à présent.

CHAPITRE ONZE

Nous montâmes jusqu'à Sunset Mountain, une banlieue perchée sur les hauteurs de la ville. Grove Park Inn, m'apprit Gordon, était l'un des plus grands hôtels du Sud. Il avait ouvert ses portes en 1913 et avait reçu des hôtes distingués, venus de toutes les parties du monde. C'est William Jennings Bryan qui avait donné le ton et les présidents avaient suivi. Au fil des ans, l'établissement s'était considérablement modernisé, même si les pierres qui avaient servi à sa construction étaient restées inchangées.

Une route sinueuse nous conduisit jusque là, et j'eus ainsi ma toute première vision de cette étrange bâtisse. Pour sa construction, des maçons italiens (toujours selon Gordon) avaient assemblé des milliers de tonnes de pierres de toutes tailles. Aussi, dès le premier coup d'œil, je fus réellement impressionnée par la massive structure de pierre, un peu comme s'il s'était agi d'un phénomène naturel extraordinaire.

Dans le grand hall, la pierre restait le matériau dominant, aussi bien pour les marches des escaliers, les cadres des portes, que pour les gigantesques manteaux des cheminées. Nous suivîmes un long couloir jusqu'à l'une des salles à manger où, de notre table, nous avions une vue imprenable sur Asheville.

Une fois notre commande passée, Gordon se leva pour aller téléphoner à Ramsay.

— Souhaite-moi bonne chance, me sourit-il. Je ne savais même pas qu'il était encore vivant; ce doit être le genre de personne qui n'aime pas beaucoup les visites.

J'attendis impatiemment le retour de Gordon. Plus que jamais, je brûlais d'envie de savoir pourquoi Roger Brandt ne voulait pas que je prisse connaissance de cette prétendue biographie.

— Nous n'avons pas précisément rendez-vous avec Ramsay, mais nous allons quand même tenter notre chance, m'annonça Gordon quelques minutes plus tard. Il dormait et je n'ai pu parler qu'à sa petite-fille. Apparemment, il s'est imposé comme règle de ne jamais parler de « La luciole » et des événements qui l'ont poussé à l'écrire. En outre, cette personne m'a appris qu'il n'avait plus l'esprit très clair et qu'il était de santé plutôt fragile. Il a fallu que je lui dise qui est ton grand-père pour réussir à la convaincre.

Tandis que nous grignotions notre déjeuner, Gordon tenta de me distraire de mes préoccupations.

— J'ai entendu dire qu'une des scènes de *Blue Ridge Cowboy* a été tournée ici, dans une des salles de Grove Park Inn.

Je me rappelai alors la fameuse scène où Roger faisait irruption dans la salle de bal sur son palomino, bousculant les danseurs pour faire valser sa belle, avant que celle-ci ne bondît à son tour en selle. Je me demandai combien de prises avaient été nécessaires avant qu'une scène aussi typiquement hollywoodienne fût réussie. En d'autres temps, j'aurais, à coup sûr, souhaité avoir un aperçu de la salle en question, mais, pour le moment, d'autres préoccupations accaparaient nos pensées. Sur le chemin du retour, Gordon m'apprit l'existence d'un autre endroit susceptible de posséder un exemplaire de « La luciole ». Si, de surcroît, nous avions la chance d'être reçus par Ramsay, nous aurions alors fait le tour de la question.

Nous reprîmes donc la route qui descendait vers Hickory Nut Gorge et traversait Lake Lure. Le long du chemin, j'observai les superbes sculptures végétales que formait le kudzu autour des arbres, des cabanes abandonnées et même autour des carcasses de voitures. Tout disparaissait sous une sorte de manteau de verdure luxuriante. Je me dis que Ty Frazer ne viendrait jamais à bout d'une aussi monstrueuse récolte, et qu'il était grand temps que le Sud s'éveillât aux vertus de cette plante.

La petite bibliothèque en question, constituée de trois petites constructions hexagonales assemblées, était pratiquement située au bord de la route. Avec son tapis moelleux, ses étagères multicolores et ses sièges confortables, l'endroit me parut d'autant plus chaleureux que de nombreuses œuvres d'artistes-peintres de la région y étaient exposées. Pendant qu'un employé partait à la recherche du livre de Ramsay, je me mis à les contempler.

Une œuvre attira soudain mon attention, sans doute parce que j'en reconnus immédiatement le style. C'était une peinture de Natalie, traitant encore du village indien, avec une perspective des « longhouses » et le poteau de torture au centre du décor. Le tableau ne comportait aucun personnage; pourtant, je sentis comme une présence, cachée derrière un bâtiment, en train d'épier le spectateur. J'observai longuement la toile, mais cet examen ne m'apporta qu'un étrange sentiment de malaise. J'avais moins le sentiment de regarder la toile que d'être épiée par elle. Gordon vint me rejoindre, et je lui fis part de mes impressions.

— J'ignore comment Natalie procède pour créer un tel malaise. En fait, je me demande si elle le sait elle-même.

— Ces œuvres sont superbes, quoique un peu inquiétantes, dis-je. Je comprends que ta mère ait du mal à les vendre.

Le bibliothécaire nous apprit qu'il disposait en effet d'un exemplaire de « La luciole » dédicacé par l'auteur. Après être resté plusieurs années sans être consulté, l'ouvrage venait juste d'être emprunté. Gordon et moi échangeâmes un regard. Roger nous avait encore une fois devancés.

Arrivés devant l'entrée principale de Fairfield Mountains, le garde, manifestement averti de notre visite, nous indiqua la direction de la maison de Dennis Ramsay. C'était une maison de rondins avec une terrasse en porte-à-faux sur le lac.

Ses parents étant absents, c'est à Carol, sa petite-fille, qu'incombait la charge de veiller sur son grand-père, avait appris Gordon au téléphone. Sur le petit chemin qui montait vers la maison, je vis que la jeune fille nous attendait sur le palier, le visage anxieux.

— Je n'aurais peut-être pas dû vous dire de venir, dit-elle précipitamment. Grand-père est réveillé, mais il ne se sent pas très bien...

Je pressentais déjà un échec, quand Gordon proposa

doucement :

— Mais peut-être que notre présence lui fera du bien; nous faisons partie de ses fervents admirateurs. En tant que journaliste, il sera certainement heureux de faire la connaissance de la petite-fille de Victoria Frazer.

— Je n'en suis pas si sûre, argua Carol, plus réticente que jamais. Si j'avais su où vous joindre, je vous aurais dit de ne pas venir.

— Roger Brandt ne nous aurait-il pas précédé, par hasard? demanda alors Gordon.

— Eh bien... oui. Que vous rencontriez mon grand-père semble l'inquiéter.

— Et pourquoi ne pas laisser votre grand-père en décider lui-même? insista Gordon.

— Très bien, nous allons voir. Mais s'il a un malaise, je vous demanderai de partir immédiatement.

Nous suivîmes Carol jusqu'à la terrasse où, allongé sur un transat, Dennis Ramsay prenait le soleil. Si, dans sa jeunesse, Ramsay avait dû être quelqu'un de grand et d'élancé, c'était aujourd'hui un vieillard presque obèse, aux traits lourds et empâtés.

— Tu as des visiteurs, grand-père, lui apprit Carol. Ils aimeraient s'entretenir de ton œuvre avec toi.

Cette nouvelle parut dissiper ses dernières traces de somnolence. Ramsay se redressa en nous examinant d'un œil intrigué.

— Travaillez-vous pour un journal? Voilà longtemps que personne ne vient plus m'interviewer...

Je décidai d'entrer sans attendre dans le vif du sujet.

— Je suis la petite-fille de Victoria Frazer, et j'ai appris que vous avez écrit sa biographie. Comme il n'existe plus grand monde pour parler d'elle, je me suis dit que vous pourriez m'en apprendre un peu plus long.

Ramsay tendit la main vers une table basse et s'empara d'une paire de lunettes. Derrière les verres épais, son regard me parut hésitant.

— Que voulez-vous savoir? demanda-t-il prudemment.

— Tout ce que vous serez en mesure de me dire.

Tandis que je m'installais, Gordon, soucieux de ne pas briser le lien ténu qui retenait l'attention du vieil homme, entraîna Carol à l'extrémité de la terrasse.

— J'aimerais que vous me parliez du souvenir que vous en avez gardé, monsieur Ramsay. Je sais si peu de choses sur ma grand-mère...

— Oh, bien sûr que je me souviens! commença le vieillard, les yeux fermés. Je n'avais pas grande estime pour elle, mais je dois admettre qu'elle me fascinait énormément, et je m'étais dit qu'il était temps que quelqu'un écrivît quelques lignes sur elle. Je suppose que, la première fois que je l'ai rencontrée, je suis tombé amoureux d'elle, comme tout le monde. C'est plus tard que les choses se sont gâtées. Personne, sauf Roger Brandt, n'aura été aussi proche d'elle que moi. Il est possible que j'aie envié Roger, du moins jusqu'au moment où j'ai pris conscience de la manière ignoble dont il traitait Camilla. Ce que Victoria ou même Camilla ont pu trouver à cet homme, je ne l'ai jamais compris.

— Roger Brandt est mon grand-père, lui rappelai-je.

— C'est, du moins, ce que raconte l'histoire... lâcha-t-il, les yeux toujours clos.

— Pensez-vous vraiment ce que vous venez de dire? m'enquis-je anxieusement.

— Et pourquoi pas? Vous êtes sa petite-fille, et à ce titre, il est normal que vous ayez tendance à idéaliser Victoria et Roger, mais mon livre ne va pas dans ce sens-là; il met surtout en évidence l'histoire d'une belle et noble femme et la trahison dont elle est victime.

— Camilla Brandt...

Ces souvenirs lui arrachèrent un soupir de mélancolie. Plus attentive que jamais, je me penchai vers le vieil homme.

— Camilla était une femme aussi forte que belle; quelqu'un qui possédait un parfait contrôle de soi. Au moment opportun, elle savait fermer les yeux, et je ne pense pas que la liaison de son mari l'ait jamais inquiétée. Roger n'en était pas à sa première incartade.

— Seulement, cette fois-là, un enfant est né...

— Ç'a dû être une terrible épreuve pour Camilla; mais quand le scandale a éclaté et que la carrière de Roger s'en est allée à vau-l'eau, cela ne l'a pas empêchée de rester à ses côtés. Il aurait suffi que Victoria se terre quelque part pour que tout rentre dans l'ordre. Au lieu de cela, elle a disparu, et toute l'histoire a été étalée au grand jour...

— Disparue... noyée dans le lac?

— Encore une chose à laquelle je n'ai jamais cru. C'est une histoire que les studios ont inventée pour faire plus romantique. Ah! ils ont bien réussi leur coup!

— Mais c'est sur Victoria que vous avez voulu écrire, et non sur Camilla...

— Naturellement. C'est son nom qui a fait vendre mon livre. De plus, Camilla n'aurait jamais accepté que j'écrive une ligne sur elle. Ce genre de personne n'a rien à voir avec toutes ces vedettes égocentriques complètement perverties.

— Je ne peux pas croire que Victoria ait été une personne égocentrique et pervertie, m'indignai-je. Qu'est-ce qui vous permet de dire une chose pareille?

— Interrogez donc Ty Frazer et Betsey Harlan. Demandez à sa sœur, Gretchen, et à Camilla — dans la mesure où elle accepte de parler, bien sûr. Ce suicide est vraiment arrivé au moment opportun. La question que je pose, dans mon livre, c'est de savoir à qui « le suicide profite ». Mais dites-moi : êtes-vous sûre de vouloir fouiller dans ce tas d'immondices? Quelle importance cela a-t-il, à présent?

Je restai un instant silencieuse à me demander jusqu'à quel point je pouvais lui faire confiance.

— Dans cette histoire, une autre personne a trouvé la mort, annonçai-je. Il s'agit de mon mari, Jim Castle, décédé, il y a un peu plus de deux ans, dans de mystérieuses circonstances. Figurez-vous qu'il tournait un documentaire sur la carrière de Roger Brandt.

Ramsay cessa alors de se cacher derrière ses paupières

closes pour me fixer d'un regard pénétrant.

— Mais naturellement! Vous êtes la femme de Jim Castle! Il m'a rendu visite, quelquefois. Il semblait d'ailleurs beaucoup plus intéressé par Camilla que par Victoria. Peut-être parce qu'elle est l'épouse de Roger Brandt...

— Vous avez été amoureux de Camilla, n'est-ce pas? soufflai-je.

— Je n'ai jamais compris que Roger ait pu tromper une femme comme Camilla avec Victoria Frazer. Je me souviens avoir reçu la visite de Roger, pendant que j'écrivais mon livre. Je séjournais au Esmeralda Inn, et, ce soir-là, je devais avoir un verre dans le nez, car je lui ai dit ma façon de penser à propos de Victoria. Ça l'a rendu tellement agressif que j'ai été contraint de le chasser de ma chambre.

« Intéressant », pensai-je.

— Mais vous connaissiez tout le monde, ce me semble... Ty, par exemple?

— Naturellement. J'aimais bien Ty, même après que Betsey l'a laissé tomber et qu'il s'est enfui dans les montagnes. C'est une personne au grand cœur, et il adorait Victoria, en dépit de ses frasques. Quant à elle, la seule personne qu'elle ait jamais été capable d'aimer, c'est elle-même. Ty vient encore me voir de temps en temps. Carol le laisse toujours entrer, même si mon fils ne pense pas grand bien de lui.

— Et Gretchen?

— Après la disparition de sa sœur, elle a connu des moments très difficiles. J'ai le sentiment qu'elle a vécu une bonne part de ses rêves à travers Victoria. Elle aussi me rend visite, de temps en temps. Je souffre d'arthrite et d'hypertension et, malgré son caractère bien particulier, son aide m'est précieuse. Elle prétend que si je souffre de ces maux, c'est uniquement parce que je n'ai pas respecté le « temple », comme elle dit. C'est comme cela qu'elle nomme le corps humain. N'empêche que ses onguents et ses cataplasmes me remettent en forme pour des mois.

Comme je m'apprêtais à ramener le sujet sur Victoria, je remarquai la lassitude qui gagnait peu à peu le vieil homme. Avant que notre conversation ne fût brusquement interrompue, je tentai d'obtenir un exemplaire de « La luciole ».

— Monsieur Ramsay, auriez-vous l'amabilité de me prêter le livre que vous avez écrit sur ma grand-mère?

Ramsay me scruta un instant d'un air dubitatif, puis détourna les yeux.

— Vous n'apprécierez pas ce que j'ai écrit sur elle.

— Peu me chaut, monsieur Ramsay. Tout ce que je veux, c'est en savoir un peu plus sur elle.

— Je vais faire mieux que vous prêter ce livre, jeune dame, fit Ramsay, se ravisant tout à coup; je vais vous en dédicacer un; cela me rappellera le bon vieux temps, poursuivit-il avant d'appeler sa petite-fille, qui bavardait un peu plus loin avec Gordon : Carol, va donc chercher un exemplaire de « La luciole » pour Mme Castle...

La jeune fille partie, Ramsay resta silencieux. Je lui posai une question qu'il ne parut pas entendre, et quand Carol fut de retour, il semblait avoir oublié jusqu'à mon existence, au point que cette dernière dut lui rappeler mon nom.

Il était temps pour moi de m'esquiver. Je remerciai Ramsay, sans toutefois être sûre qu'il m'ait entendue. Carol nous raccompagna jusqu'à la porte.

— Je suis navrée, dit-elle. Mais au premier signe de lassitude, il devient absent. Ça lui arrive quelquefois en plein milieu d'une phrase. Mais votre venue semble lui avoir fait du bien; vous avez réussi à capter son attention.

— Je crois qu'il aurait bien aimé parler de Camilla Brandt, suggérai-je.

— Naturellement, c'est son grand amour! En rêve, bien sûr! J'aime beaucoup grand-père. En son temps, il fut un grand journaliste. Il a même gagné quelques prix, et j'ai tout un recueil d'articles qu'il a écrit pour des tas de magazines. Mais il n'a jamais écrit d'autre livre, après celui-ci.

Nous la remerciâmes chaleureusement. Une fois dans la voiture, Gordon s'empressa de me rapporter ce que la jeune fille lui avait raconté.

— Il semblerait que Roger soit arrivé ici dans un état de fureur extrême. Carol en a d'abord été effrayée, mais ses menaces l'ont tellement indignée qu'elle a décidé de nous recevoir quand même. Bien! à présent que tu as eu ce que tu voulais, quelle est la suite du programme?

— J'aimerais rentrer et le lire attentivement.

— Très bien, fit Gordon, mal à l'aise. Si quelque chose t'embarrasse, fais-le-moi savoir. De plus, ne sors plus toute seule, Lauren. La conduite de Roger n'est pas sans me causer quelque inquiétude.

J'acquiesçai et, au même moment, souhaitai retrouver la merveilleuse sensation que j'avais éprouvée à Chimney Rock. Gordon m'abandonna à l'auberge en me rappelant qu'il passerait me prendre à six heures. Une fois dans ma chambre, je m'installai et commençai ma lecture. Sans m'attarder sur l'illustration de la couverture, j'ouvris le livre et découvris, sur la page de garde, une surprenante dédicace.

À Camilla Brandt,

avec tout mon respect et mon admiration

Cette manière qu'avait Dennis Ramsay de proclamer ouvertement son admiration pour Camilla me surprenait. Avant même de commencer ma lecture, j'étais déjà sceptique quant à l'objectivité de l'auteur sur la façon dont il avait perçu Victoria Frazer. Gardant en mémoire, les récentes menaces de Roger Brandt envers Carol Ramsay, j'entamai la lecture du livre.

L'auteur était tout, sauf un fervent admirateur de celle dont il avait décidé d'écrire la biographie, que ce fût l'actrice ou la femme. Cependant, il admettait la fascination qu'elle exerçait sur lui, et reconnaissait avoir, lui aussi, succombé à son charme. Au fil des pages, je notai toutefois à quel point les rapports entre Roger et Victoria avaient pu être vains et superficiels. Pas surprenant que ce dernier eût éludé la question, au moment où j'avais tenté de l'aborder. Mais que, tout au long du livre, Victoria fût dépeinte comme une sorte d'évaporée, n'enlevait rien au fait que Roger s'était conduit comme le dernier des goujats.

En parlant de l'entrevue que Victoria lui avait accordée, l'auteur semblait avoir mis un point d'honneur à citer ma grand-mère mot pour mot. Quand il lui avait demandé ce qu'elle pensait du mariage de son frère Tyronne avec son habilleuse, Victoria avait répondu sans ménagement que cela n'aurait jamais lieu.

« Je ne laisserai jamais ma chère Betsey épouser quelqu'un comme Ty. C'est un personnage peu digne de confiance et aux idées saugrenues. Je veillerai à ce que Betsey prenne conscience du guêpier dans lequel elle risque de mettre les pieds. »

Je poursuivis ma lecture, cherchant, au passage, les points de détails susceptibles d'écorcher la sensibilité de mon cher grand-père. Mais je ne trouvai rien de tel, et en conclus que cela apparaîtrait certainement plus loin.

Peu avant l'arrivée de Gordon, je me préparai, l'esprit distrait par les propos de Ramsay. Quelle était donc la véritable personnalité de ma grand-mère? Dans la mesure où, comme le prétendaient Jim et Ramsay, elle ne s'était pas suicidée, quelles étaient les véritables circonstances de sa mort? Roger craignait-il que je partage leurs conclusions?

Il me restait bien d'autres aspects du problème à considérer; mais je pensai à la journée que je venais de passer avec Gordon et m'interrogeai sur le sens que je devais lui donner. De vieilles sensations, brusquement réveillées à Chimney Rock, m'ouvraient les yeux sur de nouvelles perspectives.

En attendant d'y voir un peu plus clair en moi, je me limitai à espérer que cette soirée chez Finella se déroulerait sous les meilleurs auspices.

CHAPITRE DOUZE

Gordon et Finella vivaient dans une maison située au milieu du lac, sur une île minuscule. Après que nous eûmes franchi un petit pont, nous contournâmes des bosquets, et je me pris à regarder les feuilles aux couleurs de l'automne qui virevoltaient dans le vent du soir. La terre prenant l'avantage, les maisons étaient construites sur plusieurs niveaux, et même sur pilotis, comme celle de Finella. Nous abandonnâmes la voiture sur le bord de la route et descendîmes vers l'inévitable remise à bateaux, prolongée du tout aussi inévitable quai.

À première vue, Finella avait apporté grand soin à ses préparatifs. Bien que le ciel fût encore clair, quatre lampes-tempête éclairaient la grande terrasse carrée. Un table ronde recouverte d'une nappe jaune avait été dressée dans le coin offrant vue sur le lac. Malgré les risées qui couraient à la surface de l'eau, je remarquai que les grands arbres nous gardaient parfaitement à l'abri du vent. En dépit de l'arrière-saison, il serait certainement très agréable de dîner dehors, me dis-je.

Gordon et moi n'étions pas les seuls invités. Camilla et Natalie étaient déjà là, installées sur des chaises de toile pliantes, et leur présence me mit immédiatement mal à l'aise. Si le simple fait de savoir son mari en compagnie de la petite-fille de Victoria Frazer avait suffi à la faire tomber en pâmoison, quel allait être le comportement de Camilla en me voyant? Mais, à mon grand soulagement, les deux femmes firent comme si de rien n'était, et je m'interrogeai quant à la réaction de Roger en rentrant chez lui après notre tête-à-tête au restaurant.

Quoi qu'il en fût, ce dîner semblait avoir pour but avoué une discussion sur les ultimes préparatifs du bal costumé, et je compris que ma présence chez Finella n'était due qu'à un souci de bienséance. Gordon alla dans la cuisine tourner la salade « du chef » que sa mère avait préparée. Tandis que nous prenions place à table, je remarquai la présence d'un cinquième « invité ». Assis sur une chaise, un mannequin grandeur nature me regardait, les membres pendants, le visage vide de toute expression. Cette vision parut enchanter Natalie.

— Ainsi, Ezechiel est revenu, dit-elle en se tournant vers moi. C'est le surnom que nous lui avons donné. C'est un des mannequins que l'on pousse du haut de la falaise, à la fin du film « Le dernier des Mohicans ». Il a des jambes et des bras articulés que l'on peut commander à distance, de manière à reproduire les mouvements du corps humain. Ces mannequins coûtent très cher et les gens du pays ont longtemps battu la campagne pour essayer d'en retrouver. Qui a découvert celui-ci, Finella?

— C'est Ty. Je crois que je vais l'exposer quelques jours dans ma boutique, puis je le renverrai à son propriétaire, en Californie.

— Il me donne un peu la chair de poule, fit Natalie. On dirait qu'il en sait plus qu'il ne veut en dire...

— Je me rappelle ce film, ajouta Finella. J'avais été invitée à assister à quelques scènes de tournage, au village indien. Mais j'avoue que ces scènes n'ont pas grand-chose à voir avec celles du film.

Finella alla chercher une bouteille de vin blanc et un panier de petits pains chauds. Sceptique et admirative à la fois, j'en profitai pour observer Camilla. Comme d'habitude, elle me parut en grande forme, et j'eus du mal à l'imaginer inhalant des sels, sous prétexte que son mari dînait au restaurant avec une inconnue.

— Le bûcher était d'un réalisme frappant, reprit Finella, une fois de retour. Pour un peu, on s'y serait vraiment cru.

— J'ai peint cette scène, surenchérit Natalie. Bien qu'elle soit purement imaginaire...

Je lui dis alors avoir vu une de ses œuvres, exposée dans une bibliothèque, ce même après-midi, et décidai de lui poser la question qui me brûlait les lèvres.

— N'aviez-vous pas le sentiment d'être observée, en peignant cette toile?

Natalie sirota un peu du vin que Gordon venait de lui servir, et me sourit tristement.

— Je n'ai jamais voulu y mettre de personnage, mais il y avait pourtant quelqu'un, quand la toile a été achevée. C'était comme une présence que je pouvais percevoir du coin de l'œil. Avoir l'impression que quelqu'un se substitue à moi pendant que je peins est une sensation très désagréable...

— Natalie possède un don particulier, énonça Camilla tout en se servant, même si cela ne lui plaît pas toujours. C'est pourtant le genre de don que j'aimerais cultiver.

— Mais tu as des dons bien particuliers, toi aussi, grand-mère...

Je sentis un courant d'affection passer entre les deux femmes. Nous dînâmes en bavardant. Bien que, fidèle à son habitude, Gordon se contentât d'écouter attentivement, il ne se passa pas un instant sans que je fusse profondément consciente de sa présence.

Comme les trois femmes discutaient des préparatifs du bal, je me désintéressai de la conversation. Je contemplai le clair-obscur qui descendait lentement sur le lac, quand Natalie me demanda :

— Vous serez des nôtres, n'est-ce pas, Lauren?

Comme il n'était pas question de leur faire part de mes intentions, je me contentai de hausser les épaules.

— Je ne sais pas. Je n'y connaîtrai pas grand monde.

Je retenais mon souffle, craignant que Natalie ne fît mention de son idée de me voir arriver accoutrée en Victoria Frazer. L'effet de surprise raté, mon subterfuge perdrait alors toute sa signification. Natalie s'intéressa un instant au plat de crevettes disposées sur nid de kudzu que Finella venait de lui servir, avant de poursuivre :

— Je crois que cette soirée sera particulièrement réussie; vous ne pouvez pas rater cela, Lauren. Ce que vous y apprendrez sur les Brandt dépassera toutes vos espérances...

Si cette dernière phrase parut beaucoup amuser Natalie, ce ne fut sûrement pas le cas pour sa grand-mère.

215

— Que veux-tu dire?

— Rien de particulier, sinon que grand-père et toi allez être le point de mire de tous les regards, et que je trouve cela particulièrement excitant. J'ai commencé une aquarelle, où grand-père et toi valsez ensemble, pendant que vos hôtes font le cercle autour de vous. J'ai même commencé à placer çà et là quelques visages...

— Y suis-je? demandai-je.

— Peut-être bien, je n'en suis pas encore là. Bien que j'aie déjà situé un moine, dans un coin de la salle. Il est encapuchonné et l'on ne peut distinguer son visage. Et comme ce personnage me fait très mauvaise impression, j'ai laissé l'aquarelle en suspens.

— Qui crois-tu capable de se travestir en moine? demanda Gordon.

Sans laisser le temps à Natalie de répondre, Camilla intervint :

— Pour l'amour du Ciel, ce n'est qu'une œuvre d'imagination! Laissons là ce sujet et parlons d'autre chose : dites-moi, Lauren, j'ai cru comprendre que vous avez rendu visite à Dennis Ramsay, cet après-midi. Quelle impression vous a-t-il faite?

J'eus l'air surprise car elle m'expliqua avec un sourire indulgent :

— Les rumeurs circulent très vite, à Lake Lure. Carol Ramsay m'a téléphoné pour me demander conseil à votre sujet.

— Conseil?

— Elle craignait que vous ne perturbiez son grand-père. Je lui ai expliqué que vous faisiez des recherches sur la disparition de votre mari et que, dans la mesure où Dennis n'y voyait pas d'inconvénient, cela ne posait aucun problème. De plus, j'ai expliqué à Carol que vous alliez rentrer chez vous d'un jour à l'autre et que cette visite ne porterait donc pas à conséquence.

Décidément, beaucoup trop de monde souhaitait me voir partir.

— Je resterai ici aussi longtemps qu'il le faudra, décrétai-je, consciente du silence de mort que venaient de produire mes paroles.

Je sentis tous les regards converger vers moi, et une

brusque envie de bousculer la belle assurance de Camilla me prit.

— M. Ramsay s'est montré fort aimable. J'oserais même dire que ma visite lui a procuré un certain plaisir. Il ne m'a guère paru avoir très bonne opinion de Victoria, peut-être parce qu'il était amoureux de vous, madame Brandt?

Autour de nous, le soir tombait, et la lumière diffuse des lampes-tempête adoucissait le contour des visages. Si j'avais réussi à troubler Camilla, celle-ci ne manifesta toutefois d'autre réaction qu'un sourire attendri.

— Le cher homme... et merveilleux écrivain qui plus est. Il a toujours été là, chaque fois que j'ai eu besoin d'un ami...

Cela signifiait-il que son mari n'en avait pas toujours été un? Gordon m'adressa un regard de mise en garde que je décidai d'ignorer.

— Quel genre d'ami était-ce, madame Brandt?

— Vous êtes encore bien jeune, Lauren. Peut-être n'avez-vous pas encore découvert qu'il existe des moments, dans la vie d'une femme, où il lui faut un ami, et rien de plus. Avez-vous commencé le livre qu'il vous a remis?

— Oui, c'est fascinant, on croirait une œuvre de fiction.

— C'en est une, pour une très large part.

— Quelle part, grand-mère? J'en ai lu de larges extraits, voilà bien des années... avant que tu ne me le confisques.

— Tu étais alors trop jeune pour ce genre de littérature, ma chérie. Dennis affectionnait la démesure, les fioritures. Il lui arrivait de faire des entorses à la vérité plus souvent qu'à son tour...

— Dans quel sens, madame Brandt? la pressa Gordon.

— Je crois que Dennis éprouvait alors quelque sentiment à mon égard, fit Camilla, un peu amusée. C'est ce qui explique sans doute le jugement sévère qu'il porte sur mon mari dans cet ouvrage.

Était-ce la vraie réponse? Je me le demandais bien. Un orgueil incommensurable suffisait-il à expliquer les interventions de Roger, tout au long de la journée? J'en doutais.

— La rumeur est-elle allée jusqu'à colporter le fait que mon cher grand-père m'ait, par deux fois aujourd'hui, subtilisé un exemplaire de ce livre, et qu'il se soit rendu jusque chez Ramsay pour le dissuader de me recevoir?

— Il est vrai que Roger a quelquefois une fâcheuse tendance à dramatiser, répliqua Camilla, imperturbable. Il s'est laissé emporter, cela lui arrive souvent. À sa parution, ce livre l'avait profondément bouleversé.

— Qu'y a-t-il dans ce livre qu'il ne faut pas que j'apprenne? demandai-je.

Camilla détourna les yeux pour porter son regard en direction du Rumbling Bald.

— Pourquoi ne pas le lui demander à lui, ma chère?

Mais Roger n'était pas près de me révéler quoi que ce fût et Camilla le savait très bien. Je regardai à mon tour le Rumbling Bald, en me demandant combien de temps encore ce géant endormi garderait son secret.

Apparemment lassée de cette joute oratoire, Finella se leva pour desservir. Natalie alla lui prêter main forte, tandis que Gordon et Camilla bavardaient à bâtons rompus sur les festivités du samedi.

Tout au long du repas, c'était comme si le mannequin n'avait cessé de nous observer. Son séjour forcé dans les bois avait fait sa marque. Cependant, peu importait que, sous ses vêtements pleins d'accrocs, il fût un peu cabossé. Sa mécanique interne était encore en état de fonctionner, et c'était le plus important. Peut-être que son prochain plongeon se ferait du haut d'un quelconque gratte-ciel de la côte Ouest.

— Tu dois avoir une vie passablement aventureuse, lui dis-je ironiquement en pliant la nappe.

Quand je rejoignis Finella dans sa cuisine, celle-ci me chassa gentiment en m'expliquant que j'étais la « vraie » invitée.

— Je ne serai pas longue, Lauren. Je range la vaisselle dans la machine et je vous rejoins. En attendant, allez donc bavarder avec Gordon et Camilla.

Mais comme je regagnais la terrasse, Camilla s'apprêtait à prendre congé. Suivie de Gordon, je la vis entrer dans la maison pour saluer Finella. Je m'accoudai alors au garde-corps et regardai la lune monter dans le ciel. C'était une lune pleine et ronde dont la lumière laiteuse se reflétait sur le lac endormi. De la rive, me parvinrent quelques éclats de voix, mais, plus près de moi, les maisons obscures semblaient désertées par leurs occupants.

Au-dessus de l'eau, des traînées filandreuses de brume se déplaçaient imperceptiblement, et je les regardai se rassembler autour de la remise à bateaux. Non loin de là, quelques marches élevées accédaient à une petite digue que la brume rendait presque invisible. Je décidai d'aller y faire quelques pas, pour m'imprégner des images et des bruits de cette belle nuit.

J'étais à mi-parcours quand, sortie de nulle part, une voix me glaça les sangs.

— Viens, Lauren, viens; j'ai quelque chose à te montrer.

La voix, enveloppée de brouillard, semblait venir du bas des marches. Le ton, bas et monocorde, aurait aussi bien pu être celui d'un homme que d'une femme. Je m'abîmai les yeux à tenter de percer la lumière opaque.

— Qui êtes-vous? bégayai-je. Que voulez-vous?

— Silence, m'intima la voix. Je veux vous parler; à vous et à vous seule. Vous voulez savoir comment est morte Victoria, n'est-ce pas?

Le souffle en suspens, j'oubliai toute prudence, et descendis quelques marches de plus, tentant vainement de discerner une silhouette. Mon interlocuteur était silencieux, à présent. Mon angoisse, conjuguée au clapotement inquiétant du lac à présent invisible, me désorientait. De la maison de Finella, des voix parvinrent jusqu'à moi, parmi lesquelles je reconnus celle de Gordon. Je m'ébrouai mentalement pour m'éclaircir les idées quand, sans crier gare, une voix puissante résonna dans ma tête, aussi clairement que si je l'avais entendue de mes propres oreilles.

— SAUTE!

J'obéis instinctivement, sans chercher à savoir où j'allais atterrir. Peut-être à cause du fait que je me propulsai en avant, le coup n'atteignit que mes épaules. C'était un coup puissamment assené, aux conséquences irrémédiables s'il m'avait touché à la tête. La fraction de seconde que dura ma chute me suffit à comprendre comment Victoria avait trouvé la mort.

Les eaux froides se refermèrent sur moi. J'éprouvai le sentiment de sombrer sans fin, jusqu'au moment où l'instinct de conservation me permit de regagner la surface tant bien que mal. Je barbotai, la tête hors de l'eau, cherchant désespérément un repère, mais aussi l'endroit où pouvait se tapir mon agresseur. À travers le brouillard, je distinguai les marches désertes de l'escalier duquel j'avais plongé. Les piliers du quai se trouvaient seulement à quelques brasses de moi, mais il n'était pas question de me diriger vers des zones obscures : mon assaillant m'y attendait peut-être; pas plus que je n'osais gagner la rive du lac : je commençais à avoir froid et, en dépit du brouillard, je me savais parfaitement vulnérable.

Plus loin, au-dessus de moi, je reconnus la fenêtre de la cuisine de Finella. J'eus beau crier « Gordon! Gordon! », avec leur bavardage, j'avais peu de chances d'être entendue. Il ne me restait plus qu'à nager vers le quai, en espérant que mon agresseur ne m'y attendait pas.

Mais, venant de l'escalier, j'entendis des pas précipités et une voix, qui m'appelait. Je me mis à crier :

— Je suis ici! dans l'eau! Aidez-moi, s'il vous plaît!

Je nageai désespérément jusqu'au quai, tandis que Gordon plongeait à ma rencontre.

— Oh, Gordon! criai-je en claquant des dents.

Je m'accrochai à lui et, une main passée sous mon menton, il me tira jusqu'à une échelle de métal parallèle à l'escalier qui accédait directement au quai. Malgré le froid qui paralysait mes membres, mon esprit était assez clair pour comprendre que cette échelle avait permis à mon assaillant de passer de la digue au quai et de me prendre à revers.

Gordon me ramena sur la terre ferme et, sentant que mes jambes me lâchaient, me prit dans ses bras, et me porta jusqu'à la remise à bateaux. Au milieu des odeurs de sciure de bois et de vernis, je sentis le contact rude d'une couverture indienne étalée sur un lit de camp. Gordon fit de la lumière, et je constatai alors qu'il m'avait installée dans l'atelier où il fabriquait ses tambours. Emmitouflée dans ma couverture, j'éprouvai enfin un sentiment de sécurité. Quand Gordon appela Finella, celle-ci arriva sans tarder, et s'occupa aussitôt de moi sans poser de questions.

— Porte-la jusqu'à la chambre, Gordon; pendant ce temps, je vais aller lui préparer des vêtements secs.

Sans chercher à savoir si je pouvais marcher, Gordon me souleva de nouveau dans ses bras et je m'abandonnai volontiers contre son épaule. Allongée sur le lit de Finella, je le vis se pencher sur moi pour frotter sa joue contre la mienne. Surprise, je voulus le regarder dans les yeux, mais il était déjà parti. Finella m'aida à me débarrasser de mes vêtements trempés et me tendit une robe de chambre que j'enfilai rapidement.

— Je vais vous apporter une boisson chaude, annonça-t-elle. Ensuite, vous me raconterez ce qui vous est arrivé.

Il m'apparut évident que, le repas terminé, Camilla et Natalie ne s'étaient pas attardées et avaient regagné la demeure familiale. Après avoir troqué ses vêtements mouillés contre un vieux chandail et une paire de jeans délavés, Gordon réapparut.

Une infusion me remit un peu d'aplomb. Installée à la table de cuisine, je laissai la chaleur bénéfique imprégner lentement mon être et, une fois mon calme retrouvé, expliquai ce qui m'était arrivé.

— Quelque chose m'a VRAIMENT ordonné de sauter, conclus-je, frémissant encore à la pensée d'avoir frôlé la mort. C'est peut-être Victoria qui m'a prévenue. Peut-être n'a-t-elle pas voulu que je finisse comme elle, assassinée ...

Finella accepta cette notion sans réagir, contrairement à Gordon, qui parut vouloir la rejeter d'emblée.

— Disons plutôt que tu as senti une présence derrière toi... Reste à savoir de qui il s'agit. Quelqu'un semble vouloir se débarrasser de toi parce que tu touches au but, tout comme Jim. Rentre chez toi, Lauren. Va-t-en et oublie tout cela.

Je secouai la tête, faiblement il est vrai, tandis que mes mains cherchaient un peu de réconfort autour de ma tasse.

— Si je suis si près du but, autant aller jusqu'au bout.

Gordon m'adressa un regard inquiet, puis décida d'aller inspecter le quai, afin de s'assurer que mon agresseur ne traînait pas encore dans les parages.

— Auriez-vous une idée de l'identité de cette personne? me demanda Finella, quand nous fûmes seules.

— Pas la moindre. Mais il ne reste que quatre personnes de la génération de Victoria qui aient fait partie de ses proches et qui soient encore de ce monde : Gretchen, Ty, Camilla et Roger. Je ne parle pas de Betsey, qui est impotente et qui adorait Victoria.

— Je ne pense pas que vos soupçons doivent se limiter à ce groupe. Il pourrait aussi bien s'agir d'une personne plus jeune, qui chercherait à protéger un membre de sa famille.

— Vous faites allusion à Justyn et à Natalie. C'est fort possible, quoique, à mon avis, cette piste ne mène nulle part. Natalie n'aurait jamais voulu le moindre mal à Jim, et sa mort est un des éléments déterminants de l'énigme à laquelle je suis confrontée. Quant à Justyn, j'avoue encore ignorer vers qui vont sa loyauté ou ses ressentiments, mais je sais qu'il déteste Ty Frazer et qu'il ne me porte pas dans son cœur; pas plus qu'il n'appréciait l'immixtion de Jim dans les affaires de la famille, du reste...

Gordon revint pour annoncer qu'il n'y avait rien à signaler. Quelle que fût l'identité de mon agresseur, celui-ci n'avait pu venir sur l'île en bateau à moteur — on l'aurait entendu — pas plus qu'à la rame — moyen trop peu efficace pour prendre rapidement le large. La version la plus plausible était qu'après avoir garé sa voiture sur la rive du lac, le mystérieux personnage avait franchi le pont à pied pour observer les allées et venues dans la maison; à moins que notre rencontre ne fût purement fortuite et que mon agresseur eût sauté sur cette occasion inespérée.

Finella alla récupérer mes vêtements dans la sécheuse. Gordon vint alors s'asseoir près de moi, vaguement désorienté, une tasse de café à la main. Je me rappelai alors son inquiétude, la tendresse avec laquelle il m'avait portée dans ses bras, et je lui effleurai lentement la main.

— Désormais, je te promets de ne prendre aucun risque...

— Tu peux en prendre sans même t'en apercevoir,

répliqua-t-il d'un ton sévère qui ne m'abusa cependant pas.

Une fois habillée, je remerciai Finella quand, me prenant dans ses bras, elle déposa un baiser sur ma joue. Gordon me ramena à l'auberge, en insistant pour monter jusqu'à ma chambre, histoire de s'assurer que tout allait bien. Je promis de m'enfermer à double tour. Le voyant hésiter devant ma porte, je l'embrassai vivement et lui fermai la porte au nez sans lui laisser le temps de réagir. Le passé le faisait encore souffrir, mais je savais que cela ne durerait pas.

Confortablement installée dans mon lit, je me plongeai à nouveau dans ma lecture, plus curieuse que jamais de découvrir ce que Roger Brandt s'efforçait de me cacher.

Peu à peu, je pris la mesure de l'engouement qu'éprouvait l'auteur pour Camilla, et par là même des préjugés qu'il avait dû nourrir à l'endroit de Victoria Frazer. De fait, Dennis Ramsay voyait ma grand-mère à travers les yeux de Camilla.

Impatiente de trouver réponse aux questions qui me taraudaient, je cessai ma lecture attentive, pour rapidement parcourir les pages du livre, ne m'arrêtant qu'aux paragraphes susceptibles de m'intéresser. J'en repérai un parmi tant d'autres, qui avait dû donner quelques sueurs froides à bon nombre de personnes. Camilla, écrivait Ramsay, possédait un tempérament de feu, propre aux Hispaniques; et lorsque la liaison de son mari avec Victoria était devenue trop évidente, elle s'était offert une petite vengeance. Bien mesquine, il est vrai, mais peut-être pas pour Roger Brandt car, armée d'une paire de cisailles de jardinier, Camilla avait découpé en petits morceaux le « stetson » favori de son mari. Cette vengeance avait provoqué une bagarre que John Wayne en personne n'aurait point reniée. Ainsi Ramsay écrivait :

> Ce jour-là, je me trouvais sur la terrasse située au dernier étage de la maison, ce qui me permit de tout entendre. La violence du ton m'alarma au point que, craignant que Roger n'infligeât quelque blessure à Camilla, je descendis pour m'interposer. Cependant, une fois sur les lieux, je fus éconduit sans ménagement, par l'un comme par l'autre, et mon intervention ne fit qu'attiser leur animosité réciproque.

Évitant les coups de Camilla, Roger réussit à lui arracher la paire de cisailles des mains. Puis il se dirigea vers une corbeille à papier pour y jeter les débris de son chapeau préféré. Pour le restant du tournage, il dut porter un chapeau tout neuf, sans les auréoles de sueur que l'on peut remarquer au début du film.

Mes réflexions me détournèrent un instant de ma lecture. Malgré la violence des sentiments qui sévissaient entre eux, Roger n'avait jamais quitté sa femme. Avait-il, au bout du compte, cherché à la protéger? Ou était-ce le contraire? Quelle que fût l'occurrence, un fait restait établi : ces deux-là étaient liés l'un à l'autre dans une sorte de relation d'amour-haine que je pensais encore vivace. Je me demandai si c'était ce paragraphe-là dont Roger avait voulu m'éviter la lecture avec tant d'insistance.

Après une nuit agitée, je m'éveillai tôt le matin, prête, cependant, pour l'étape finale. Quand je téléphonai à Betsey pour lui demander de me recevoir, elle me parut enchantée, pas le moins du monde surprise de ma requête. Je pouvais aller la voir quand bon me semblerait, me dit-elle.

Je n'eus aucune difficulté à trouver la route de la vallée aux pommeraies, ni même à localiser la maison de Betsey Harlan. Quand j'entrai dans la cour de la ferme, je la vis qui m'attendait sous la véranda, assise dans son fauteuil roulant, les yeux brillants d'une impatience qui me mit mal à l'aise. J'envisageai un instant de faire demi-tour et de passer mon chemin, mais je ne possédais pas encore assez de sagesse pour cela.

CHAPITRE TREIZE

Betsey me parut d'humeur joyeuse. Elle portait une grande robe bariolée — probablement rescapée d'un vieux film — qui enveloppait complètement sa petite personne, et que venait agrémenter une paire de bottillons de cow-girl cousus main. Sa tête minuscule s'ornait d'un turban de crêpe de soie blanche que je reconnus comme étant celui que portait Victoria dans *Blue Ridge Cowboy*.

Tandis que je montais les quelques marches du perron, elle me tendit les deux mains avec chaleur.

— J'attendais votre appel avec impatience; je savais que vous viendriez me voir aujourd'hui.

Cette fois, force m'était de reconnaître à Betsey Harlan des dons incontestables. Lorsque sa petite-fille s'approcha timidement d'elle pour lui prêter assistance, elle la renvoya d'un revers de la main.

— Lauren s'occupe de moi, ma chérie. Je te ferai signe quand j'aurai besoin de toi.

Je retins la porte-moustiquaire, permettant ainsi à la vieille dame d'entrer dans la maison. En dépit de son infirmité, si je devais en juger par la vivacité avec laquelle elle se déplaçait, les bras de Betsey avaient gardé toute leur vigueur. Pénétrant pour la seconde fois dans la chambre aux mille couleurs, j'eus à nouveau le sentiment de me trouver au centre d'une toile de Matisse.

— Asseyez-vous donc, Lauren. J'espère que vous aimez ma tenue, c'est un ancien costume de film. Victoria m'avait ménagé un petit bout de rôle dans le film que Roger Brandt a tourné à Lake Lure, après *Blue Ridge Cowboy*. J'y tenais le rôle d'une gitane, diseuse de bonne aventure.

— J'ai reconnu le turban, dis-je.

— Personne ne l'a porté depuis la fameuse scène dans la

225

salle de bal, fit Betsey, l'air rêveur. Cette séquence a été tournée au Grove Park Inn, à Asheville. J'ai précieusement gardé ce turban. Avec la robe. Car c'est bien pour cela que vous êtes venue, n'est-ce pas?

— Comment le saviez-vous?

— Mon petit doigt...

— Pas étonnant qu'on vous ait demandé de jouer les diseuses de bonne aventure... Et que savez-vous d'autre?

Bien que l'éclat de son regard pâlît un peu, Betsey eut tôt fait de se ressaisir.

— Tenons-nous-en à ce bal costumé. Vous y porterez la robe de votre grand-mère, bien sûr, ça la rappellera au bon souvenir de certains... Allez la chercher, nous allons l'essayer. Vous avez à peu près les mêmes mensurations, et le fait que vous soyez un peu plus grande qu'elle n'a guère d'importance : vous n'aurez pas de traîne...

J'obtempérai sans un mot et sortis la housse du placard.

— Allez vous changer dans la salle de bains, m'encouragea Betsey. J'ai ici un grand miroir dans lequel vous pourrez vous voir en pied. Hâtez-vous, il me tarde de voir de quoi vous avez l'air.

J'accrochai la housse à la tringle du rideau de douche, et me débarrassai de mon pantalon et de mon chemisier. Une fois enfilée la longue combinaison de satin blanc dont les fines bretelles seyaient parfaitement à mes épaules, je passai précautionneusement la robe par-dessus ma tête. De minuscules boutons de perles couraient le long du dos et je me limitai à boutonner ceux qui étaient accessibles car, de toute évidence, personne ne pouvait endosser un tel vêtement sans aide. Je retournai vers Betsey Harlan et m'agenouillai en lui tournant le dos.

Malgré ses articulations déformées par l'arthrite, la vieille dame réussit à glisser les perles dans leurs boutonnières. La robe ne comportait aucun décolleté, sans doute pour mieux mettre en relief l'adorable visage de Victoria et, avant même de me regarder dans le miroir, je sus que je ne soutiendrais pas la comparaison.

En me redressant, je vis les yeux de Betsey embués de larmes.

— La dernière fois que j'ai fait cela, c'était pour Victoria. Elle était si belle...

— Je sais, balbutiai-je timidement. Je m'en suis rendu compte en voyant le film que m'a projeté Roger Brandt. Il semblait d'ailleurs terriblement ému.

Betsey secoua la tête.

— C'est bien moins notre belle Victoria qui l'émouvait que sa petite personne dans son stupide rôle de garçon-vacher. Un tartufe et un narcisse, c'est ce qu'est ce personnage, clama Betsey en gesticulant comme pour chasser cette seule idée de son existence. Cette robe vous va à ravir...

— Je suis loin de ressembler à ma grand-mère, Betsey, je le sais. Mais peut-être, en la portant, parviendrai-je à en surprendre quelques-uns...

Betsey m'examinait d'un œil expert.

— Vos cheveux sont beaucoup trop foncés. Il faudrait qu'ils soient blond platine, comme ceux de Victoria. C'est pourquoi vous devrez porter ce turban. Ce turban était MON idée; il mettait en valeur son port de tête. Et c'est moi qui lui ai appris comment le nouer autour de sa tête. D'ailleurs, quelques années plus tard, Garbo a porté le même, et je soupçonne sa costumière de m'avoir honteusement plagiée.

Ce disant, Betsey se défit du turban et, d'un geste, m'encouragea à m'agenouiller devant elle. Le visage tout près du sien, je pus alors compter presque une à une les rides de son visage; des rides dans lesquelles je ne vis aucun signe de tristesse, me sembla-t-il, plutôt la marque d'une grande sagesse, et surtout, surtout, de beaucoup de joies. Cette femme n'était pas du genre à se répandre en larmes à cause de la perte d'un fiancé ou d'une grande amie. Même son impotence, elle semblait l'assumer avec naturel et courage. Je sentis s'exhaler de son souffle une subtile odeur mentholée et, emportée soudain par un élan de tendresse, je l'embrassai sur la joue.

— Je sais pourquoi Victoria vous aimait tant, Betsey...

— Nous nous entendions bien. Vous savez sans doute qu'elle a vécu ici, à la ferme, jusqu'au moment où elle a mis son enfant au monde. Naturellement, soucieux comme ils l'étaient d'étouffer le scandale, les studios avaient donné leur accord : en ce temps-là, il était inconcevable qu'une femme ait un enfant sans être mariée. Elle a donc suivi les instructions qui lui avaient été dictées, bien qu'elle souffrît terriblement d'être séparée de Roger Brandt. Après la naissance, elle est retournée quelque temps à Lake Lure, auprès de sa sœur. Je soupçonne qu'elle voulait par là donner une dernière chance à Roger de renoncer à Camilla. J'ignore ce qu'il s'est passé, mais elle m'a alors demandé d'emporter le bébé très loin, hors d'atteinte de Roger. Eh, oui, c'est moi qui ai emmené votre maman en Californie, chez les amis de Victoria. « Emporte-la, m'a-t-elle dit. Emporte-la vite, sinon je ne pourrai jamais m'en séparer. » Et quand je suis revenue, votre grand-mère était morte.

Je demeurai interdite, abasourdie par les révélations que je venais d'entendre. Betsey restait elle aussi immobile, le regard dans le vague, la bande de crêpe pendant entre les doigts.

— Vous devez savoir la vérité, Lauren, à défaut de quoi vous ne pourrez, en toute conscience, porter ce vêtement. Voyez-vous, même si elle en avait le visage, Victoria n'était pas un ange.

— Je le conçois, la rassurai-je. J'ai commencé la lecture de la biographie qu'a écrite Dennis Ramsay. Quand bien même ce dernier, amoureux fou de Camilla, n'éprouvait qu'une sympathie mitigée pour ma grand-mère, il doit exister une très large part de vérité dans ses affirmations.

— Dennis n'était qu'un idiot. Il s'est tourné vers Camilla, simplement parce que Victoria ne voulait pas de lui. Mais peu m'importe toutes les vilaines actions qu'elle ait pu faire, elle s'est toujours montrée très bonne pour moi.

— Naturellement. Vous deviez l'aduler, la soutenir... peut-être avait-elle besoin de cela...

— Je l'aimais vraiment, corrigea Betsey. Et seuls Ty et Gretchen l'aimaient autant que moi; même si Ty en voulait à sa sœur aînée de lui avoir coupé les vivres, et de l'avoir du même coup contraint à interrompre ses études.

— Comment a-t-elle pu se montrer si cruelle envers son

propre frère?

— À long terme, elle a eu raison. Victoria connaissait son frère mieux que quiconque, et elle savait très bien que Ty ne résisterait jamais à quatre années de collège; c'était bien trop pour lui.

— Mais elle l'a aussi empêché de vous épouser...

— Dieu merci! Je n'ose imaginer ce qu'aurait été mon existence auprès de Ty Frazer! Un premier amour, c'est presque toujours voué à l'échec; vous avez sûrement connu cela...

« Presque, mais pas toujours, rectifiai-je mentalement. Il arrive que le premier amour soit aussi le véritable amour, mais que l'on soit trop jeune pour s'en apercevoir. Et puis, tout le monde a droit à une seconde chance, que je sache... »

— Et Gretchen? aimait-elle vraiment Victoria?

— Bien sûr, mais à sa façon... Le problème, c'est qu'elle voulait que sa sœur aînée fût plus parfaite, si j'ose m'exprimer ainsi, qu'elle ne l'était déjà. Il faut dire que, même étant la cadette, c'est Gretchen qui tenait les rênes de la famille. Il faut dire aussi qu'elle était bien plus sensée que ses frère et sœur. Quand Victoria est tombée enceinte, elle en a fait toute une maladie, sans parler de la haine qu'elle s'est mise à éprouver pour Roger Brandt. Après la mort — ou la disparition, comme vous voudrez — de Victoria, Gretchen a cherché à récupérer l'enfant. Mais la décision de Victoria était très claire sur ce sujet, et elle n'a jamais réussi à en obtenir la garde.

— Pensez-vous que Victoria se soit volontairement noyée, sous prétexte qu'elle ne pouvait vivre sans Roger Brandt?

Abruptement, Betsey se remit à m'« enturbanner » la tête et je compris qu'il valait mieux ne pas insister.

— Je vous apprendrai à le faire toute seule, reprit-elle. À présent, allez vous regarder dans le miroir.

À l'extrémité de la pièce, le grand miroir me renvoya l'image de quelqu'un que je ne connaissais pas. C'était une sensation à laquelle j'étais loin de m'attendre. La grande robe blanche à bustier étroit me conférait une silhouette somme toute séduisante, mais, la touche finale donnée par le turban achevait d'éclipser le peu qu'il restait de Lauren Castle, et je n'aimai pas du tout cela. Si je n'étais ni Victoria ni Lauren, qui étais-je?

Betsey émit une sorte de grognement de satisfaction.

— Vous ne lui ressemblez pas vraiment; quoiqu'il existe un petit quelque chose. Vous avez la même forme de crâne, le même port de tête... vous avez le dos plat, comme elle, mais c'est à peu près tout ce qui mérite d'être noté... sauf, peut-être, un vague air de famille...

Betsey marqua une pause, avant de reprendre :

— J'espère que ce déguisement n'aura pas de conséquences trop graves...

J'allais lui répondre, mais l'intense jubilation dont je fus, un court instant, envahie fit place à un sentiment de peur. Loin de me plaire, la personne que je voyais dans le miroir m'effrayait, comme si mon corps n'appartenait plus à Lauren Castle, mais à Victoria Frazer.

— Je me demande si elle n'est pas quelque part, en train de nous épier, fis-je, mi-figue, mi-raisin.

— Sûrement. Elle ne renoncera pas tant que la lumière n'aura pas été faite...

— Vous ne croyez pas du tout à son suicide, n'est-ce pas?

— Mieux vaut oublier tout cela, mon enfant. Laissez donc Victoria s'en occuper, puisque c'est ce qu'elle veut...

— Tout bien pesé, peut-être ne devrais-je pas porter cette robe...

— La décision vous appartient. Je ne pense pas que l'on vous prendra pour elle, mais on reconnaîtra la robe, et soyez assurée que vous en impressionnerez plus d'un.

— Mais vous, que pensez-vous que je doive faire?

— J'aimerais bien voir ce qui va se passer, dit Betsey en se couvrant le visage des deux mains. J'y parviens quelquefois, mais là, je ne vois que du brouillard, comme sur le lac...

— Je sais, fis-je, je suis tombée dans le Lake Lure, hier soir.

Alors que je lui racontais en détail les événements de la veille, Betsey avait gardé son visage enfoui dans ses mains. Quand elle les retira, je vis que son opinion était faite.

— N'allez pas à cette soirée. Retirez cette robe et laissez-la ici. Venez, je vais vous aider.

Le temps que Betsey déboutonnât ma robe, j'en profitai pour ôter mon turban et le plier soigneusement. Je regagnai ensuite la salle de bains, afin de remettre mes vêtements, sans toutefois remettre la robe du soir dans sa housse, puisque, désormais, personne ne pourrait me dissuader de la porter au bal.

— Auriez-vous un sac dans lequel je pourrais mettre ces vêtements, Betsey? demandai-je brusquement. Je vais les emporter avec moi, si vous n'y voyez pas d'inconvénient...

Comprenant que ma décision était irrévocable, Betsey se contenta de m'adresser un regard navré.

— Il y a un sac de toile, accroché dans le placard, vous n'avez qu'à le prendre.

Quand tout fut soigneusement empaqueté, je me baissai vers Betsey pour l'embrasser encore sur la joue.

— Merci, chère Betsey.

En réponse, Betsey m'adressa un clin d'œil de hibou, puis ferma les yeux. Je doutais qu'elle tombât brusquement de sommeil, mais je n'insistai pas et quittai la chambre.

— Je vous donnerai de mes nouvelles, lui lançai-je de la porte, sans toutefois obtenir de réaction.

Je regagnai l'auberge, l'esprit préoccupé. Je brûlais d'envie de parler à Gordon de la robe, mais connaissant ses réticences quant à ma présence au bal costumé, je m'abstins. De son côté, il ne m'avait toujours pas révélé quel serait son déguisement.

Je garai la voiture, récupérai mon sac et pris le chemin de ma chambre. Dans le hall, Mlle Adrian m'adressa un signe. Comme je m'approchais du comptoir de réception, elle me tendit un message que je n'ouvris qu'une fois dans ma chambre. Finella avait plusieurs fois tenté de me joindre, et me demandait de la contacter le plus tôt possible.

Je décidai cependant de ranger d'abord la robe et le turban de Victoria. Je dépliai délicatement le vêtement et l'accrochai dans un coin obscur de la penderie, tel un fantôme oublié attendant de prendre possession de mon être.

Dès l'instant où je m'en étais revêtue, j'avais ressenti une sorte de jubilation prémonitoire, comme un picotement de méchanceté qui me courait le long de la moelle épinière car, ce qui m'importait par-dessus tout, c'était de voir les têtes de Roger et de Camilla au moment où je ferais mon entrée. Toutefois, quelque chose me retenait : depuis mon arrivée, j'avais l'impression qu'une présence invisible, attendant le moment propice, observait tous mes gestes. Et si cette robe allait m'ouvrir une porte que je ne pourrais jamais refermer?

Mais, mon esprit rationnel reprenant le dessus, je m'empressai de mettre ces élucubrations sur le compte de la « légende ». La personne qui avait tenté de m'assommer n'était certainement pas un esprit, aussi frappeur fût-il. Et c'est seulement mon instinct qui m'avait permis de lui échapper. Mon ennemi était tout à fait réel et j'en éprouvai bien plus de colère que de frayeur. J'étais persuadée avoir, quelque part, touché un point sensible, sinon cette agression n'avait aucun sens. Si seulement Jim m'avait fait part de ses découvertes...

Je refermai la porte de la penderie et, quand je téléphonai à Finella, celle-ci me demanda d'aller immédiatement la rejoindre à son magasin.

— Ty est avec moi, et je ne l'ai jamais vu aussi bouleversé. Il croit que Victoria lui en veut et que vous êtes la seule à pouvoir la persuader de le laisser tranquille. Je ne suis pas parvenue à lui faire entendre raison; il veut vous parler et à vous seule. Je vous en prie, venez vite, Lauren, tout cela est au-dessus de mes forces.

— Bien sûr. Je serai chez vous dans quelques minutes, promis-je, alarmée.

J'abandonnai sur place le fantôme de Victoria et gagnai précipitamment ma voiture.

Finella m'attendait devant la porte du magasin. Bien que très bouleversée, elle tentait de garder un semblant de contenance.

— Comment allez-vous, Lauren? Je me suis beaucoup inquiétée pour vous.

— À part un bleu à l'épaule, je vais très bien. Je reviens de chez Betsey.

Ty nous entendit de l'intérieur du magasin, et se précipita aussitôt vers moi.

— Tiens-toi loin d'elle! me cria-t-il. C'est elle qui te donne toutes ces mauvaises idées! Victoria se sert d'elle, et elle, elle se laisse faire!

— Je préfère me faire moi-même mon opinion, rétorquai-je, un peu plus sèchement que je ne l'aurais voulu. Pourquoi voulez-vous me voir?

— Tu sais très bien pourquoi! Elle a pas essayé de t'assommer, hier soir, peut-être?

La conversation s'annonçait difficile.

— Allons nous asseoir, nous pourrons discuter calmement, dis-je, en me dirigeant vers le fond du magasin.

Mais tandis que je m'installais sur le sofa, Ty préféra s'asseoir par terre, en tailleur, les yeux levés vers moi.

— Très bien, dis-je. Que signifie toute cette histoire sur Victoria? Ce n'est sûrement pas elle qui a tenté de m'assommer, hier soir...

— Ils peuvent être partout, et à plusieurs endroits à la fois...

— Qui cela, « Ils »?

— Les esprits.

— Je ne crois pas aux esprits.

— Tu vas pas me dire que t'as pas senti sa présence?

Je n'étais pas près d'avouer une telle chose; et surtout pas à Ty.

— Je suis comme vous : j'ai l'imagination fertile.

— Pourquoi t'es allée voir Betsey?

— Ça ne regarde que Betsey et moi, Ty; et je ne sais toujours pas ce que vous avez à me dire.

— Victoria, elle t'écoute, toi. Dis-lui de me laisser tranquille. Elle était déjà pas gentille avec moi de son vivant, alors qu'elle cesse de me tourmenter.

— Et comment le lui dirais-je?

— Cesse de la repousser; laisse-la entrer.

— Et si je refuse?

— T'aurais tort. Elle pourrait t'apprendre des choses que tu veux savoir; à condition qu'elle ait envie de dire la vérité; parce qu'à l'époque, c'était une sacrée menteuse, ma chère sœur!

— Betsey m'a paru plus indulgente que vous, Ty. Elle admet que Victoria n'a pas toujours été irréprochable, mais ça ne l'empêchait pas de l'aimer et d'admirer ses qualités.

— Qualités? Quelles qualités?

Le vieil homme semblait si profondément ancré dans son amertume que je n'insistai pas.

— Je ne suis pas certaine de vouloir la laisser entrer, comme vous dites. Si, comme vous le prétendez, nous sommes entourés d'esprits, il me semble inutile de les encourager à se manifester.

Le téléphone sonna et Finella, qui suivait la conversation avec intérêt, s'empressa de décrocher. Ty se pencha vers moi, les bras posés sur ses genoux.

— Si tu veux, tu peux tout de suite entrer en contact avec elle, Lauren. T'as qu'à fermer les yeux et penser à rien, ça t'aidera.

Fouillant dans le sac à dos dont il ne se séparait jamais, le vieil homme en extirpa une brindille.

— C'est du romarin. Tu sais à quoi ça sert, pas vrai? Ça sert à se souvenir...

— Je n'ai aucun souvenir de Victoria ni de l'époque durant laquelle elle a vécu. Que suis-je censée me rappeler, exactement?

— T'inquiète pas, tu le sauras toujours assez tôt. Vas-y, ferme les yeux et sens ça. Elle va se souvenir, elle...

— Pas ici, décidai-je en mettant la brindille de romarin dans mon sac. Je vais l'emporter et j'essaierai peut-être un peu plus tard.

Finella revint et adressa à Ty un hochement de tête réprobateur.

— C'était Gretchen. Quand je lui ai appris que tu étais ici, elle m'a dit qu'avec ton épaule blessée, tu ne devais pas courir par monts et par vaux, comme tu le fais. De toute manière, elle sera là d'une minute à l'autre.

— J'veux pas la voir, bougonna Ty, un peu affolé. Elle va vouloir encore m'enfermer Dieu sait où. Dis-lui qu'je vais bien et qu'elle arrête de m'courir après.

— Ce n'est pas toi qu'elle veut voir mais Lauren.

— Bon ben dans c'cas, j'me sauve! Pense à c'que j't'ai dit, ajouta-t-elle en se tournant brusquement vers moi. Maintenant que t'as pris la relève, elle me parlera plus. Tu me raconteras ce qu'elle t'a dit...

Ty se dirigea vers la sortie, pas assez vite, cependant, puisque Gretchen, le souffle court, entrait déjà dans le magasin.

— Ça va, la rassura précipitamment son frère. Mais c'est de Victoria que tu dois t'inquiéter; elle s'est échappée et veut se venger de tous ceux qui lui ont fait du mal.

— Il m'arrive de me demander si Siggy n'a pas plus de jugeote que toi, mon pauvre Ty, renâcla Gretchen.

En réponse, Ty adressa à sa sœur un regard hostile et sortit.

— Venez, Lauren, fit alors ma grand-tante, il est grand temps que je vous montre quelque chose.

Je commençais à en avoir soupé des Frazer, et quand Gretchen me prit le bras, je me libérai brusquement.

— Je n'irai nulle part sans que vous me disiez de quoi il s'agit.

— Calmez-vous, Lauren, insista-t-elle en posant une main conciliante sur mon épaule. Tous ces événements vous empêchent d'avoir les idées claires.

Bien malgré moi, je renonçai à lui tenir tête. Au moment où Gretchen retira sa main, je me sentis plus détendue. Une fois de plus, un simple toucher avait suffi pour dissiper mes angoisses. Il m'apparut aussi évident que Finella était habituée à ce genre d'exercice, car elle hocha la tête d'un air entendu.

— Tout ira bien, Lauren. Ce que veut vous montrer Gretchen doit être très important. Suivez-la, nous nous reverrons plus tard.

La cloche de l'entrée tintinnabula, et Finella s'empressa

d'aller accueillir un groupe de touristes qu'un autobus venait de déverser sur le bord de la route.

— Nous devons d'abord passer à l'auberge, m'annonça Gretchen. Retrouvons-nous dans le stationnement.

J'acquiesçai passivement, dans un état d'esprit étrangement calme.

— Seriez-vous un peu sorcière, Gretchen?

— Pour une très petite part, me répondit-elle avec un sourire qui me rappela celui de son porc.

« Peut-être est-ce vrai qu'on finit par ressembler à son animal familier », me dis-je.

Sa voiture était garée non loin de la mienne, et je la suivis sur la route, à présent familière, du Rumbling Mountain Lodge. Après avoir rangé sa voiture dans le garage, Gretchen s'approcha de moi en m'adressant un signe.

— Descendez jusqu'à ma maison, nous allons prendre mon bateau, m'annonça-t-elle avant de s'éclipser sans me laisser le temps de lui répondre.

Alors que nous atteignions la maison, un curieux spectacle s'offrit à mes yeux. Un sac dans la gueule, Siggy cherchait désespérément à sortir par la trappe réservée à cet effet. Mais comme le sac était bien plus grand que l'ouverture, ses efforts restaient vains. Gretchen se mit à rire.

— Si on lui laissait le temps, je suis certaine qu'il finirait par comprendre, et qu'il irait reposer le sac où il l'a pris. Il est assez intelligent, pour un animal de sa race... Attends, Siggy, je vais t'aider.

Une fois libéré, l'animal se mit à trotter allègrement aux côtés de sa maîtresse.

— Tu peux sortir quand tu veux, mon garçon, lui dit Gretchen. Mais tu ne dois pas prendre mon sac à provisions, tu as déjà le tien. Allez, va le chercher.

Mais au lieu de cela, l'animal s'assit sur son derrière et, la langue pendante, se mit à fixer Gretchen de ses petits yeux porcins.

— Très bien, très bien, je t'emmène, mais à condition que

tu te tiennes tranquille. Je me demande comment tu te débrouilles pour savoir chaque fois que je vais sortir en bateau. Allez, vas-y! l'encouragea Gretchen.

L'animal sauta alors joyeusement dans l'embarcation et alla s'installer à l'avant. Gretchen embarqua à son tour et me tendit la main pour m'aider à monter à bord.

— J'espère que, cette fois, vous n'allez pas m'abandonner quelque part, dis-je, sans toutefois éprouver la moindre inquiétude.

— Excusez-moi, ce n'est pas dans mes habitudes, mais j'étais particulièrement troublée, cette fois-là.

Gretchen dirigea son embarcation vers le Rumbling Bald et gagna le milieu du lac sans que nous ayons échangé un seul mot. Le bateau de Justyn arrivait dans notre direction, mais elle ne changea pas de cap pour autant, allant même jusqu'à adresser un salut moqueur à son capitaine. Celui-ci réduisit les gaz et, au moment où nous le croisâmes, posa sur nous un regard soupçonneux.

Je me demandai si nous nous rendions à la maison de Roger Brandt, mais la plage attenante, vers laquelle nous nous dirigions, semblait déserte. Tandis que Gretchen accostait près d'un quai branlant, je repérai un sentier qui longeait la rive du lac, semblable à celui que j'avais suivi quelques jours plus tôt, après que ma grand-tante m'eut abandonnée.

— Tu restes ici pour surveiller le bateau, dit-elle à Siggy.

Je suivis Gretchen sur la terre ferme, et elle s'engagea sans un mot sur le sentier broussailleux. Le barrage n'était pas loin et, à travers les sous-bois, je distinguai des pans de toiture de la demeure des Brandt.

Gretchen semblait d'humeur triste, quoique « sinistre » me parût plus approprié, ce qui était loin de me rassurer. Malgré les questions qui se bousculaient dans ma tête, je me tins coite. Les effets de son « tour de magie » s'étaient dissipés et, quand la rive du lac amorça une brusque courbe vers l'intérieur des terres, pour former une minuscule anse apparemment inhabitée, je me découvris plus angoissée et impuissante que jamais.

— Ce qu'on raconte aux touristes est faux, annonça

Gretchen sans préambule, c'est ici qu'est morte Victoria.

Je me figeai sur place, tandis que Gretchen tournait vers moi un visage dénué d'expression.

— Il fallait que vous sachiez la vérité, Lauren, ou, du moins en partie, car une seule personne pourrait vous dire l'entière vérité. Je pense qu'on a assez raconté de sornettes, sur cette histoire... Voilà, c'est ici que nous l'avons découverte.

Je restai immobile, incapable de faire un geste, pendant que, s'agenouillant sur le sentier, Gretchen écartait les buissons comme pour y retrouver ce qu'elle avait découvert voilà bien des années. Un serpent glissa devant elle jusque dans l'eau, mais elle ne bougea pas. Même les serpents ne s'y frottaient pas, pensai-je. Je me gardai de toute question, mais restai néanmoins tendue, attendant impatiemment la suite des événements. Gretchen leva les yeux vers moi.

— Quand Roger et moi l'avons découverte, elle était déjà morte. Je crois qu'elle est morte instantanément, à la suite du violent coup qu'on lui avait assené sur la tête.

Puis Gretchen s'assit sur les talons en se cachant le visage. En voyant des larmes couler entre ses doigts, je compris que la douleur d'avoir perdu sa sœur était aussi vive qu'au premier jour. Ainsi, Victoria était morte à la suite d'un coup à la tête... c'est exactement ce que j'avais pensé, la veille, au moment où on avait tenté de m'assommer. Gretchen poursuivit ses explications d'une voix éteinte.

— C'était la fin de l'après-midi. Roger et moi marchions côte à côte sur ce sentier. Une violente dispute nous avait opposés, et nous étions venus ici afin que nos propos ne fussent entendus par personne. J'étais outrée par la manière dont il traitait Victoria, mais ce monsieur ne supportait pas d'être critiqué. Il est allé jusqu'à me dire que ma sœur avait apprécié ce « petit intermède » autant que lui. Imaginez : appeler sa relation avec Victoria un « petit intermède »! C'est en arrivant dans cette courbe que nous l'avons trouvée. Comme elle s'habillait presque toujours en blanc, elle était visible de loin. Je me rappelle qu'un pan de sa robe trempait dans l'eau. Je vois encore la tâche rouge sombre sur son crâne et sur le haut de sa robe. Roger s'est presque évanoui, non parce qu'il l'aimait, mais parce qu'il pensait déjà aux conséquences que cette mort aurait sur lui et sur sa carrière. Car, si jusque là son entourage s'était efforcé d'étouffer le scandale, il savait que, désormais le monde entier allait le montrer du doigt. Le meurtre de Victoria ne pouvait être caché, à moins que... Gretchen se redressa en époussetant son jean avant de poursuivre : Il était temps que vous sachiez la vérité, reprit-elle. Votre grand-mère n'est pas morte noyée. Quelqu'un lui en voulait au point de l'assassiner. Je le savais déjà, à ce moment-là, et, encore aujourd'hui, je me demande jusqu'à quel point elle n'est pas responsable de ce qui lui est arrivé. Avec la mort de Victoria, une merveilleuse étoile a terminé sa course dans le ciel. Jusqu'ici, je ne suis revenue à cet endroit qu'en rêve. Lorsqu'il y a mort violente, les lieux en restent très longtemps hantés...

Comme pour me signifier qu'elle n'avait plus rien à me dire, Gretchen tourna les talons et commença à se diriger vers son bateau. Mais je la rejoignis en deux enjambées et lui attrapai le bras.

— Attendez! Vous devez me raconter la fin de cette histoire! Vous en avez trop dit, à présent! Que s'est-il passé ensuite?

— J'ai commis une terrible erreur, avoua alors Gretchen. J'ai écouté Roger. Il m'a raconté qu'il était impossible qu'on la découvrît dans cet état... assassinée. Il m'a parlé de la carrière de Victoria; il m'a expliqué que le scandale qui s'ensuivrait anéantirait tout ce qu'elle avait accompli, qu'il valait mieux qu'elle disparût, tout simplement. Son corps ne serait jamais retrouvé, et les gens seraient libres d'imaginer ce qu'ils voudraient. C'est à ce moment-là qu'il s'est emparé de son écharpe blanche et qu'il est allé la nouer autour d'un pilier du quai. Puis il m'a dit qu'il connaissait un endroit où cacher le corps, un endroit où on ne le trouverait jamais, mais qu'il ne parviendrait pas à le transporter tout seul. C'était là-haut, sur le Rumbling Bald. Je l'ai donc aidé; et, pendant l'escalade, je pensais aux terribles conséquences, si jamais on découvrait Victoria dans cet état. J'avais peur...

— Pour Ty? murmurai-je.

Mais, ignorant ma question, Gretchen préféra poursuivre ses aveux :

— Pendant que nous escaladions la montagne, je me suis souvenue d'une lettre qu'avait écrite Victoria. Vu les circonstances, on pouvait l'interpréter comme une annonce de suicide.

Je prenais progressivement conscience à quel point la disparition de Victoria avait été minutieusement élaborée. Si c'était un bon moyen de limiter les dégâts, à qui toutes ces dispositions profitaient-elles le plus? Peut-être qu'à ce stade-là, Roger se disait que sa carrière et sa réputation pouvaient encore être sauvées. Il n'avait pas compris qu'un enfant illégitime dont la mère s'était suicidée suffirait à la presse pour faire ses choux gras pendant des mois. J'étais persuadée que les répercussions de ce drame avaient été bien pires que lui ou quiconque de son entourage ne l'avaient soupçonné.

— Où est-elle? demandai-je dans un souffle.

Gretchen leva les yeux vers la sombre montagne qui se dressait devant nous.

— L'escalade fut difficile, mais nous l'avons toujours portée. Au moment où nous atteignîmes la grotte dont m'avait parlé Roger, la nuit était tombée. Roger avait sur lui une lampe de poche et nous l'avons déposée tout au fond de la grotte. C'est là que nous l'avons enterrée, au cœur de la montagne.

— Y êtes-vous jamais retournée?

— Une fois, j'ai essayé de retrouver cette grotte, mais l'entrée est une mince fissure entre deux rochers, et elle est invisible, à moins d'en connaître les repères. Roger les connaît, mais je n'ai jamais osé lui en parler. Nous sommes sortis de cette épreuve avec l'accord tacite de ne jamais plus en parler, de faire comme si cette nuit-là n'avait jamais existé. Nous ne pouvions plus faire machine arrière, comprenez-vous...

— Pourquoi m'avoir raconté cette histoire? demandai-je, fortement ébranlée.

— Pour que vous cessiez vos investigations et rentriez chez vous. Oubliez tout cela, Lauren. Quelle différence cela fait-il, aujourd'hui? Laissez-la reposer en paix. Cette montagne est une tombe à sa mesure.

— Je ne pense pas qu'elle repose en paix, répliquai-je. Pas plus que je ne pense que les personnes ayant eu affaire à elle puissent vivre en paix, encore aujourd'hui. Jim est mort. Peut-être a-t-il trouvé la mort parce qu'il avait découvert que Victoria a été assassinée, tout comme on a tenté de le faire, hier soir, sur ma personne...

— Mais... que voulez-vous dire?

Je lui racontai ma mésaventure de la veille; elle écouta dans un silence de mort. Si elle avait sa petite idée sur la question, elle n'en souffla mot. Nous arrivions au bateau. En voyant sa maîtresse, Siggy se mit à pousser des couinements de joie, comme s'il avait craint ne plus jamais la revoir. Le front soucieux, Gretchen le gratta distraitement entre les oreilles, et nous refîmes la traversée sans qu'une seule parole ne fût échangée. Arrivée à quai, elle débarqua son animal et, avant qu'elle ne s'éclipsât, je l'arrêtai d'un geste.

— Je suis heureuse que vous m'ayez raconté tout cela, mais à présent, nous devons parler. Depuis toutes les années que vous y pensez, vous en êtes sûrement arrivée à une conclusion...

— Vous êtes de mon sang, Lauren, fit-elle en me prenant les mains. J'ai tenu votre mère dans mes bras. J'ai beaucoup d'affection pour vous, et c'est pourquoi je suis inquiète. Je m'inquiète depuis le premier jour de votre arrivée. Mais je n'ai plus rien à raconter; j'ai dit tout ce que je savais.

J'étais bien forcée de la croire. Je commençais à me diriger vers l'auberge quand une idée me vint. Je me retournai brusquement.

— Il y avait un étrange morceau d'étoffe, dans la lettre que Jim m'avait adressée. Pourriez-vous me dire d'où il provient? Croyez-vous que Jim ait pu le trouver sur le corps de Victoria?

— J'aimerais le savoir, Lauren, mais je l'ignore, répondit Gretchen avec un mouvement d'agacement. À présent que je vous ai dit ce que je savais, pourquoi ne pas oublier toute cette histoire?

Considérant que j'avais atteint les limites de sa patience,

Gretchen me tourna le dos et entra dans sa maison. Je regagnai l'auberge et, une fois encore, je profitai de la solitude de ma chambre pour réfléchir à ce que je venais d'apprendre.

Même si, comme j'en étais persuadée depuis le commencement, Victoria avait été effectivement assassinée, je me retrouvais confrontée à une situation plus complexe que jamais. J'allai à ma fenêtre et me perdis dans la contemplation du lac, en songeant à Natalie et à ses peintures, particulièrement à celle de l'OVNI sur la montagne. Je prononçai son titre à haute voix : « La course de l'étoile », quand une idée m'effleura l'esprit : et si ce titre comportait un sens caché? Et si une AUTRE étoile avait fini sa course sur le Rumbling Bald?

Le brin de romarin que m'avait donné Ty était encore dans mon sac. Me sentant moins stupide que je ne l'aurais normalement dû, je m'en emparai, m'allongeai sur mon lit, et le portai à mes narines. La senteur était encore forte, et je la laissai imprégner tous mes sens. Après que mes paupières se furent allumées de mille étoiles rouges et jaunes, la vision d'une étrange obscurité caverneuse commença à se former dans mon esprit. Puis, dans un tremblement à peine perceptible, je reconnus le ruban blanc d'une mince chute d'eau.

Ty avait évoqué le romarin comme un stimulateur de souvenirs. De quels souvenirs s'agissait-il en l'occurrence? La seule chute d'eau dont je me souvenais, c'était celle qu'on voyait sur la montagne, en face du village indien. S'agissait-il de souvenirs ou de visions prémonitoires? La sonnerie du téléphone mit un terme à ma rêverie.

— Lauren? me dit Gordon d'une voix surexcitée. J'ai découvert quelque chose qui t'intéressera. Je connais quelqu'un dont il faut absolument que tu fasses la connaissance. Puis-je passer te prendre dans un quart d'heure?

Il me rappela le jeune homme que j'avais connu, et je sus qu'entre nous, tout irait pour le mieux. Je lui répondis que j'étais prête. La chute d'eau pouvait attendre.

CHAPITRE QUATORZE

Je retrouvai Gordon dans le même état de surexcitation, ce qui me rappela une fois de plus notre jeunesse à San Francisco. Ma seconde chance était à portée de main et, cette fois, je savais exactement quels étaient mes désirs profonds. Ce n'est qu'une fois prise la route de Chimney Rock qu'il m'expliqua les raisons de cette sortie.

— Nous allons voir quelqu'un que je connais depuis très longtemps. Je n'avais jamais fait la relation entre lui, Victoria et Roger, jusqu'à ce que Justyn y fît allusion. J'ai le sentiment que Justyn cherche à récupérer son père, d'une certaine façon.

Au moment où nous atteignîmes le village de Chimney Rock, Gordon bifurqua en direction d'un long bâtiment, un ancien entrepôt à bois. Devant l'entrée, une enseigne indiquait : « Au paradis des poupées ». Nous franchîmes une grande porte, et j'écarquillai des yeux émerveillés.

Il y avait des poupées partout, de toutes tailles, de tous genres, de toutes époques. Tables, comptoirs et étagères grouillaient d'une population de poupées plus fascinantes les unes que les autres. Je savais cependant que ces poupées n'étaient pas le but de notre visite. Reconnaissant Gordon, une femme entre deux âges vint vers nous.

— Salut Amy, fit Gordon, je te présente Lauren Castle. Lauren, Mme Osborn.

— Je me rappelle votre mari, madame Castle, me dit Amy en me tendant la main. Que puis-je faire pour toi, Gordon?

— Ton beau-père est-il ici? J'aimerais le voir.

— Depuis quelque temps, il ne quitte plus la maison; c'est sans doute pourquoi il aime tant qu'on lui rende visite. Il sera heureux de te revoir. Continue tout droit; tu connais le chemin...

Tandis que Gordon me conduisait vers le fond du magasin,

je remarquai du coin de l'œil le regard intrigué d'Amy.

— Si tu le reconnais, il en sera très heureux, me prévint Gordon. Nous allons voir combien de temps cela va te prendre.

Je me demandais à qui Gordon pouvait bien faire allusion, quand mon attention fut attirée par un arrangement de figurines soigneusement exposées dans une vitrine. Il s'agissait de deux poupées et d'un cheval dont je reconnus la crinière blonde caractéristique des palomino. L'une représentait un homme habillé en cow-boy et l'autre, une jeune fille blonde en robe blanche.

— Tu pourras venir les admirer plus tard, si tu en as envie, me dit Gordon en m'entraînant vers un petit bureau.

— Salut, Gerald, lança-t-il en entrant. J'ai ici quelqu'un qui aimerait te voir.

Un homme d'un âge respectable se tourna vers nous. Je serrai la main de Gerald Osborn quand, à ma grande surprise, après les présentations d'usage, Gordon annonça :

— Lauren n'est pas seulement la femme de Jim Castle, c'est aussi la petite-fille de Victoria Frazer et de Roger Brandt.

— En effet, fit-il après avoir longuement posé sur moi un œil mélancolique. Vous avez les mêmes yeux qu'elle.

— Vous connaissiez ma grand-mère? demandai-je, consciente de la tristesse du vieil homme devant une telle révélation.

Osborn fit un geste en direction du mur qui me faisait face, et je vis alors de nombreuses photographies de ma grand-mère, pour la plupart extraites du film qu'elle avait tourné dans la région, sans toutefois y déceler la présence de Roger Brandt. Une des photos portait la dédicace : « À mon Jerry chéri ».

Manifestement, Gordon attendait de moi un déclic qui ne venait malheureusement pas. Je me rapprochai donc du mur et examinai les photos une par une. Je vis un bel officier en uniforme, puis ce même officier tenant Victoria dans ses bras.

— J'y suis! m'exclamai-je. Vous êtes l'acteur qui dansait avec elle dans *Blue Ridge Cowboy*, juste avant l'arrivée de Roger Brandt sur son cheval.

Satisfait, Osborn vint alors à mes côtés.

— En effet, dit-il. Avez-vous vu le film?

— Mon... grand-père me l'a projeté. Victoria et vous formiez un si beau couple que je fus presque navrée de voir Roger Brandt l'arracher de vos bras et l'emmener avec lui.

— Ce jour-là, j'ai été terriblement chagriné pour elle, commença tristement Osborn. Je trouvais affreuse la manière dont Roger Brandt l'humiliait. Victoria n'était jamais montée à cheval et Roger ne se montrait pas très patient envers elle. Ce qui lui importait, c'était que la scène fût parfaite. Plus tard, nous avons tous été profondément choqués d'apprendre qu'elle était enceinte de cinq ou six mois. Comme le cheval se montrait de plus en plus rétif, Roger a décidé qu'elle monterait en selle hors caméra. Je la revois encore : elle était en larmes. Elle déployait mille efforts pour plaire à Roger, alors que lui n'avait que son film en tête. J'ai tenté de la consoler, mais, malheureusement, je n'étais pas la bonne personne...

Osborn s'interrompit, perdu dans ses souvenirs. Encore un qui avait été amoureux de Victoria, me dis-je. Pour s'en rendre compte, il suffisait de voir l'expression douloureuse de son regard.

— Que s'est-il passé? voulu savoir Gordon.

— Je ne suis pas certain de me souvenir de tous les détails. Tout s'en est allé à vau-l'eau, mais je n'ai jamais blâmé Victoria pour ce qu'elle a fait. C'était la faute de Camilla, sincèrement...

Le vieil homme fit une nouvelle pause, et un silence gênant s'installa dans la petite pièce. Puis, se redressant, il annonça abruptement :

— Désolé, mais je ne tiens pas à en parler.

Amy apparut à la porte, apparemment soucieuse pour son grand-père.

— Il n'a pas été très bien, ces jours-ci, murmura-t-elle à l'oreille de Gordon.

— Adressez-vous plutôt à Dennis Ramsay, madame Castle. Il en sait bien plus long que moi sur Victoria. S'il n'a pas tout dit dans son livre, c'est parce qu'il était amoureux de Camilla.

Après avoir remercié Osborn, nous nous laissâmes docilement reconduire par Amy.

— C'est de l'histoire ancienne, mais il en souffre encore,

nous dit-elle, comme pour s'excuser.

— Retournons voir Ramsay, dis-je péremptoirement à Gordon, après que nous eûmes regagné sa voiture.

— D'accord. Mais ne lui téléphonons pas, faisons-lui plutôt la surprise. J'ai le sentiment que nous allons en savoir plus long, cette fois.

Il était midi passé, mais ni Gordon ni moi ne pensâmes à déjeuner, plus décidés que jamais à savoir ce qui s'était exactement passé durant cette séquence de tournage. En repensant au film, je me demandai comment Victoria s'y était prise pour sauter en selle avec autant d'aisance et d'agilité, alors que, sur le plateau, les choses allaient très mal. Décidément, plus je pensais à Victoria, et plus ma sympathie pour elle était à la mesure de la violente antipathie que j'éprouvais pour Roger Brandt. Quand nous arrivâmes chez Ramsay, ce dernier était devant sa porte. Il semblait seul, et parut heureux de nous revoir.

— Avez-vous lu mon livre? me demanda-t-il sans préambule.

— Presque. Je le trouve absolument fascinant, même si je vous trouve dur envers Victoria.

— Pas aussi dur que ce qu'elle méritait, répliqua sèchement Ramsay en nous faisant signe d'entrer.

— Nous venons tout juste de nous entretenir avec Gerald Osborn, et il nous dit que vous pourriez nous éclairer sur la scène finale, à laquelle, d'ailleurs vous ne faites aucune allusion dans votre livre, intervint Gordon.

— Venez dans mon bureau, j'étais justement en train d'écrire quelque chose, là-dessus.

Ramsay nous conduisit dans une petite pièce qui lui servait de bureau. Près de la machine à écrire, je remarquai une pile de feuillets dactylographiés.

— Je n'ai plus l'esprit très vif mais, depuis cinq ans, je travaille sur la vraie légende de Lake Lure. Cette fois, j'ai l'intention de raconter TOUTE l'histoire. Dans « La luciole », bien trop de choses ont été laissées de côté.

À cause de menaces qu'aurait proférées Roger? me

demandai-je.

— Il n'est pas certain que tout cela ait encore une grande importance ou même un quelconque intérêt. Je vous en prie, asseyez-vous, et dites-moi pourquoi vous vous intéressez à cette vieille histoire.

— Je m'intéresse à ma grand-mère; qu'y a-t-il de si étrange à cela? M. Osborn nous a parlé de la scène finale et des difficultés de Victoria à monter en selle. Mais sans vouloir entrer dans les détails, cependant.

— Je n'étais pas là quand c'est arrivé. Tout ce que je sais, je le tiens de sa costumière, comment s'appelle-t-elle, déjà? Betsey Harlan? J'ai dû déployer mille ruses pour qu'elle me raconte ce qui s'est passé. Fermant les yeux, Ramsay se lança alors dans sa narration : Victoria avait quitté le plateau en larmes, suivie de Camilla qui, ce jour-là, assistait au tournage. Elles se seraient retrouvées dans la loge, où elles auraient eu une violente altercation, à l'issue de laquelle Camilla aurait obligé Victoria à retirer sa robe. Compte tenu de l'état de son maquillage, cette dernière n'a pas eu le choix. Camilla est donc revenue sur le plateau, revêtue de la fameuse robe et du turban. Le tournage a repris. Comme Camilla avait les mêmes mensurations que Victoria, tant que les caméras ne feraient pas de gros plan, personne ne pourrait voir le subterfuge. Vous comprenez, Camilla n'a eu aucun mal à jouer cette scène : en plus d'être en parfaite forme, c'était aussi une cavalière hors pair.

Ramsay s'interrompit, tout comme l'avait fait Osborn, perdus l'un et l'autre dans l'évocation de leurs amours malheureuses.

— Que s'est-il passé, une fois la séquence terminée? Je suppose que Camilla est retournée dans la loge de Victoria... le pressai-je.

— Tout à fait. Et c'est là, semble-t-il, que la situation s'est vraiment gâtée. Camilla aurait ôté la robe et l'aurait lancée au visage de Victoria. Après s'être rhabillée, elle s'apprêtait à quitter la loge quand, folle de rage, Victoria se serait emparée d'un coupe-papier en forme de sabre et aurait entaillé le visage de

Camilla. En voyant les flots de sang couler de sa joue, Camilla se serait mise à hurler. Roger a couru vers la loge et, en découvrant sa femme blessée et le coupe-papier ensanglanté dans la main de Victoria, il aurait — toujours selon Betsey Harlan — frappé Victoria si durement au visage qu'elle en a perdu connaissance. Puis il aurait arraché une serviette des mains de Betsey et se serait mis à essuyer le visage de sa femme, avant de la conduire à l'hôpital d'Asheville. Il faut se rappeler qu'à l'époque, la chirurgie esthétique n'existait pas et que Camilla a longtemps porté une affreuse cicatrice sur la joue. Mais, malgré cela, elle était toujours la plus belle. Je crois, quant à moi, que cet incident aura incité Roger à revenir définitivement auprès de sa femme.

— Avez-vous vu Camilla, récemment?

— Elle me rend visite, de temps à autre. Nous évoquons les vieux souvenirs. Elle a adoré mon livre; elle l'a trouvé extrêmement honnête.

— Assurément. Mais Victoria partageait-elle ce point de vue?

— Voyez-vous, madame Castle, quoi qu'il puisse être arrivé à Victoria, dites-vous bien qu'elle l'avait cherché : c'était une personne extrêmement égocentrique. Naturellement, après la blessure qu'elle avait infligée à Camilla, il n'était plus question pour Roger de la revoir. Mais le mal était déjà fait : Victoria était enceinte et Roger ne l'aimait plus. J'avoue que j'aurais éprouvé un peu plus de sympathie envers lui s'il avait accepté de prendre ses responsabilités. Il ne faut pas oublier que tout ce qui est arrivé est de sa faute à lui. En fait, c'est la situation classique du triangle infernal. D'ailleurs, j'en parle longuement dans le dernier chapitre de mon livre. Roger n'a pas dû apprécier le fait que je jette tout le blâme sur lui.

Ce qui expliquait, du moins en partie, pourquoi Roger avait déployé tant d'énergie pour m'empêcher de prendre connaissance de ce livre. Il était temps, décidai-je, de poser la question de confiance :

— Monsieur Ramsay, qui, selon vous, serait l'assassin de Victoria Frazer?

— Vous n'avez qu'à compter les personnes qui haïssaient Victoria Frazer...

— Betsey, Osborn et Gretchen ne la haïssaient pas... dis-je.

— Peut-être bien que non... et les autres, combien étaient-ils?

Je ne pouvais rien répondre à cela. Aussi, après avoir remercié Ramsay, Gordon et moi prîmes rapidement congé. Assise dans la voiture, je tremblais encore en pensant à la révélation que venait de me faire le vieil homme.

— Quels sont tes sentiments sur Victoria, à présent, Lauren? me demanda Gordon.

— Je suis navrée pour elle. Un tempérament aussi violent devait faire partie de sa nature profonde, mais je refuse de croire que c'était une méchante femme. Elle était amoureuse de Roger et enceinte de lui, ne l'oublions pas. Elle devait se trouver dans un état de tension nerveuse inouïe. Mais je suis également désolée pour Camilla. Ce n'était qu'une victime, et je crois que le fait de s'être substituée à Victoria aura été pour elle une sorte de revanche.

— Bon. Où désires-tu aller, maintenant?

— Que dirais-tu d'aller faire un tour chez Betsey Harlan?

— Naturellement. Mais Ramsay a laissé entendre qu'elle serait revenue sur son histoire.

— C'est pourquoi je désire aller lui parler.

— Eh bien, alors, allons-y! me lança-t-il allègrement en passant un bras autour de mes épaules.

Quand nous arrivâmes chez Betsey Harlan, sa petite-fille se précipita à notre rencontre.

— Grand-maman est malade, nous apprit-elle. Je crois que maman ne veut pas qu'on la dérange.

Mon premier réflexe fut de faire demi-tour sans insister. Betsey Harlan semblait si frêle, si vieille... Mais je me rappelai le ton farouche de sa voix, et me demandai si elle ne pourrait pas quand même nous recevoir, ne fût-ce que quelques minutes.

— Où est ta mère? demandai-je.

— Elle travaille au potager, me répondit l'enfant en

pointant son doigt vers l'arrière de la maison.

Nous nous dirigeâmes vers l'endroit. Agenouillée sur le sol, une femme, revêtue d'un pantalon de treillis, arrachait des mauvaises herbes. Lorsqu'elle leva les yeux vers moi, je compris immédiatement qu'elle savait qui j'étais.

— Vous ne pouvez pas la voir, m'annonça-t-elle sèchement.

— Je n'ai qu'une seule question à lui poser, plaidai-je. Je voudrais la voir quelques instants seulement, après quoi nous partirons sans nous faire prier.

Le « non! » qu'elle me jeta au visage était sans appel. Cependant, alors que nous nous apprêtions à rebrousser chemin, une voix impérieuse se fit entendre d'une fenêtre située au-dessus de nous.

— Laisse-la entrer! ordonna Betsey.

— À présent qu'elle sait que vous êtes ici, elle risque d'entrer dans une colère noire, si je n'accède pas à ses désirs. Allez-y; mais ne restez pas trop longtemps.

— Tu ferais peut-être mieux de la voir seule, me conseilla Gordon pendant que nous nous éloignions. Je vais en profiter pour acheter quelques pommes pour ma mère.

Je le remerciai pour sa compréhension. Il m'embrassa légèrement sur la bouche, et mon courage monta de plusieurs crans. Gordon était maintenant de mon côté, et même s'il n'approuvait pas toujours mes initiatives, je savais que je pouvais compter sur lui. Je frappai à la porte et entrai. Frileusement emmitouflée dans ses couvertures, Betsey m'adressa un regard fiévreux.

— Je suis heureuse de vous revoir, Lauren. À l'heure qu'il est, Dennis vous a certainement fait part de mes révélations.

— En effet; mais je crois que vous pouvez m'en dire davantage.

— Asseyez-vous, m'encouragea-t-elle avec un petit signe de l'index. Je ne suis pas aussi malade qu'on le croit. Tout ce que je veux, c'est qu'on me fiche la paix.

Je regrettai déjà un peu moins d'avoir fait preuve d'insistance. Elle, au moins, avait aimé Victoria, et j'étais certaine qu'elle n'avait pas tout dit sur cette estafilade sur la joue de Camilla.

— Que croyez-vous qu'il soit réellement arrivé? me demanda-t-elle avec un regard de biais.

Je me limitai à lui répéter les propos de Dennis : dans un accès de colère, Victoria s'était emparée d'un coupe-papier et avait entaillé la joue de Camilla.

— C'est en effet ce que j'ai dit, mais c'est faux. Victoria était quelqu'un de bien; elle n'aurait jamais pu avoir de tels gestes.

— Mais alors, pourquoi...

— Vous auriez dû me connaître, en ce temps-là. J'étais un véritable baril de poudre, toujours prête à exploser. Je ne pouvais pas supporter que Camilla vole la scène finale à ma chère Victoria, pour ensuite venir jubiler dans sa loge. C'est moi qui ai tailladé la joue de Camilla, et je ne l'ai jamais regretté, croyez-moi. Si j'en avais eu la force, je crois que je l'aurais tuée.

Je m'agitai sur mon siège, ne sachant trop si je devais la croire.

— Mais Roger est entré et a vu Victoria tenir le coupe-papier ensanglanté.

— Évidemment! C'est Victoria qui me l'avait ôté des mains avant que je ne fasse un massacre. Et c'est aussi elle qui a porté le blâme, sans rien dire, sans même chercher à se défendre. Elle l'a fait pour me sauver, car les Brandt n'auraient pas hésité à me faire arrêter et à me faire jeter en prison. Mais Victoria, elle, était intouchable.

— Et pourquoi?

— Parce que Roger Brandt était son amant et qu'elle allait avoir un enfant de lui. Imaginez le scandale! Pensez à la réaction de la presse si elle avait appris que Victoria avait tailladé le visage de la femme de son amant! C'est pour cela qu'on s'est empressé de mettre cette histoire en sourdine. Naturellement, Camilla n'a jamais dit la vérité à Roger.

— Mais sachant ce qui s'est vraiment passé, pourquoi Camilla vous adresse-t-elle encore la parole? Vous l'avez défigurée pour la vie.

— J'ai fait du bon travail, n'est-ce pas? me fit alors Betsey avec un clin d'œil malicieux. Mais voyez-vous, elle devait s'assurer que je ne dise jamais la vérité sur ce qui s'était passé : ç'aurait risqué de réhabiliter Victoria aux yeux de son cher mari. Pour Roger, il fallait que ce soit Victoria qui lui ait infligé cette vilaine blessure au visage. Ce n'est pas pour rien qu'elle s'est montrée si aimable avec moi, durant toutes ces années! J'ai raconté à Dennis la version officielle des faits, mais il ne s'en est pas servi pour la rédaction de son livre. Il était éperdu d'amour pour Camilla et, s'il avait raconté sa mésaventure, il n'était pas certain qu'elle en serait sortie blanche comme neige. Cet épisode sur le cheval lui aura permis de donner une leçon à Victoria; ce à quoi je ne me serais pas opposée, si elle n'était pas allée si loin.

— On peut difficilement blâmer cette femme, en effet...

— D'une certaine manière, cela lui aura au moins permis de remettre le grappin sur son mari, ou du moins ce qu'il en restait. Car je n'ai pas connu d'hommes qui aient été amoureux de Victoria et qui s'en soient totalement remis.

Je me rappelai alors l'émotion de Roger, lors de la projection de *Blue Ridge Cowboy*, et à quel point les scènes d'amour l'avaient bouleversé. Cependant, au bout du compte, c'est Camilla qui l'avait emporté. Peut-être avait-il pensé lui appartenir à cause de la blessure que Victoria avait infligée au visage de Camilla.

— Pourquoi ne pas lui avoir dit la vérité, après la mort de Victoria?

— Camilla aurait nié les faits et Roger l'aurait crue. Je ne vois pas ce qu'on y aurait gagné.

— Et si j'allais lui raconter la vérité, moi?

— Oubliez tout cela, Lauren. Cela l'achèverait. Je n'ai guère d'estime pour ce personnage, mais cela n'aiderait en rien Victoria. Découvrir qu'il a peut-être renoncé à l'amour de sa vie parce qu'il a soupçonné à tort celle qu'il aimait suffirait à l'anéantir.

— Merci de m'avoir raconté tout cela et de vous être montrée si aimable. Vous avez réhabilité ma grand-mère à mes yeux, et je sais à présent que c'était quelqu'un de bien.

— Personne n'a jamais compris que Victoria était une personne toute simple qui s'abandonnait à ses émotions. Aussi n'a-t-elle rien compris quand le sort a commencé à s'acharner sur elle. Victoria était quelqu'un du pays, comment pouvait-elle percevoir la complexité de la situation dans laquelle elle évoluait? Elle la fuyait et s'en amusait tout à la fois. Ne passons-nous pas notre vie à nous interroger sur nous-mêmes?

En cela, Betsey avait raison. Quand je lui adressai un sourire, la vieille dame me tendit une main tremblante, dans laquelle je m'empressai de poser la mienne.

— Vous m'avez rendu Victoria; vous l'avez fait revivre ici, dans cette chambre même, où elle a eu son enfant. Gretchen se montrait trop critique, trop intolérante envers elle, et c'est pourquoi Victoria a refusé d'aller vivre chez elle. Et puis, cela faisait bien l'affaire des studios, pour qui elle représentait une source de revenus. C'est donc ici que votre maman est née, et je trouve tout à fait opportun que vous soyez venue dans cette maison. Tout ce que vous et moi avons dit et fait dans cette pièce était vrai et juste. Tout, sauf une chose.

Emportée par mes pensées, je répondis avec un temps de retard.

— Laquelle?

— Je n'aurais jamais dû vous laisser prendre la robe et le turban de votre grand-mère. Vous ne devriez pas porter ce vêtement pour le bal, cela ne ferait que réveiller de vieux et tristes souvenirs. N'oubliez pas que quelqu'un vous guette, Lauren. Peut-être la même personne qui a assassiné Victoria.

— Connaissez-vous son identité, Betsey?

— Si je la connaissais, croyez-vous que je l'aurais tue pendant tout ce temps? Quand votre mari est venu me voir, je ne lui ai pas raconté grand-chose, et pourtant, je crois qu'il touchait au but. Je ne veux pas qu'il vous arrive ce qui lui est arrivé, Lauren.

— Je vais surprendre quelques personnes, et puis? Je ne vois pas où est le mal. De plus, je serai parmi une centaine de personnes. Qui sait? peut-être mon grand-père aura-t-il la bonne idée de m'inviter à danser...

— Dans le film, il n'était pas le seul à danser avec Victoria, en tout cas.

— Je le sais; je suis allée voir Gerald Osborn. En voilà un autre qui était éperdument amoureux de ma grand-mère...

Betsey posa alors sur moi un regard étrange qui me força à m'interrompre.

— Que se passe-t-il? Qu'y a-t-il?

— Il m'arrive d'avoir des visions. J'ai vu une tempête, des éclairs tout autour de vous... du feu, mais c'est tout, et je ne sais pas ce que cela signifie. J'ai peur pour vous, Lauren...

Je réprimai mes frissons, et rassurai la vieille dame par quelques promesses et un baiser sur la joue.

— Tout ira bien. Je vous raconterai tout ce qui s'est passé en vous rapportant la robe.

La vieille dame ferma les yeux. Je m'empressai de rejoindre Gordon afin de lui raconter ce que je venais d'apprendre. Tandis qu'il m'écoutait gravement, je restai agrippée à sa main comme à une bouée de sauvetage.

CHAPITRE QUINZE

Le grand miroir de la salle de bains me renvoya l'image de quelqu'un que j'eus grand mal à reconnaître. Quoiqu'un peu jaunie par les années, la robe était parfaite et me seyait exactement. Examinant le turban étroitement noué qui enserrait mes cheveux bruns, je me dis que ce n'était certes pas mon humble personne qui permettrait que justice fût rendue à ma grand-mère. Je me sentais un peu gauche, et plus incertaine que jamais sur l'attitude à adopter.

Avais-je cru que, par un simple fait du hasard, j'allais devenir la réplique de Victoria Frazer? Comment était-ce seulement concevable? Cependant, quelques mots bourdonnaient dans un recoin de mon esprit. Il me suffirait de me détendre et de rester moi-même, et tout irait bien. « Un peu mélo tout cela », me dis-je; et, dans un geste de défi, je haussai indolemment les épaules. Si la vision de moi-même ne changea pas, je parvins néanmoins à retrouver un semblant d'assurance. Après tout, cette mascarade n'était qu'un jeu, et je n'avais aucune raison de m'inquiéter.

Bien qu'elle ne possédât pas une bouche de cupidon, Victoria avait le visage caractéristique des vedettes de son époque, et je ne cherchai pas à l'imiter. Peu m'importait mon costume, j'appartenais à ma génération, et c'est pourquoi je ne changeai rien à mon maquillage habituel. Faisant quelques pas en arrière, je souris en constatant combien mes chaussures à talons plats étaient peu assorties à ma robe. Mais cela non plus n'avait pas d'importance : on ne les voyait pas, et puis, je ne possédais que celles-là. La dernière touche que j'apportai à mon déguisement fut le bracelet d'argent que j'agrafai autour de mon poignet dans un agréable tintement de clochettes.

Comme j'étais un peu en avance, j'allai sur la galerie admirer le lac. Le ciel s'était obscurci, recouvrant les eaux paisibles d'une dalle de marbre noir veinée des lueurs jaunes des maisons environnantes.

En contrebas, chez Gretchen, les lumières étaient allumées, et de penser qu'elle ne se rendrait pas au bal me procura un certain soulagement : si elle m'avait vue dans la robe de sa sœur, elle m'en aurait terriblement voulu, j'en étais convaincue. Quant à Ty, misanthrope comme il l'était, il y avait peu de chance pour qu'il fût de la fête.

Sur les hauteurs du Rumbling Bald, des éclairs zébrèrent le ciel, aussitôt suivis de faibles grondements de tonnerre. Je pensai alors avec un certain malaise à la vision de Betsey. Il serait regrettable qu'un orage vînt gâcher la soirée, même s'il était prévu que les festivités se dérouleraient en grande partie dans la grange.

Une fois de plus, j'eus le curieux sentiment que la montagne attendait, qu'elle me guettait. Je savais à présent l'endroit exact où le corps de Victoria avait été retrouvé, et je savais également que ses restes gisaient quelque part, près du sommet. Je subodorais que Jim avait découvert la caverne qui avait servi de sépulture à ma grand-mère et que, de ce fait, il avait mis sa vie en péril. Un vent froid se leva tout à coup. Je frissonnai longuement et décidai de rentrer. C'est à ce moment-là que la sonnerie du téléphone retentit : Gordon m'attendait dans le hall.

Consciente de l'aspect théâtral de cet instant, je descendis le grand escalier en m'adressant un petit sourire intérieur. Les trois coups étaient frappés. L'homme qui me regardait descendre aurait aussi bien pu être Roger Brandt, car rien ne manquait à sa panoplie de cow-boy : les bottes à bouts pointus, le ceinturon de cuir, la chemise bleu délavé, le foulard négligemment noué autour du cou et, bien sûr, l'incontournable stetson à larges bords, rabattu sur la nuque. Gordon m'adressa un large sourire qui disait son plaisir d'avoir réussi à me surprendre.

— De quoi qu'j'ai l'air, m'dame?

— Du parfait cavalier pour Victoria Frazer.

— Tu es très belle, me souffla-t-il en m'aidant à descendre les dernières marches. Mais tu n'es pas Victoria. Et je veux que tu saches que je te préfère infiniment à elle.

La main de Gordon était ferme et tiède, au point que je me vis déjà dans ses bras. Je me sentais heureuse comme je ne me souvenais pas l'avoir déjà été. Cependant, je devais me montrer prudente. Non pas envers Gordon, mais mes émotions à fleur de peau pouvaient se révéler un handicap qui m'empêcherait de voir le danger, si vraiment j'en courrais un.

Après que Gordon eut recouvert mes épaules d'une grande cape imperméable blanche, nous allâmes rejoindre sa mère, qui nous attendait dans la voiture. Un coup d'œil m'apprit que Finella s'était fabriqué un costume en imitation de feuilles de kudzu, ainsi qu'une couronne assortie. Gordon adressa un sourire à sa mère.

— Un vrai elfe des lacs, ne trouves-tu pas? me dit-il. Tout ce que je souhaite c'est qu'un quelconque herbivore ne vienne pas brouter ses feuilles.

Tous trois, nous éclatâmes de rire, et le voyage jusqu'au Lake Lure Inn se déroula sous le signe de la bonne humeur. Au loin, le tonnerre grondait, l'orage menaçait, mais je me dis qu'avec un peu de chance, Lake Lure serait épargné.

Au moment où nous arrivâmes à l'auberge, il n'y avait déjà plus de place pour se garer. Gravissant les marches du perron, les couples invités se dirigeaient vers le fond du bâtiment, où se trouvait la porte arrière donnant accès à la grange. Gordon se dirigea vers l'arrière du grand bâtiment blanc, et trouva enfin une place dans une allée de terre battue, entre l'auberge et la grange.

Les lampes qui éclairaient le périmètre me permirent de voir que la grange avait été décorée de guirlandes de kudzu, tandis qu'un tapis rouge avait été déroulé sur les marches de la porte d'entrée. À l'intérieur, un orchestre jouait des airs de la grande époque de Lake Lure Inn. Dans les années vingt, m'avait-on dit, on y jouait déjà de la musique. Cependant, au cours de la Seconde Guerre mondiale, l'auberge avait été transformée en maison de convalescence pour soldats.

Mais, ce soir, la grange avait retrouvé sa vocation d'antan. Vivement éclairée, ses poutres et ses chevrons étaient décorés de guirlandes multicolores. La longue salle et son plancher ciré s'étiraient jusqu'à l'estrade de l'orchestre. Si personne ne dansait encore, la salle était déjà remplie d'invités costumés, dont les voix se répercutaient en écho dans les combles obscurs.

Sur l'estrade, une jeune femme, en uniforme d'infirmière de la Grande Guerre, chantait « *It's a Long Way to Tipperary* ». Quand elle eut fini son couplet, il y eut quelques faibles applaudissements. Manifestement, l'assistance attendait quelque chose. Je constatai alors que les vedettes de la soirée n'avaient pas encore fait leur apparition.

Finella partie saluer des gens de sa connaissance, Gordon et moi nous tînmes quelques instants à l'écart. Lorsque nous nous décidâmes enfin à traverser la grande salle, nous fûmes accueillis par une salve d'applaudissements. La légende de Lake Lure avait la vie dure : notre déguisement avait été immédiatement reconnu. Mais si quelques personnes pouvaient authentifier la robe que je portais, peu savaient qui j'étais. Trop de gens nous regardaient pour que je pusse déceler sur leur visage une expression particulière, mais peu m'importait. Gordon et moi savions exactement de qui nous voulions attirer l'attention.

Je me rendis très vite compte que la grande majorité des invités étaient des personnes d'un âge avancé. Probablement venaient-elles toutes de Asheville et avaient-elles connu Lake Lure Inn pendant ses jours de gloire. Si les costumes étaient soignés, ils ne faisaient pas toujours preuve d'une grande originalité. Il y avait Little Bo-Peep, Robin des Bois et quelques pirates. Une Marie-Antoinette semblait connaître quelques problèmes avec sa perruque, tandis que le diable qui l'accompagnait s'était pris les pieds dans sa queue. Près d'une encoignure, se tenait un moine en robe de bure et encapuchonné. Un moine? Quelqu'un avait déjà fait allusion à un moine, mais je ne parvins pas à me souvenir qui.

Les plus jeunes invités semblaient, pour la plupart, avoir manifesté un peu plus d'imagination, quoique, d'une certaine manière, invités forcés d'une soirée très « vieux jeu », ils semblaient avoir choisi de se poser en spectateurs. Gordon et moi nous situions quelque part entre les deux, soucieux de prendre part aux festivités, mais sans le désirer vraiment. Deux chaises stratégiquement placées nous tendaient les bras, Gordon et moi nous y installâmes sans nous faire prier. L'atmosphère était chargée d'électricité, et le sentiment d'attente allait grandissant. Je compris alors pourquoi personne ne dansait encore.

Ce furent Justyn et Natalie qui firent leur entrée les premiers. Justyn en marin (ce qui ne le changeait guère), et Natalie en artiste-peintre (ce qui ne la changeait pas davantage), portant le grand béret, la blouse ample et lavallière. Quand Justyn retint la porte pour les personnes qui le suivaient, je sentis l'assistance retenir son souffle.

Camilla fit enfin son entrée au bras de Roger Brandt. Après quelques pas, le couple s'immobilisa, prêt à recevoir les applaudissements qui lui étaient dus et qui, d'ailleurs, ne se firent pas attendre. Ce n'est qu'après que l'orchestre eut entonné le « Habanera » de « Carmen » que les Brandt traversèrent la salle, pendant que les invités faisaient la haie sur leur passage.

Camilla portait une robe noire agrémentée de dentelle blanche tombant en cascade jusqu'aux chevilles. Ses longs cheveux noirs tirés en arrière étaient recouverts d'une mantille de dentelle noire que retenait un large peigne ambre piqué d'une rose jaune. À son cou, une rivière de diamants lançait des éclats de lumière, tandis qu'une paire de boucles d'oreilles — en diamants, elles aussi — lui descendaient presque jusqu'aux épaules. L'éclairage semblait avoir été spécialement étudié pour la mettre en valeur. La grande dame avait apporté un soin tout particulier à son maquillage, de telle sorte que sa balafre était presque invisible.

Roger la promena ainsi fièrement en faisant le tour de la grande salle. À chaque pas de Camilla, je voyais étinceler la boucle de ses chaussures de satin noir à talons hauts, ce qui me fit prendre conscience de l'inadéquation des miennes, heureusement partiellement cachées par la robe de Victoria.

Je ne me sentais comparable à Camilla en aucun point. Peut-être Victoria avait-elle éprouvé le même sentiment en découvrant la grande beauté de sa rivale. « Va-t-en! » me cria une voix dans ma tête. Mais, ce soir plus que jamais, je refusais que Victoria me soufflât mon rôle.

À sa manière, avec son pantalon étriqué et sa veste courte

de caballero, Roger Brandt rivalisait d'élégance avec sa femme. Sa chemise blanche à jabot et sa large ceinture de satin écarlate le faisaient paraître beaucoup plus jeune que son âge. Il se voulait en quelque sorte le pendant de Camilla, c'est-à-dire à mille lieues du cow-boy qu'il avait si longtemps incarné.

— Ils sont vraiment très beaux! m'émerveillai-je.

Gordon semblait moins impressionné.

— À leur manière. Mais ils ressemblent à des marionnettes, et je trouve cela agaçant. Allons-y, montrons-leur qui nous sommes!

Toutefois, je ne souhaitais pas que Roger et Camilla me découvrissent. Pas encore. Je sentis monter en moi une bouffée de panique, et fus un instant tentée de décamper avant d'être découverte. Malgré le prétexte du bal costumé, je savais qu'en me montrant, le plaisir de Roger et Camilla serait gâché pour le restant de la soirée. Immobiles, nous attendîmes que mon grand-père ouvrît le bal et que les couples se missent à danser, pour nous glisser discrètement parmi eux.

Pendant quelques instants, j'oubliai les raisons qui m'avaient fait porter cette robe et, tout en dansant, je me tordais le cou afin de ne pas perdre mon grand-père de vue. Il ne m'avait pas encore aperçue, mais la confrontation n'allait pas tarder. J'y étais prête.

Pour cela, il nous suffit, à Gordon et à moi, de nous laisser entraîner par la foule des danseurs qui, naturellement, cherchaient à s'approcher du couple vedette. Ainsi, s'était-il formé sur la piste un cercle de danseurs au centre duquel triomphaient Roger et Camilla. J'exerçai un légère pression sur l'épaule de Gordon et, comprenant mon signal, ce dernier nous fit entrer dans le cercle.

C'est Roger qui me vit le premier, et, sous le choc, l'expression de son visage se figea aussitôt. Mais l'acteur eut tôt fait de se reprendre. Par-dessus l'épaule de Camilla, il m'adressa un grand sourire qui, cependant, ne pouvait effacer le rude coup que je venais de lui porter.

Je compris ses intentions en le voyant élargir le cercle et tenter d'entraîner Camilla loin de moi. Mais par une autre pression sur son épaule, j'incitai à nouveau Gordon à ne pas nous laisser distancer. Bien qu'un peu rétif, ce dernier s'exécuta. Quelques secondes avant d'entrer dans le champ de vision de Camilla, je levai la main et fit — tout à fait fortuitement — tinter les clochettes de mon bracelet.

Camilla tourna promptement la tête, et je vis alors toute l'horreur du monde se refléter sur son visage. À cet instant, pour elle, j'ÉTAIS Victoria. Je la vis un instant vaciller dans les bras de son mari. Toutefois, le temps que ce dernier réagît, elle avait déjà recouvré ses esprits.

Immobile, elle se détacha lentement de son mari. Dans cet instant en suspens, j'eus la conscience aiguë de l'endroit où je me trouvais, de l'atmosphère lourde et chaude qui m'entourait. Le souffle court, je percevais encore le tintement des clochettes qui ressemblait à un langage que seules Camilla et moi pouvions comprendre. Hormis nos deux couples, personne n'avait cessé de danser, mais une sorte de vide s'était créé autour de nous.

D'un pas décidé, Camilla vint se planter devant moi pour articuler à voix basse :

— Vous êtes stupide, Lauren. Probablement autant que l'était votre grand-mère. Vous n'avez aucune idée des forces que vous mettez en mouvement, en réveillant de vieux fantômes, comme vous le faites. Vous jouez là un jeu extrêmement dangereux.

Ce disant, le regard qu'elle posait sur moi était plein de dédain et annonciateur des pires catastrophes. Puis, glissant son bras sous celui de son mari, elle annonça à ce dernier d'une voix posée :

— J'aimerais rentrer, je te prie.

Je crus un instant que Roger n'avait pas totalement appréhendé la situation. Puis, couvrant de sa main la main de sa femme, il m'adressa un regard triste, résigné, presque apeuré, dirais-je. Même s'il ne s'était pas un instant laissé berner par mon déguisement, il prenait peu à peu conscience des conséquences de mon acte.

Drapés de dignité, ils traversèrent lentement la piste, et les couples des danseurs s'écartèrent pour leur livrer passage. Comprenant l'ambiguïté de la situation, le chef d'orchestre jugea bon de leur faire un départ en fanfare. Les accords martiaux s'élevèrent quelques instants encore. Tandis que Roger et Camilla quittaient la salle, j'eus la vision fugace du vent soulevant le jupon de Camilla. Gordon me serra contre lui.

— Tout va bien, Lauren?

Brusquement fiévreuse, je sentis de longs frissons me parcourir le corps. Le moins que je puisse dire, c'était que j'avais réussi mon petit effet. J'avais beau avoir encore devant les yeux le regard horrifié de Camilla, à quoi tout cela me menait-il? Finalement, elle m'avait réprimandée, comme on réprimande un enfant qui fait des bêtises. Gordon perçut mon malaise et me guida aussitôt vers une chaise vacante, à l'extrémité de la salle. L'esprit en déroute, je m'adressai à lui d'une voix fêlée.

— Je sais que ce n'est ni Roger ni Camilla, alors qui est-ce?

Gordon hocha gravement la tête, et je compris que cela lui importait peu.

— Tout ce que je veux, c'est qu'il ne t'arrive rien...

Je lui fus reconnaissante pour tant de sollicitude, mais je savais au demeurant que, si ébranlée et chancelante que je fusse, je ne pouvais plus reculer. Je m'étais concentrée sur les réactions de Roger et de Camilla, sans me soucier de notre entourage. Tous mes sens avaient été orientés vers eux, et la seule perception que j'avais eue, c'était que Roger, tout autant que Camilla, était mort de peur. Derrière leur masque de convivialité, la surprise avait fait place à la frayeur, seulement une grande frayeur. Gordon m'observait, de plus en plus soucieux.

— Ne bouge pas, je vais aller te chercher un café, *Laurie hon*. « *Laurie hon* », c'est ainsi qu'il m'avait toujours appelée et je retrouvai dans le ton la même tendresse. J'essuyais les larmes qui perlaient au coin de mes yeux, quand deux personnes vinrent se poster devant moi. Justyn et Natalie me fixaient d'un regard meurtrier.

— J'espère que vous êtes fière de vous, d'avoir ainsi blessé deux personnes âgées! me cria Natalie.

Je trouvai ce reproche pour le moins déplacé et ne me privai pas de le lui dire.

— Mais c'est VOUS qui m'avez suggéré de venir dans ce déguisement!

— Ce n'était qu'une plaisanterie. Je n'aurais jamais cru que vous oseriez mettre cette idée à exécution. Je trouve cela très cruel.

Sur ce chapitre-là, je me sentais quitte pour ma grand-mère car, pour ce qui était de se montrer cruels, Roger et Camilla n'avaient sûrement pas été en reste. Mais Justyn, lui, n'était pas d'humeur à parler chiffon.

— Votre mari a trouvé exactement ce qu'il cherchait, madame Castle. Mais voilà qu'à votre tour, vous posez délibérément la tête sur le billot. J'espère que vous aurez le bon sens de quitter les lieux avant que le couperet ne tombe sur votre joli cou.

La haine de Justyn pour Jim était évidente et compréhensible. Sa fille était tombée sous le charme d'un homme marié, et cela, il ne pourrait jamais le pardonner. Malgré cela, je ne le voyais pas dans la peau d'un meurtrier.

— Tout cela n'a plus d'importance, à présent, intervint Natalie en posant une main apaisante sur le bras de son père. ELLE n'a aucune importance, me lança-t-elle avec un dernier regard méprisant, avant de se tourner définitivement vers son père. Nous devrions rentrer, père; grand-mère a certainement besoin de nous.

Tout en les regardant s'éloigner, je tentai de me reprendre en main. Gordon devait probablement faire la queue pour avoir un café, mais il m'était impossible de rester plus longtemps sur place. J'étouffais, j'avais besoin d'air. Mais avant que j'aie pu faire un geste, un homme vint s'arrêter devant moi.

— Victoria? dit-il.

Je levai un regard confus et, malgré son uniforme d'officier nordiste, je reconnus spontanément Gerald Osborn.

— M'accorderez-vous cette danse? s'enquit-il; je crois que, de cette fête, nous formons le couple idéal.

C'était, bien sûr, avec Victoria et non moi, qu'il voulait danser, histoire de raviver ses meilleurs souvenirs. Après l'aimable accueil qu'il m'avait fait, je ne pouvais décemment lui refuser cela. Et puis, j'avais besoin de me dégourdir les jambes.

L'orchestre se donnait à fond dans un vieux fox-trot, et je fus obligée de reconnaître que, malgré son âge, Osborn était un danseur comme il ne s'en faisait plus. Je me laissai emporter par la musique et, bientôt, je me sentis à nouveau désorientée. Profitant de la proximité de la porte, je m'arrêtai brusquement.

— Je suis navrée, Gerald, mais je ne me sens pas très bien. J'aimerais sortir prendre un peu l'air. Rassurez-vous, tout va très bien. Auriez-vous l'amabilité de dire à Gordon où je me trouve?

Gerald me relâcha, non sans une certaine réticence, et je sortis sur la terrasse. La tempête était maintenant toute proche, aux limites du comté de Lake Lure. Insouciante du vent qui giflait mon visage, je levai la tête et respirai profondément. À présent, le turban faisait autour de ma tête un étau dont la pression m'était de plus en plus insupportable. Une brusque envie de l'ôter, de m'arracher à tout ce qui avait appartenu à Victoria Frazer s'empara de moi. Dès que Gordon serait là, je lui demanderais de partir. Sur-le-champ.

Un éclair déchira le ciel du Rumbling Bald, aussitôt suivi d'un roulement de tonnerre. Au moins, il ne pleuvait pas encore. Jamais je n'aurais dû porter ces vêtements, me répétais-je; jamais je n'aurais dû rouvrir cette brèche dans le passé. J'avais fait du mal à des gens qui ne m'en voulaient aucun. J'avais hâte que Gordon arrivât. Je ne voulais pas rester seule, pas plus que je ne souhaitais me replonger dans le brouhaha de cette triste soirée.

Quelqu'un montait les marches de la véranda, et je fus heureuse que quelqu'un vînt interrompre mes sombres pensées. C'était l'homme en costume de moine que j'avais aperçu à l'intérieur. Sa robe brune claquait au vent, mais il tenait son capuchon étroitement rabattu sur son visage. Je m'attendais à ce qu'il me dépassât et entrât dans la salle de bal; mais au lieu de cela, je sentis une main puissante empoigner rudement mon bras.

Malgré mon mouvement de recul, je ne pus éviter le coton

venu se plaquer contre mon visage, et qui, une fraction de seconde, me rappela ma vieille terreur des hôpitaux de mon enfance.

Je sombrai alors dans une sorte de torpeur hors du temps, absente de souvenir. Cependant, une voix basse m'interpellait, répétant mon nom avec insistance.

CHAPITRE SEIZE

Nauséeuse, je n'étais qu'à demi consciente de ce qui m'arrivait.

— Tu dois marcher, me disait la voix. Je ne te porterai pas.

Plutôt que de marcher, je titubais, mais réussis néanmoins à mettre un pied devant l'autre. Quelques instants plus tard, je fus rudement poussée sur la banquette arrière d'un véhicule où on me contraignit à m'allonger. Je sentis à nouveau qu'on plaquait un coton contre mon nez et, les cahots de la voiture aidant, je sombrai dans une douce somnolence. Par la fenêtre ouverte, je sentis sur mon visage la morsure du vent froid, sans que cela ne me tirât de ma léthargie pour autant. C'est seulement alors que je me rendis compte que j'étais pieds et poings liés, dans le sens littéral du terme.

Le moine était au volant, me sembla-t-il, quoiqu'il me fût impossible de le constater de visu. Le vent avait forcé et, au moment où nous nous arrêtâmes, je reconnus le souffle de la tempête sur la cime des grands arbres.

— Faut que tu marches encore, reprit la voix. Je vais détacher tes chevilles.

Quand le moine se pencha vers moi, une puissante odeur me sauta au visage; elle ne m'était pas étrangère mais mon état de somnolence m'empêchait de la reconnaître. Je fus poussée hors de la voiture, et tombai aussitôt sur mes genoux. Les phares éclairaient une vaste clairière, et je distinguai les contours fantomatiques des « longhouses » indiennes. Soudainement, mes yeux tombèrent sur le poteau de torture que Natalie avait si fidèlement rendu sur sa toile. Une insondable nausée s'empara alors de moi, et je m'effondrai piteusement.

Mais voilà que la main qui m'avait rudoyée, me soutenait à présent la tête, tandis qu'une voix murmurait à mon oreille des encouragements.

— C'est ça, ne pense à rien, et tout ira bien. Je veux que tu aies l'esprit clair, Victoria. Je veux que tu comprennes exactement ce qui t'arrive. C'est normal, comprends-tu, après tout le mal que tu nous as fait, à Ty et à moi.

Je reconnus alors l'odeur de pommades et d'onguents dont était imprégné mon agresseur. Gretchen!

Le choc de la découverte provoqua en moi un regain de peur, mais aussi d'énergie. Gretchen croyait s'adresser à Victoria, alors que les personnes que j'avais voulu surprendre n'y avaient pas cru un instant. Gretchen m'aida à me remettre debout, et me poussa vers le centre de la clairière. Les phares ouvraient le chemin. Alors que je tentais d'avancer, un violent coup de vent faillit me renverser. Je tentai vainement de m'ébrouer, tandis que, soutenue par Gretchen, je me laissais docilement conduire vers mon destin. Au-dessus d'Hyckory Gorge, un éclair illumina le ciel, immédiatement suivi d'un coup de tonnerre fracassant.

Alors que nous progressions dans la poussière du chemin, j'entendis, parmi les clameurs de la tempête, un bruit.

« C'est le tambour de Ty », me dis-je dans un fol espoir. Je tentai de crier, de l'appeler, mais ma voix était trop faible pour être entendue.

— C'est inutile, me prévint Gretchen, il ne peut pas t'entendre. De toute façon, il sait que tu es ici. Je lui ai demandé d'être le témoin de ce qui va suivre. Ceci est NOTRE vengeance, Victoria, celle de Ty et la mienne. Nous pensions que tu étais morte, mais tu t'es bien moquée de nous. Tu t'es TOUJOURS moquée de nous. Tu nous as traités comme des moins que rien, des simples d'esprit. Tu aurais dû te montrer plus gentille avec nous, Victoria!

La prise de conscience du danger — peut-être mortel — que j'encourais dissipa quelque peu les brumes de mon cerveau. Je n'avais encore aucune idée des intentions de Gretchen, mais avant toute chose, je devais la convaincre que je n'étais pas Victoria. Même si j'avais affaire à une démente, il fallait absolument que je la ramène à MA réalité.

— Écoutez-moi! criai-je, consciente que le vent emportait mes paroles.

Le sinistre craquement d'un arbre abattu quelque part parvint jusqu'à moi. Gretchen m'avait très bien entendue. Je pouvais à mon tour ouïr son ricanement feutré. Le vent tomba brusquement, et Gretchen me parla de nouveau à l'oreille.

— Non, Victoria! À présent, c'est à toi d'écouter. Ceci est ton procès; de la même manière qu'on jugeait les sorcières, jadis; c'est à ton tour, aujourd'hui. Car tu es une sorcière, toi aussi.

Gretchen avait l'art de donner à sa voix des inflexions terrifiantes, constatai-je. Elle me traîna jusqu'à un entassement de pierres, au centre duquel se dressait un poteau, et qui avait toutes les caractéristiques d'un bûcher.

— Je vais te montrer comment on a procédé, pendant le tournage, me confia-t-elle d'un ton affable.

Ce brusque changement de ton m'alarma, me faisant prendre du même coup conscience du profond degré de démence de celle qui était pourtant ma grand-tante. La personne qui me retenait captive était sûre d'elle, sûre d'infliger à Victoria un châtiment mérité.

— Je me trouvais ici. Voyant que je titubais, elle m'ordonna : Tiens-toi droite, Victoria, et monte sur ce tas de pierres!

Je me débrouillai cependant pour interrompre ma progression, et faire face à Gretchen.

— Non! Je n'irai pas plus loin! Je ne suis PAS Victoria! Je vous en prie, regardez-moi : je suis Lauren Castle!

— Tu devrais voir ton visage! Rien qu'à te regarder, c'est déjà une récompense! Tu as peur, n'est-ce pas? Crois-tu que je vais réellement t'immoler sur ce bûcher? Ce serait amusant, je l'admets; mais tu n'as pas à t'inquiéter. Tout ce que je veux, c'est que tu montes sur ce tas de pierres et que tu m'écoutes attentivement. En mourant de peur... au cas où je changerais d'avis.

Une accalmie rendit le son du tambour plus audible. Gretchen me poussait, me forçait à monter sur le bûcher, tandis que je flottais dans un monde irréel, dans lequel chacun de mes gestes m'était étranger. Dans un instant, me répétais-je, j'allais me réveiller de cet affreux cauchemar. Puis, plaquant mon dos contre le poteau, Gretchen me libéra de mes liens. J'en profitai pour tenter de la repousser, mais mes bras étaient trop engourdis. Amorphe, je la laissai donc s'emparer d'une de mes mains et l'attacher très haut au-dessus de ma tête. C'est alors que, entendant le tintement de clochettes du bracelet, elle s'empressa de l'arracher de mon poignet et de le jeter au loin.

— Je ne veux plus l'entendre! vociféra-t-elle en s'écartant de moi.

Si seulement les vagues de nausée et la faiblesse qui déferlaient à l'intérieur de moi pouvaient cesser... Mes jambes se dérobaient sous le poids de mon corps que seul retenait mon poignet lié au poteau. Je tentai de me calmer en me répétant que tout cela n'était qu'une sinistre comédie, que Gretchen allait recouvrer la raison et qu'elle allait redevenir la femme sensée que je connaissais.

Si seulement Ty pouvait cesser de jouer du tambour, peut-être pourrait-il m'entendre, lui. Je songeai même vainement à Gordon, qui devait se demander où j'étais passée.

Quelque chose avait apparemment distrait Gretchen de ses intentions, car celle-ci ne semblait pas se préoccuper de ma main laissée libre. Je portai alors ma main à la tête et me débarrassai fébrilement de mon turban.

— Regardez, Gretchen, regardez! Je suis Lauren Castle, pas Victoria Frazer!

Mais la vision de mes cheveux bruns flottant au vent ne lui tira qu'un nouveau ricanement.

— N'essaie pas de me prendre pour une imbécile! Je sais que tu as pris possession du corps de Lauren Castle; je l'ai toujours su. Je l'ai vu dans ses yeux, Victoria. Va-tu m'écouter, à présent?

Au milieu des éléments qui se déchaînaient, Gretchen s'approcha de moi et vint souffler à mon oreille tous les torts que Victoria avait causés à son frère et à elle. La belle et talentueuse sœur aînée avait abandonné sa pauvre cadette. Elle l'avait sacrifiée au nom de ses ambitions. Elle avait détruit leurs vies, les avait ligués l'un contre l'autre. Toutes les grandes et petites misères de Gretchen et de Ty, Victoria en était l'unique responsable.

— Tu as ruiné nos existences! hurla Gretchen. Tu n'as pensé qu'à toi! Camilla te haïssait, elle aussi, parce que tu as tenté de détruire son ménage! Si elle en avait eu le courage, voilà longtemps qu'elle t'aurait tuée!

Frissonnant de froid et de peur, j'écoutais.

— Je voulais seulement que tu nous aimes. Tu étais notre seule famille; et tu étais si belle...

Je perçus dans cette voix les accents de l'enfant malheureuse qu'elle avait dû être. Peut-être que d'expurger ainsi sa rancœur la ramènerait à la raison et mettrait un terme à ce cauchemar. Cependant, je pressentais que Gretchen m'avait emmenée ici dans un but auquel je n'osais même pas penser. Si seulement elle voulait m'écouter...

Le vent tomba tout à coup, comme attentif à ce qui allait suivre. La pluie ne venait toujours pas. Gretchen reprit à voix basse.

— Après ton départ, il a fallu que j'expie. Ôter une vie, aussi dissolue soit-elle, est un péché. C'est alors que j'ai pris conscience de mon pouvoir : celui de guérir ceux qui souffraient. Je pouvais sauver des vies, et c'est pour cela que j'ai pu vivre. Pour une vie détruite, je pouvais en sauver des centaines. Dieu m'avait pardonné et m'avait accordé l'ineffable don d'aider mon prochain. Ce don, c'était tout ce qui me restait, et je devais le préserver à tout prix. Et puis tu es revenue, et tu t'es mise à tout raconter à Lauren Castle, comme tu l'avais fait avec son mari. Je ne pouvais pas te laisser faire, tu aurais détruit mon existence et le don que je possède. Tout cela devait et va cesser. Définitivement, cette fois-ci.

Gretchen leva les yeux vers les nuages noirs qui roulaient au-dessus de nos têtes.

— Jim aurait dû comprendre que ce don est la chose à laquelle je tiens le plus au monde. Je ne voulais pas le tuer, mais en le supprimant, j'ai sauvé la vie de dizaines de personnes. Aujourd'hui, c'est toi dont je dois me débarrasser. C'est on ne peut plus clair dans mon esprit.

S'éloignant de moi, Gretchen courut vers un autre tas de pierres plus petit. Je la vis s'emparer d'une brindille de bois sec et y mettre le feu, pour ensuite embraser les quelques fagots qu'elle avait disposés autour du tas de pierres, le tas de pierres sur lequel je ne me trouvais pas.

De ma main libre, je tentai de défaire le nœud qui enserrai mon poignet, mais sans succès.

Je me débattais comme un beau diable, quand Gretchen revint vers moi, les yeux brillants d'excitation.

— C'est de cette manière qu'ils ont procédé, pour le tournage. Ils ont filmé la scène à travers un cercle en flammes plus petit, de manière à ce que les deux images se confondent. Mais, ce soir, nous ne tournons pas un film.

Gretchen retourna vers le brasier pour allumer une seconde torche, puis revint près de moi.

— Nous pouvons rendre la scène plus authentique; il me suffit pour cela d'allumer les fagots de bois qui se trouvent à tes pieds.

Ne pas m'évanouir. Surtout ne pas m'évanouir, me disais-je, ou c'en était fait de moi. Je devais même garder toute ma raison, a fortiori si Gretchen avait perdu l'esprit. Je tirai désespérément sur mes liens et sentis qu'ils commençaient à céder.

— Attendez, Gretchen! L'histoire ne peut se terminer ici! Montrez-moi la grotte! Montrez-moi où vous avez déposé le corps de Victoria! criai-je.

Ma tentative pour gagner du temps semblait vouée tout droit à l'échec, puisque, déjà, avec un rire sardonique, Gretchen se penchait vers le bûcher. Le bois sec prit instantanément. Une fumée âcre commença à s'élever autour de moi, me faisant tousser douloureusement. Tout en tirant de toutes mes forces sur mes liens, je m'efforçai de tenir les pans de ma robe loin des flammes. Puis, de la zone située au-delà des phares de la voiture, me parvint la voix de Ty.

— Tu peux pas faire ça, Gretchen.

Mais, comme hypnotisée par les flammes naissantes,

Gretchen ne lui prêta aucune attention. Déjà, je sentais la chaleur des flammes contre mes mollets.

— Ty! Au secours!

Je pouvais le voir, à présent, étrange silhouette dégingandée, distordue par les flammes naissantes. Il leva les mains, paumes vers le ciel, le regard perdu quelque part vers la voûte céleste.

— J'ai joué du tambour, Lauren! J'ai demandé de l'aide et elle ne va pas tarder!

À peine avait-il fini de prononcer ces mots, que de grosses gouttes de pluie vinrent s'écraser sur mon visage, arrachant au bûcher des sifflements de rage. Finalement l'orage qui menaçait, s'abattit sur nous. Je vis alors Gretchen hocher la tête de colère, avant de se tourner vers son frère en hurlant.

— Regarde ce que tu as fait, Ty! Tout est raté, à présent! C'est comme si tu lui avais rendu la liberté!

C'est ce que fit Ty, puisque, tirant un couteau de sa poche, il vint couper mes liens et, voyant que mes jambes me lâchaient, s'empressa de me soutenir. Puis il m'entraîna loin du tas de pierres et de Gretchen.

— Assieds-la sur le siège avant de la voiture! ordonna celle-ci. Immédiatement!

Comme je tentais de me débattre, il raffermit sa prise, trop effrayé par sa sœur pour oser lui désobéir. Je tentai de le raisonner, mais Gretchen m'interrompit aussitôt.

— Tiens-toi tranquille, nous allons à la grotte. Si tu ne te tiens pas tranquille, je t'assomme.

Je ne pouvais prendre ce risque-là. Je devais surtout gagner du temps et me montrer conciliante.

— Je viens. Je veux savoir où est enterrée Victoria.

— Va-t-en, Ty; tu as assez fait de bêtises comme ça.

Nous atteignions la voiture. Ty ouvrit ma portière, m'installa sur le siège et se fondit dans la nuit. Gretchen s'installa au volant et m'ordonna aussitôt de m'asseoir sur le plancher.

— Je veux pouvoir garder un œil sur toi. Ne me donne pas de bonnes raisons pour t'assener un bon coup sur la tête!

Ainsi, nous quittâmes la clairière, et je sentis Gretchen engager son véhicule sur un chemin escarpé. Tous mes sens étaient orientés vers une fuite possible. Il suffisait que je saisisse l'instant opportun. Dès qu'elle ralentirait, je pourrais peut-être me propulser hors du véhicule. Mais Gretchen était rusée; recroquevillée comme je l'étais entre le siège et le tableau de bord, elle aurait tôt fait de contrecarrer le moindre geste suspect de ma part.

J'entendis les essuie-glaces se mouvoir à grande vitesse, tandis que s'abattait sur la voiture des torrents de pluie. Quant à moi, j'étais déjà trempée, empêtrée dans la robe mouillée de Victoria.

Je caressai un instant le fol espoir que Ty fût allé chercher du secours. Mais il était à pied et il n'était pas certain que ces secours, même s'il en trouvait, arriveraient à temps. Mais à temps pour quoi? me demandai-je. Allais-je partager le sort et la tombe de ma grand-mère?

Une fois la grand-route atteinte, le véhicule prit de la vitesse.

— Fais bien attention, me prévint encore Gretchen. Je sais à quoi tu penses : si tu sautes de cette voiture, tu te tueras, et tu ne sauras jamais où se trouve ta grand-mère; et il est temps que tu le saches, comme il était temps que tu saches où elle était morte.

Au moins, Gretchen semblait savoir qui j'étais. C'était déjà ça de gagné, pensai-je.

— C'est aussi bien qu'il n'y ait pas eu de nouvel accident, là-haut, au village indien, me dit-elle, apparemment satisfaite. Tu sais, la mort de Victoria était aussi un accident. Je n'ai jamais eu l'intention de la tuer. Je la suivais au bord du lac, alors qu'elle se dirigeait vers la maison de Roger Brandt. Tu te rappelles? — cette nouvelle permutation de personnages me glaça les sangs. Tu te rappelles comme nous nous sommes querellées? Ce que tu as pu te montrer entêtée! Tu devais être punie. J'avais mon bâton de marche, et j'étais tellement furieuse que je m'en suis servi. Mais je n'ai jamais eu l'intention de te tuer. Plus tard, c'est Roger qui a découvert ton corps. Je me suis chargée de lui expliquer toutes les raisons que pouvait avoir Camilla de perpétrer un tel acte, et il m'a crue. C'est ainsi qu'en voulant la protéger, il est devenu en quelque sorte son complice et le mien. Imagine : nous avons caché ton corps dans une grotte pour sauver Camilla! Quelle merveilleuse ironie du sort, que de le voir s'installer à Lake Lure, sous l'unique prétexte de faire en sorte que personne ne découvre jamais cette grotte! Et pendant toutes ces années, il n'a jamais fait la moindre allusion au fait qu'elle était ta meurtrière. Quelle farce incroyable! Voilà, à présent, la boucle est bouclée.

Ainsi, toute l'histoire que Gretchen m'avait racontée sur la découverte du cadavre de ma grand-mère était vraie. À cette différence près, cependant, qu'au lieu de chercher à protéger sa réputation et celle de Victoria, c'était Camilla que Roger avait voulu protéger! Une fois de plus, je tentai de toucher Gretchen.

— On ne peut refaire l'histoire, Gretchen. On ne peut changer le passé. Je ne suis que la petite-fille de Victoria, et je n'ai rien à voir dans tout cela.

Le coup de frein qui suivit fut si violent, que ma tête alla cogner contre le tableau de bord. Tandis que le véhicule dérapait sur le pavé mouillé, j'entrevis une silhouette gesticulant désespérément au milieu de la route. C'était Ty! Il connaissait tous les raccourcis, et avait ainsi réussi à nous intercepter. Tout en m'agrippant fermement le bras, Gretchen descendit la vitre de sa portière.

— Si je comprends bien, tu veux rester avec nous... Très bien, monte.

Ty se précipita pour ouvrir la portière arrière.

— Prends-la derrière avec toi, ordonna-t-elle à ce dernier. Sa présence m'agace. Passez par-dessus le siège, Lauren.

Au moins pourrais-je tout à loisir voir où nous allions; et peut-être même cela me donnerait-il une bonne occasion pour m'enfuir. La voiture démarra brutalement et je me retrouvai presque les quatre fers en l'air près de Ty. La pluie tambourinait violemment sur le toit de la voiture. Profitant du vacarme, le vieil homme me murmura à l'oreille :

— Y a un poste de téléphone pour les gardes forestiers, pas loin d'ici; j'ai téléphoné à Gordon en lui expliquant la direction qu'on allait prendre.

Je m'adossai à mon siège et fermai les yeux, soulagée au point de ne pouvoir lui exprimer ma reconnaissance que par une simple pression de la main.

Le déluge était si violent, que nous atteignîmes Lake Lure sans que je pusse m'en rendre compte. Je reconnus cependant le bâtiment brillamment éclairé de Lake Lure Inn, où la fête semblait battre son plein. Gretchen suivit la route qui longeait le lac, et nous traversâmes le barrage sans croiser âme qui vive. Près de moi, je sentais Ty détendu mais attentif.

— Je m'demande comment elle va s'en sortir, me souffla-t-il.

Dépassant la demeure des Brandt, Gretchen s'engagea dans un chemin à travers bois, pour atteindre enfin une maison inoccupée. Une fois garée, elle se tourna vers son frère.

— Sors-la de la voiture, Ty; et ne la perds pas de vue. Je ne veux pas qu'elle s'enfuie — puis, s'adressant à moi : Ne vous inquiétez pas, Lauren, je sais très bien que vous n'êtes pas Victoria; je voulais seulement vous effrayer un peu.

Je n'en croyais pas un mot, et la soupçonnais même de ne pas se rendre compte à quel moment elle me substituait à Victoria. Comment Gordon saurait-il où nous trouver? Probablement ignorait-il où se trouvait la grotte.

— À partir d'ici, nous continuons à pied, annonça Gretchen. Ty, prends la tête, tu connais le chemin. Lauren marchera entre nous, ça la mettra à l'abri des tentations. À la moindre incartade, je sévis, conclut-elle en brandissant son bâton de marche.

Tel un animal sauvage qui connaît son chemin par cœur, Ty commença à se frayer un passage à travers d'épais fourrés. La pluie tombait dru, mais les coups de tonnerre semblaient s'éloigner. Gretchen alluma une lampe torche, ce qui facilita un peu ma progression.

Ma robe collait à mes jambes et je m'y empêtrais de plus en plus. Pour garder l'équilibre, je devais quelquefois prendre appui à tâtons sur des branches basses. Même si cela m'avait été possible, j'aurais renoncé à m'enfuir. Voir la grotte où gisait ma grand-mère représentait à présent pour moi un signe du destin auquel je ne pouvais me dérober.

Quelque part vers le sommet, Ty marqua le pas, si brusquement que je faillis trébucher contre lui. Gretchen agita le faisceau de sa lampe qui alla éclairer la face rocailleuse d'un aplomb.

— C'est bien, Ty, dit-elle. Je crois que je ne l'aurais jamais retrouvée seule, dans cette obscurité. Passe le premier, je me souviens t'avoir vu placer des lanternes dans cette grotte.

Ty parut se fondre dans une anfractuosité de la masse rocailleuse et, du bout de son bâton, Gretchen m'incita à avancer.

— Allons, suivez-le. Il y a une faille où l'on peut très facilement se glisser.

À force de tâtonnements, je finis par trouver la fameuse fissure. Trempée et frigorifiée comme je l'étais, au moins pourrais-je enfin me mettre à l'abri, me dis-je en manière de dérision.

Devant nous, Ty venait d'allumer les lanternes, jetant un éclairage diffus dans une caverne que je découvris immense. Autour de moi, tout n'était qu'obscurité. On entendait seulement le rugissement sourd des eaux ruisselant au cœur de la montagne.

— C'est une cascade, m'expliqua Gretchen. À cause de l'orage, le ruissellement par capillarité est suffisant pour faire déborder les nappes phréatiques et créer une chute d'eau intérieure. Dommage qu'il soit si tard, Lauren, j'aurais aimer vous la montrer, mais nous n'avons pas le temps.

— C'est ici que Roger et Justyn sont venus se mettre à l'abri, quand le vaisseau spatial s'est écrasé sur la montagne, ajouta Ty. C'était une tempête terrible, bien pire que celle-ci. Y grêlait des œufs de pigeons. J'm'en souviens, j'y étais.

— Roger connaissait bien cette grotte : il y était déjà venu, ricana Gretchen. Moi, je n'ai jamais voulu y remettre les pieds. Mais toi, tu y viens souvent, n'est-ce pas, Ty?

— Faut bien que quelqu'un la surveille, grommela Ty. J'ai même emmené Jim, une fois, pour lui montrer...

— Ça n'aura pas été la meilleure idée que tu as eue dans ta vie, Ty. Tu sais très bien qu'il n'aurait jamais pu garder cette histoire pour lui. Et maintenant, c'est au tour de Lauren; il n'est pas question qu'elle aille tout raconter à je ne sais trop qui, elle non plus. Allons, avance, Ty...

En proie à un atroce pressentiment, je sentais mes jambes mollir à chaque pas, guettant par-dessus mon épaule le coup de bâton qui allait me faire passer de vie à trépas. Quand Gretchen m'aiguillonna de nouveau, je trébuchai contre Ty.

Galvanisé par les éclats de voix de sa sœur, Ty se mit à escalader une sorte d'éboulis.

— On aura pas besoin de lanternes, là-haut, m'annonça-t-il énigmatiquement. Viens, Lauren, c'est plus facile que c'en a l'air.

Je le suivis donc dans les méandres rocailleux. À mi-parcours, je le vis disparaître dans une sorte de chambre, et y entrai à mon tour. La grotte dans laquelle nous nous trouvions à présent était plus grande encore que la précédente. Au moment où j'y pénétrai, le grondement de la chute s'amplifia considérablement.

Comme l'avait si bien dit Ty, là où nous nous trouvions, nous n'avions besoin ni de lampe torche ni de lanterne. L'endroit était éclairé par une luminescence verdâtre semblable à celle que l'on voit dans les grottes marines.

— Mon Dieu! s'écria Gretchen, apparemment aussi impressionnée que moi.

Quand, m'avançant vers une seconde chambre, je vis ce qui m'attendait, un irrépressible tremblement s'empara de moi. Sur une plate-forme naturelle, reposait un linceul.

Suffoquée, Gretchen eut un mouvement, tandis que Ty me tendait amicalement la main.

— T'es bien venue pour voir ta grand-mère, pas vrai?

La même peur qui s'était emparée de moi au village indien m'envahit brusquement. Mais je ne voyais aucune issue possible, et je me laissai guider jusque sur la plate-forme. Au-delà, je ne pouvais voir qu'un trou béant et noir, duquel montait, semblable à un formidable grondement de tonnerre, le bruit de la cascade.

Gretchen vint à mes côtés, manifestement en état de choc.

— Ce n'était pas comme ça, quand Roger et moi l'avons emmenée ici! hurla-t-elle.

Je m'attendais à voir les ossements de Victoria, mais rien d'autre n'était visible qu'un épais tapis de végétation luxuriante, en un endroit où il n'y avait ni terre, ni eau, ni soleil. C'était du kudzu. Du kudzu d'une beauté comme je n'en avais encore jamais vu.

Au fur et à mesure que mes yeux s'habituaient à cette étrange lumière, l'origine de cette croissance miraculeuse se révéla à mes yeux. De chaque côté du linceul, je remarquai, en effet, un petit tas de cette étoffe dont Jim m'avait fait parvenir un échantillon, et qui semblait être à l'origine de cette débauche de verdure.

— Que s'est-il passé, Ty? je veux savoir! cria Gretchen.

— J'ai passé des années à la recouvrir de kudzu sans que rien se passe, expliqua Ty. J'devais en apporter des tas, car au bout de quelques jours, il était complètement fané. Et puis y a eu cet engin qui s'est écrasé sur la montagne, et c'est là que les choses ont changé. P't-êt' que quelqu'un est descendu ici, avant l'arrivée des militaires. P't-êt' même qu'il est resté caché quelques jours, en attendant que ses copains viennent le chercher. Moi, j'crois qu'ils ont découvert Victoria et qu'ils ont voulu lui laisser une sorte de souvenir, avant d'repartir; lui faire comme qui dirait une sépulture décente.

Tout comme Gretchen, ce mystère me remplissait de respect et d'effroi. A présent, personne ne parlait plus. J'écoutais ce bruit de cascade qui semblait emplir tout mon être, et me souvint de la vision prémonitoire que j'en avais eue, allongée sur mon lit.

— J'suis monté sur cette plate-forme des tas d'fois, poursuivit Ty, et j'ai jamais pu voir le fond. La chute alimente la rivière souterraine et dégringole directement à l'intérieur de la montagne. Il arrive qu'on l'entende de l'extérieur, selon l'endroit où on est placé.

— Ceci est la tombe de Victoria, articula Gretchen d'une voix étrangement haut perchée. La vôtre est en bas, Lauren. Vous n'avez qu'à sauter et tout sera dit. C'est rapide, facile, et personne ne retrouvera jamais votre corps.

Je sentis la pointe de son bâton me vriller le creux des reins, mais, une fois de plus, je décidai de faire face.

— Non, Gretchen! Vous en avez assez fait comme ça! Tout ceci doit cesser!

J'étais convaincue qu'elle allait m'assener un violent coup de bâton sur la tête, quand, près du cercueil, un étrange phénomène parut se produire. C'était comme si une sorte de brouillard vert se levait de la masse de verdure. À moins que ce ne fût de la condensation, me dis-je...

Gretchen observa elle aussi le phénomène. Peut-être en raison de ses dons naturels, elle parut en percevoir le sens, car elle se mit à trembler violemment.

Titubant, gesticulant désespérément, elle semblait vouloir repousser cette brume verdâtre qui, à présent, l'enveloppait lentement. Frappée de stupeur, je la voyais se débattre en reculant toujours davantage avec des mouvements de plus en plus désordonnés et violents.

L'oreille de Ty, exercée aux sons creux des cavernes, parut entendre quelque chose, car le vieil homme se mit à crier :

— Gordon? C'est toi, Gordon?

Mon cœur sauta dans ma poitrine en voyant Gordon, accompagné de Roger, apparaître dans le halo de lumière verte. J'appris plus tard qu'il s'était rendu chez les Brandt avec l'espoir de m'y trouver, et que c'était là que Ty l'avait joint. Cependant, en cet instant, c'est Gretchen qui captait l'attention de tous.

Peut-être ne se croyait-elle pas si près du bord, ou peut-être ne le savait-elle que trop et que, s'il fallait en juger par l'horreur qui se lisait sur son visage, elle avait fait son choix.

Nous la vîmes lentement chavirer dans le vide avec un grand cri, avant que le bruit de la cascade ne le couvrît enfin, sans qu'aucun écho du bruit de sa chute dans cette rivière souterraine et invisible ne parvînt jusqu'à nous.

Gordon sauta sur la plate-forme sur laquelle Ty et moi nous nous tenions. Puis il me prit dans ses bras et me serra très fort, sans dire un mot, se limitant à presser mon visage contre son cou pour tenter de contenir mes tremblements.

Roger vint à nos côtés, portant une magnifique cape datant du début du siècle. Cependant, ce n'était plus le fringant acteur, mais un vieil homme contrit au regard mouillé, que j'avais devant moi.

Je ne prononçai pas à haute voix mon invocation, mais la dis quand même, par la pensée :

« Tu es libre, à présent, grand-mère. Où que tu sois, plus rien, désormais, ne te retient ici. »

Aucun nuage verdâtre ne m'enveloppa, mais je sentis sa présence entrer au plus profond de moi.

Gordon, Roger et moi, descendîmes vers la chambre en contrebas. Là, mon grand-père me tendit les mains et j'y posai les miennes.

— Elle est libre de s'en aller, maintenant. Mais toi, à présent que je t'ai trouvée, je ne veux plus que tu partes.

— Lauren n'a l'intention d'aller nulle part, intervint Gordon en passant un bras autour de ma taille. Je crois qu'il est fortement question qu'elle reste ici, avec moi.

Cela ne faisait aucun doute. Ty, qui nous avait suivis, semblait plus perdu que jamais. Aux quelques mots qu'il prononça, je compris qu'il parlait pour lui-même.

— Je reconnais que ça devait arriver. Ce rôle qu'elle jouait, c'était pas le sien. Elle était comme qui dirait bénie et maudite à la fois. Ça pouvait pas continuer comme ça...

Lorsqu'il leva les yeux sur nous, son regard était dénué de toute expression. Il subsistait une question que je désirais lui poser.

— Comment saviez-vous pour Victoria, Ty?

— J'étais dans la forêt, quand Roger et Gretchen l'ont portée dans la grotte, répondit Ty sans hésitation. J'ai attendu qu'ils partent, et je suis allé la voir. J'ai vu la blessure à la tête et j'ai su que c'était le bâton de Gretchen qui avait fait ça. Elle a réussi à faire marcher Roger, mais pas moi.

— Mais pourquoi n'en as-tu parlé à personne? fit Roger

d'une voix faible.

— Parce que c'était ma sœur. C'étaient mes sœurs, et je les aimais, toutes les deux. Victoria portait le bracelet avec les clochettes et je l'ai pris en souvenir d'elle. J'te l'ai envoyé comme un signal, Lauren, et tu comprends que, quand Gretchen l'a vu, elle savait exactement d'où il venait, et c'est ça qui l'a mise de mauvaise humeur.

— Et Jim?

— Je lui ai montré le bracelet, et je l'ai conduit jusqu'ici. Sous le kudzu, y avait plus qu'des os. Mais quand il a vu le crâne, il a très bien compris que Victoria avait été assassinée. Il a récupéré un morceau de tissu vert, pour essayer de savoir ce que c'était exactement. Gretchen savait qu'il allait pas tarder à découvrir le pot aux roses, et elle s'est arrangée pour le faire taire.

Je remarquai que Ty s'était laissé gagner par l'émotion. Après une pause, il reprit d'une voix étranglée :

— Tu sais, Gretchen, elle avait raison et tort en même temps. Bien sûr, elle guérissait des tas de gens; mais quand elle t'a emmenée au village indien, j'ai compris qu'il fallait que ça s'arrête, Lauren. Justyn commençait à se poser des questions, et je voulais pas qu'elle l'ait sur le dos. Toi, mon pauvre Roger, t'as fait fausse route depuis le début. Camilla a rien à voir dans cette histoire. Vous vous protégiez l'un l'autre sans raison.

— Je le sais, Ty, répliqua tristement Roger. Finalement, je le sais. Ce soir, après avoir quitté le bal, Camilla et moi avons longuement parlé. Voilà des années que nous aurions dû aborder ce sujet. Mais comme je la pensais responsable du meurtre de Victoria, je ne pouvais rien dire; et comme elle me soupçonnait aussi, elle ne pouvait rien me dire non plus.

Ty écarta les bras, les paumes vers le haut, comme il l'avait fait au village indien pour invoquer la pluie.

— Rentrez chez vous, dans vos familles; je vais rester un moment auprès de la mienne.

Nous l'abandonnâmes là et, aidée de Gordon, j'entrepris de quitter le ventre de la montagne. La pluie avait cessé, le vent était tombé. La lune, qui s'était dégagé un coin de ciel parmi des nuages, facilitait notre descente. Roger nous suivit un bout de chemin, puis bifurqua en direction de sa demeure. Peut-être serait-il le détenteur de la nouvelle légende qui circulerait bientôt à Lake Lure.

— Allons chez ma mère, me dit Gordon. Pour le moment, je voudrais que tu t'installes chez nous. J'irai chercher tes affaires demain matin, en même temps que j'annoncerai la disparition de Gretchen. Peut-être Ty s'occupera-t-il de son cochon…

Nous atteignions les derniers contreforts de la montagne, et la vision qui s'était offerte à mes yeux me laissait encore songeuse.

— Tout ce lierre, Gordon, ce kudzu, il poussait sans lumière et sans eau!

— Il y a des anfractuosités sur les parois, par lesquelles l'eau peut toujours ruisseler. Mais je crois qu'il serait plus poétique de parler de miracle.

Cette idée me convenait. Nous poussâmes jusqu'au bord du lac et parcourûmes ses rives du regard.

— Où veux-tu que nous construisions notre maison?

Je lui répondis par un sourire émerveillé. Moi aussi je croyais aux miracles.

— Mais… au bord du Lake Lure, bien sûr…

Peut-être la paix était-elle enfin retrouvée. La paix pour Victoria, la paix pour Roger Brandt et Camilla. Pour Gordon et moi, une nouvelle vie s'annonçait, même si cette nuit me hanterait encore longtemps.

Nous reprîmes notre route, et je ne me retournai pas. La vie m'avait appris à ne pas me retourner.

La lune pâle frôlait les eaux frémissantes, en y jetant des paillettes par poignées. Aucune trace de brume, ce soir, mais le sombre reflet du Rumbling Bald, qui recelait encore plus de secrets que par le passé…